Marco Mezzadri Paolo E. Balboni

Corso multimediale d'italiano per stranieri

Guerra Edizioni

Autori
Marco Mezzadri, Paolo E. Balboni.
Hanno curato le sezioni di Fonologia *Marco Cassandro*
e di Civiltà *Giovanna Pelizza.*

Le sezioni di valutazione e autovalutazione
sono a cura di *Mario Cardona.*

Progetto grafico
Keen s.r.l.
Silvia Bistacchia.

Copertina
Keen s.r.l.
Hibiki Sawada.

Impaginazione
Keen s.r.l.
Silvia Bistacchia, Andrea Bruni.

Ricerca iconografica
Keen s.r.l.
Nicola Vergoni.

Disegni
Francesca Manfredi.

Fotografie
Foto Quattro s.r.l. - Perugia.

Stampa
Guerra guru s.r.l. - Perugia.

In collaborazione con: *Èulogos®*

I edizione

ISBN 88-7715-444-6

I disegni a pag. 27 e pag. 47 sono tratti dal libro "Pronunciare l'italiano" di Lidia Costamagna - Guerra Edizioni 1996.

Guerra Edizioni
via Aldo Manna, 25 - Perugia (Italia) - tel. +39 075 5289090 - fax +39 075 5288244
e-mail: geinfo@guerra-edizioni.com - www.guerra-edizioni.com

Rete!

introduzione

CORSO MULTIMEDIALE D'ITALIANO PER STRANIERI

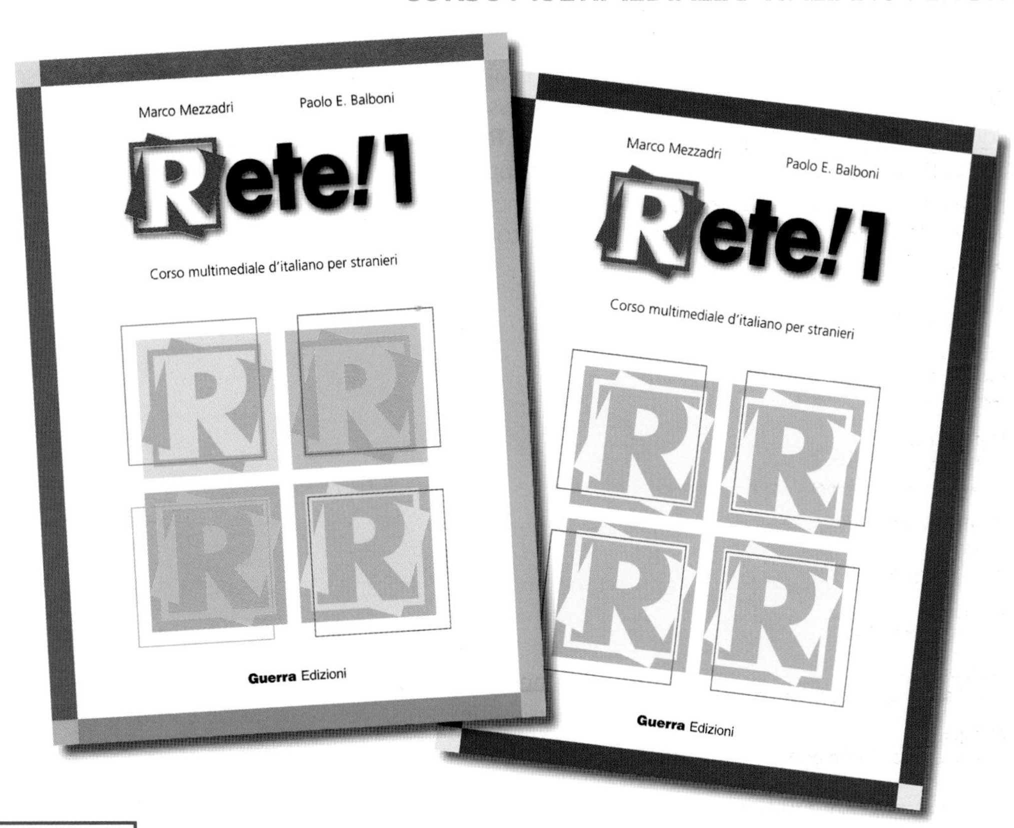

Perché una "Rete!"

Questo manuale nasce dall'intersezione tra tre forze:

a. da un lato esso nasce nell'alveo della tradizione di didattica dell'italiano: è organizzato in unità didattiche monotematiche, attribuisce un ruolo chiave alla scoperta della complessità della nostra grammatica, affianca testi della vita quotidiana e testi letterari, offre largo spazio alla cultura e civiltà del nostro variegato Paese, e così via;

b. d'altro canto esso trasporta questa tradizione su uno sfondo europeo, facendo proprie le lezioni della didattica dell'inglese, del francese e del tedesco: il curricolo è progettato con riferimento al Livello Soglia del Consiglio d'Europa ed è basato su un impianto "multisillabo", cioè sull'interazione e l'equilibrio di un sillabo grammaticale/strutturale, uno nozionale/funzionale, uno lessicale, uno relativo allo sviluppo delle abilità di ascolto, parlato, lettura e scrittura, un sillabo situazionale, uno fonetico, uno culturale; tutti questi sillabi, che l'insegnante ha a disposizione in un'ampia sinossi, richiedono circa 300 ore (circa 100 per livello) per condurre ad un livello intermedio/avanzato e si realizzano sul piano metodologico per mezzo di un approccio basato sulla soluzione di problemi e sul "fare con" piuttosto che "lavorare su" la lingua;

c. infine, si mettono in pratica alcune delle linee più avanzate della ricerca glottodidattica italiana: l'approccio induttivo alla grammatica, che viene scoperta dallo studente sotto la guida dell'insegnante; il fatto che l'accuratezza della forma ha pari dignità della capacità meramente pragmatica, comunicativa; l'invito a riflettere su quanto si è appreso (ogni unità si conclude con una sintesi in cui lo studente traccia un bilancio facendo preciso riferimento contrastivo con la propria lingua madre). L'autovalutazione, sebbene guidata e controllata dal docente, è ritenuta essenziale per cui ogni UD ha una scheda di autovalutazione da compilare, ritagliare, consegnare all'insegnante.

Queste tre direttrici agiscono sullo sfondo creato dal vorticoso mutare degli strumenti: se da un lato si tratta di un manuale "tradizionale", in tre volumetti per la classe e altrettanti quaderni per casa, con cassette, ecc., dall'altro si colloca nel mondo nuovo in cui è possibile fornire:

- floppy con esercizi supplementari;
- collegamenti in rete per approfondimento dei temi trattati nelle unità (indicati con un simbolo), in modo che lo studente che ha accesso a un computer possa approfondire i temi usando l'italiano in rete, oltre che studiandolo sul libro, e costruire, insieme alla propria classe, all'insegnante o autonomamente, scambi con altri studenti e classi sulla base di progetti didattici stimolati dagli argomenti trattati in **RETE!**;
- una banca dati presso il sito Guerra per l'aggiornamento dei materiali di civiltà, per ulteriori attività, esercizi, ecc., con cui integrare il libro base;
- un "luogo comune" in rete in cui gli insegnanti che usano **RETE!** possono fare commenti, suggerire alternative, fornire integrazioni, dialogare tra di loro e con gli autori.

Per queste sue caratteristiche, per il fatto di essere il risultato di una rete dei fili che hanno percorso la glottodidattica italiana ed europea in questi anni e di essere il centro di una rete di connessioni virtuali tra studenti e docenti di italiano di tutto il mondo, il titolo **RETE!** non è solo un omaggio al momento più entusiasmante dello sport preferito degli italiani (uno sport che è ambasciatore di italianità in tutto il mondo, dove anche chi non conosce Dante e Goldoni sa mormorare Baggio o Maldini), ma è l'essenza stessa del progetto, costruito sulla trama della tradizione e l'ordito dell'innovazione.

La struttura di "Rete!"

L'opera si compone di:

- libro di classe
- guida per l'insegnante
- libro di casa
- cassette audio
- applicazioni per Internet
- una serie di materiali collaterali che, anno dopo anno, allargheranno la possibilità di scelta di materiali integrativi.

Il libro dello studente è la parte principale del testo per l'utilizzo in classe. E' suddiviso in unità con ognuna un tema unificante, che permette di presentare gli elementi dei vari sillabi. Ogni unità conterrà poi pagine ben definite, dedicate ad esercizi per lo sviluppo di grammatica, lessico, quattro abilità, fonologia. Inoltre, c'è una sezione dedicata alla civiltà, presentata in chiave contrastiva. Gli argomenti trattati in questa sezione intendono fornire agli studenti strumenti idonei per capire la realtà italiana contemporanea, senza trascurare gli aspetti storici e culturali più importanti, eredità del nostro passato, che determinano la ricchezza del nostro presente.
Alla fine di ogni unità lo studente trova un riassunto grammaticale, funzionale e lessicale del materiale incontrato, impostato con riferimento alla sua lingua materna, e trova anche una sezione di autovalutazione progressiva: lo studente esegue queste attività a casa, quindi potendo recuperare nell'unità le informazioni che ancora gli sfuggono e implicitamente procede ad un'autovalutazione, poi consegna la scheda all'insegnante che rapidamente (le chiavi sono nella guida didattica) può dare allo studente un feedback che conferma il risultato o lo mette in guardia invitandolo ad approfondire l'unità appena conclusa.
Ogni unità è suddivisa tra una sezione da svolgere in classe, nel volume a colori, ed una da svolgere a casa per il lavoro autonomo di rinforzo, esercitazione, approfondimento - ma anche con cruciverba e altri giochi che mettono "in gioco" il lessico e la grammatica presentate nell'unità.
Il libro di casa si chiude con una sezione dedicata alla civiltà, strutturata per schede tematiche a colori che permettono di utilizzare **RETE!** come testo di lingua e di civiltà in quei contesti scolastici in cui la civiltà necessita di particolare spazio. Questa sezione è un ulteriore strumento a disposizione di studenti e insegnanti per partire all'esplorazione della rete Internet attraverso gli innumerevoli collegamenti indicati sul sito dedicato al testo.
La guida dell'insegnante è uno strumento pratico con note e suggerimenti per ogni unità, con idee per attività opzionali aggiuntive, con test progressivi di verifica da fotocopiare e somministrare ogni tre unità per effettuare dei "compiti in classe". Le cassette audio sono parte integrante dello sviluppo del sillabo dell'ascolto e servono per il lavoro in classe e a casa.

Questi tre volumi richiedono circa 300 (circa 100 per livello) ore di lavoro guidato dal docente, cui va aggiunto quello autonomo, sia di completamento (studio individuale, esercitazioni, ecc.) sia di espansione (navigazione nei siti internet consigliati, ecc.), e si giunge ad un livello "intermedio/alto", secondo la terminologia del Consiglio d'Europa, o "avanzato" secondo la nostra tradizione.

Chi lancia la rete

Questo manuale, che di anno in anno si evolverà in una costellazione di materiali didattici tra cui l'insegnante potrà scegliere, è originale per un ultimo motivo: esso non nasce da un singolo autore o da un gruppo stabile, collaudato da anni di produzione, radicato in un luogo. Al contrario, per poter trarre vantaggio dalla pluralità delle esperienze italiane, per non rischiare di ricalcare cliché localistici o di reiterare in nuove forme impianti preesistenti, esso è il prodotto di una nuova rete di autori e centri di progettazione:

- la progettazione glottodidattica è condotta a Ca' Foscari, cui migliaia di docenti sono ricorsi per formazione o certificazione didattica: Paolo Balboni, direttore del Progetto ItaLS, ha coordinato l'impianto di **Rete!**;
- la delicatissima fase della realizzazione delle unità didattiche è avvenuta in una città che non rientra nel canonico asse Perugia-Siena-Venezia, ma la cui Università ha istituito un prestigioso Centro Linguistico dove si insegna l'italiano a stranieri: Parma. Lì opera Marco Mezzadri, insegnante e autore di molti materiali didattici per l'italiano, che ha impostato in tandem con Paolo Balboni l'impianto glottodidattico e ha curato i sillabi; sempre a Parma lavora Giovanna Pelizza, autrice di vari prodotti multimediali per l'insegnamento del l'italiano, che ha curato le sezioni di civiltà e seguito la realizzazione delle unità;
- a uno dei poli tradizionali per l'insegnamento dell'italiano, l'Università per Stranieri di Siena, appartiene Marco Cassandro, che ha curato il sillabo e i materiali per la fonologia;
- il centro di progettazione e realizzazione operativa invece è a Perugia, dove ha sede l'altra Università italiana per Stranieri, e si avvale dell'esperienza maturata in decenni di produzione di testi d'italiano per stranieri;
- a Ca' Foscari lavora anche Mario Cardona, responsabile per il testing nel Progetto ItaLS, che ha realizzato le schede valutative di Rete!.

tavola sinottica

Unità 1 in viaggio

Funzioni
Affermare. Negare. Salutare. Presentarsi. Chiedere e dire la nazionalità e la provenienza. Chiedere e dire il nome. Chiedere e dire come si scrive una parola. Ringraziare. *Scusa/scusi*. Chiedere di ripetere. *E tu*? *E Lei*?

Grammatica
Pronomi personali soggetto: *io*, *tu*, *lei/lui*. *Lei* forma di cortesia. Presente indicativo singolare dei verbi: *essere*, *studiare* e *chiamarsi*. Singolare maschile e femminile degli aggettivi in o/a. Aggettivi in e. Forma affermativa, negativa e interrogativa.

Lessico
Nomi, nazionalità. Alfabeto. Saluti. *Di dove*? *Come*?

Civiltà
Le città. Alcuni monumenti famosi.

Fonologia
I suoni delle vocali. L'accento nelle parole (vocale tonica).

Unità 2 all'aeroporto

Funzioni
Chiedere e dire come si dice. Chiedere e dare il numero di telefono. Chiedere e dare l'indirizzo. Chiedere l'età e rispondere. Esclamare. Esprimere meraviglia. Chiedere e dare spiegazioni. Chiedere dove si trova una località. Chiedere quando si svolgerà una determinata azione. Dire cosa c'è in un luogo. Dire che non si conosce la risposta. Rispondere quando si è interpellati.

Grammatica
Presente indicativo dei verbi: *essere*, *studiare*, *avere*, *prendere*, *restare*. Presente indicativo plurale del verbo *essere*. *C'è*, *ci sono*. *Perché*, *cosa*, *quando*, *quanti*, *qual* è?. Plurale degli aggettivi in -o, -a. Singolare e plurale dei nomi maschili e femminili in -o e -a; numeri 0 a 20. Ordine della frase. Preposizioni semplici: *in* e *a* di luogo; Revisione: frase negativa con *non*. *Non lo so*. Introduzione ai possessivi: *il tuo*.

Lessico
Numeri da 0 a 20.

Civiltà
L'Italia fisica. Le regioni e i capoluoghi. Le città più abitate.

Fonologia
Suoni /p/ /b/. Contrasto tra intonazione interrogativa (ascendente) e intonazione affermativa/negativa (discendente).

Unità 3 il lavoro

Funzioni
Presentarsi in modo formale. Presentare un'altra persona in modo formale. Chiedere e dire lo stato civile. Chiedere e dire il significato. Revisione: chiedere e dire l'età, la nazionalità, il numero di telefono, l'indirizzo, l'identità, chiedere e dire quante lingue si conoscono. Chiedere e dire cosa si sa fare. Chiedere e dire che lavoro si fa. Riempire formulari.

Chiedere il significato di una parola. Esprimere un'opinione con *secondo me*.

Grammatica Presente indicativo dei verbi delle tre coniugazioni. Verbo *sapere*, verbo *fare*. Ripasso preposizioni: *in* e *a*; *per* di durata. *Chi*? Ripasso degli interrogativi: *che*?, *che cosa*?, *cosa*?, *dove*?, *che tipo di*?, *cosa vuol dire*? Introduzione: articoli determinativi singolari.

Abilità Strategie d'apprendimento: il dizionario.

Lessico Mestieri, domande personali.

Civiltà Il lavoro. I principali settori lavorativi.

Fonologia Suoni e ortografia di /tʃ/ /dʒ/ /k/ /g/.

Unità 4 la famiglia

Funzioni Esprimere legami familiari. Parlare di abilità. Parlare di conoscenze. Chiedere di ripetere. Invitare e suggerire. Accettare l'invito. Presentare altre persone. Parlare del possesso. Chiedere il possessore. Chiedere qualcosa gentilmente. Chiedere della salute di qualcuno e rispondere. Chiedere come procede qualcosa e rispondere positivamente. Localizzare nello spazio. Esprimere accordo. Chiedere il permesso e acconsentire. Rispondere al telefono. Presentarsi quando si telefona a qualcuno.

Grammatica *Voi* di cortesia. Revisione plurali dei nomi e aggettivi. Nomi in *tà*, articoli determinativi plurali. *Questo/a/i/e*. Verbo *andare*. *Andare* + *a/in*; verbo *potere* (permesso: *posso andare in bagno*?) (*può/puoi ripetere*?). Ripresa di *sapere* per abilità. Possessivi singolari con nomi di famiglia. *Molto* con aggettivi. Preposizione *di*. *Perché non*...

Abilità Strategie d'apprendimento: prevedere.

Lessico La famiglia: *padre*, *madre*, *uomo*, *donna*, *genitori*, *fratello*, *sorella*, *figlio*, *figlia*. Aggettivi per la descrizione fisica: *giovane*, *vecchio*, *alto*, *basso*, *magro*, *grasso*, *carino*. Numeri da 21 a 99; Lessico della classe: alcuni sostantivi.

Civiltà La famiglia. I tipi di famiglia. I matrimoni. Genitori e figli.

Fonologia Suoni /n/ /m/.

Unità 5 la casa

Funzioni Descrivere la casa. Localizzare gli oggetti nello spazio. Dire il mese e il giorno del mese. Parlare della provenienza con *di* e *da*.

Grammatica Preposizioni articolate. Ripasso *c'è*, *ci sono*. Ripasso articoli determinativi e indeterminativi se in contrasto. Nomi femminili in -o e tronchi. Verbi irregolari: *venire da* e *dire*. *Da* e *in* con i mesi. *Di* per la provenienza. *Abbastanza* + agg.

Abilità Strategie d'apprendimento: prevedere 2.

Lessico Le stanze e i mobili. *Vicino*, *davanti*, *di fianco a*, *di fronte a*, *dietro*, *su*, *sotto*, *tra/fra*. I mesi e il giorno del mese. Le date. *A destra* e *a sinistra*. Alcuni colori.

Civiltà La casa. Le tipologie abitative. Il problema della casa. L'interno della casa.

Fonologia Suoni /t/ /d/. Intonazione negativa e affermativa (II).

Unità 6 la vita quotidiana

Funzioni

Parlare delle proprie abitudini. Esprimere la frequenza. Chiedere con che frequenza si fanno determinate azioni. Dire con che frequenza si fanno determinate azioni. Chiedere l'ora. Dire l'ora. Chiedere la data. Dire la data. Chiedere che giorno è oggi. Dire che giorno è oggi. Chiedere a che ora si compie una determinata azione. Dire a che ora si compie una determinata azione.

Grammatica

Verbi irregolari: revisione di *andare* e *fare*. *Uscire*. Verbi di routine. Persone plurali dei riflessivi. Avverbi di frequenza. L'ora. Possessivi plurali. Aggettivi e pronomi. Aggettivi dimostrativi. *Questo* e *quello*. *Andare in/a*. Preposizioni con le date.

Abilità

Strategie d'apprendimento: comprensione globale.

Lessico

Avverbi di frequenza: *sempre*, *quasi sempre*, *di solito*, *spesso*, *a volte*, *raramente*, *quasi mai*, *mai*. Verbi di routine: *svegliarsi*, *alzarsi*, *lavarsi*, *fare colazione*, *uscire di casa*, *cominciare a lavorare*, *pranzare*, *finire di lavorare*, *fare la doccia*, *cenare*, *guardare la tv*, *andare a letto*. *Lunedì*, *martedì*, ecc. *Quanti ne abbiamo oggi*? Date.

Civiltà

I locali pubblici. Orari di apertura di bar, musei, banche, uffici postali, ristoranti. I nomi delle vie.

Fonologia

Suoni /r/ /l/. Messa in risalto di un elemento nella frase.

Unità 7 il cibo, al ristorante

Funzioni

Parlare del cibo in diversi paesi. Fare la lista della spesa. Ripasso: chiedere ed esprimere l'appartenenza. Esprimere quantità. Raccontare una storia. Chiedere ciò che si vuole mangiare o bere. Chiedere qualcosa da bere, da mangiare o il menù. Chiedere il conto. Chiedere conferma. Chiedere delle necessità. Parlare delle necessità. Offrire.

Grammatica

Vorrei. *Volere* presente indicativo. Ripasso e ampliamento dei possessivi, dimostrativi e *di chi*?. Il partitivo *del/dei/*ecc. *Aver bisogno di*. Numeri ordinali. Altri plurali: *macellaio*, *zio*, *amico*, *virtù*, *crisi*.

Abilità

Strategie d'apprendimento: comprensione dettagliata.

Lessico

Primo (piatto), *secondo (piatto)*, *antipasto*, *contorno*, *frutta*, *dolce*, il *conto*.
Alcuni cibi italiani, termini indicanti cibi frequenti per la lista della spesa.

Civiltà

I pasti. Gli orari, le abitudini. I vari tipi di ristorante.

Fonologia

Suoni e ortografia di /ɲ/ /ʎ/ /ʃ/. Accento nelle parole (II).

Unità 8 in negozio, i soldi

Funzioni

I soldi. Chiedere il prezzo. Dire il prezzo. Dire cosa si desidera. Chiedere la quantità. Dire la quantità. Mostrare. Consegnare. Prendere tempo per riflettere. Chiedere quanto si spende. Dire quanto di spende. Chiedere se si vuol comprare ancora qualcosa. Dire che non si vuol comprare più niente. Esprimere preferenza. Esprimere dovere. Chiedere cosa si sta facendo. Dire cosa si sa facendo. Modificare aggettivi, verbi, sostantivi e avverbi.

Grammatica

Revisione: *da* (*me*, Carlo). *Dal macellaio* vs. *in macelleria*. *Quanto costa?* + risposta.
Stare + gerundio. *Dovere*. Verbi irregolari: *conoscere*, *dare*, *preferire* (revisione: modello *finire* e *dormire*). *Un po' di*, *poco/i*, *troppo/i*, *molto* con i sostantivi, avverbi e agg.

Numeri da 100 a un milione.

Abilità Strategie d'apprendimento: predire, comprensione globale e dettagliata.

Lessico Oggetti vari da supermercato. I numeri da 100 a un milione. *Informatico*, *grafico*, *manager*, *cassiera*, *autista*, *controllore*, *parrucchiere*.

Civiltà Le spese.

Fonologia Suoni /f/ /v/ /s/ [z].

Unità 9 a scuola

Funzioni Descrivere oggetti. Parlare della scuola. Indicare gli oggetti. Chiedere e dire come si dice una parola o espressione. Chiedere e dire come si scrive una parola o espressione. Chiedere e dire cosa significa una parola o espressione. Esprimere accordo in frasi affermative e negative. Esprimere la durata. Esprimere il fine. Esprimere disappunto o sorpresa.

Grammatica Aggettivi e pronomi dimostrativi completi (*questo* e *quello*). Pronomi personali diretti atoni: *mi*, *ti*, *ci*, *vi*, *lo*, *la*, *li*, *le*. *Ce l'ho*. Revisione: *per* (finale). Dalle 1 alle 2.

Abilità Strategie d'apprendimento: indovinare il significato di parole sconosciute. Compilare un modulo d'iscrizione a una scuola.

Lessico Oggetti della scuola. Terminologia metalinguistica: *spiegare*, *pronunciare*, ecc.

Civiltà Il sistema scolastico.

Fonologia Suoni /ts/ /dz/. Intonazione per esprimere stati d'animo: *rabbia*.

Unità 10 i vestiti e i colori

Funzioni Chiedere e dire ciò che piace. Esprimere preferenze. Descrivere l'abbigliamento di una persona. Parlare di vestiti. Parlare di colori. Parlare di forme e modelli per i vestiti. Chiedere e dire la taglia. Esprimere il momento finale di un'azione che dura nel tempo.

Grammatica Pronomi personali atoni indiretti. Verbo *piacere*. *Fino a* (tempo).

Abilità Strategie d'apprendimento: inferire.

Lessico I colori; i vestiti; aggettivi su vestiti. *Dunque*.

Civiltà L'Italia dei colori. Come telefonare. I mezzi pubblici della città.

Fonologia Dittonghi, trittonghi e loro ortografia, intonazione per esprimere stati d'animo: *sorpresa*.

Unità 11 il tempo libero

Funzioni Parlare di eventi passati. Chiedere informazioni sul passato. Parlare del tempo libero. Collegare frasi. Chiedere e dare informazioni sul mezzo di trasporto. Indicare i mesi, le stagioni, gli anni, i secoli. Dire quando si è svolta un'azione nel passato.

Grammatica Participio passato di verbi regolari e irregolari. Passato prossimo con *essere* e *avere*. *Nel* + anno, *in* + stagioni. *In* + mezzi di trasporto.

Abilità	Strategie d'apprendimento: collegare le frasi. Scrivere una storia.
Lessico	Espressioni di tempo passato. Gli anni e le stagioni. Attività del tempo libero. Lessico per descrivere sensazioni legate al tempo libero. *Poi, prima.*
Civiltà	Il tempo libero. Passato e presente.
Fonologia	Suoni intensi /mm/ /nn/ /rr/ /ll/.

Unità 12 le vacanze

Funzioni	Parlare delle vacanze. Narrare eventi al passato. Chiedere informazioni sulle vacanze trascorse. Esprimere ammirazione.
Grammatica	Passato prossimo: l'accordo con *avere* e con *lo/la/li/le*. Passato prossimo dei verbi riflessivi.
Abilità	Strategie d'apprendimento: inferenze (2).
Lessico	Lessico dei luoghi di vacanza. Scrivere cartoline.
Civiltà	Gli italiani in vacanza.
Fonologia	Suoni intensi /ff/ /vv/ /ss/.

Unità 13 il tempo

Funzioni	Descrivere il tempo meteorologico. Chiedere del tempo meteorologico. Esprimere accordo o disaccordo. Fare ipotesi. Accettare o esprimere accordo enfatizzando. Esprimere preoccupazione. Esprimere ammirazione e invidia. Esprimere commiserazione. Chiedere e dire la temperatura. Chiedere e dire le previsioni del tempo. Parlare dei punti cardinali.
Grammatica	Pronomi personali tonici. *Anche a me; a me no; neanche a me; a me sì.* *Se* + presente + presente.
Abilità	Strategie di apprendimento: la coesione del testo. Scrivere un fax formale.
Lessico	Lessico del tempo. Aggettivi, verbi, sostantivi relativi al tempo. *Nord/est/sud/ovest. Nel centro/nell'Italia centrale. In* + regioni. *Sì, volentieri.*
Civiltà	Il clima. Clima e stereotipi.
Fonologia	Suoni intensi /pp/ /bb/ /tt/. Intonazioni per esprimere stati d'animo: *preoccupazione*.

Unità 14 sulla strada!

Funzioni	Chiedere e dare informazioni stradali. Chiedere e dire dove si trovano luoghi pubblici, ecc. Interpellare, richiamare l'attenzione. Esprimere dispiacere. Chiedere e dire quanto tempo occorre.Chiedere e dire cosa/quanto occorre per fare qualcosa. Chiedere e dire la distanza. Prendere tempo per riflettere.
Grammatica	*Si* impersonale. *Ci* di luogo. *Mi dispiace.*
Abilità	Strategie di apprendimento: imparare parole nuove 1.

Lessico	Lessico relativo a luoghi pubblici, localizzazione (*di fianco*, *davanti*, ecc.). Lessico delle strutture viarie. *Fino a* di luogo.
Civiltà	Italiani famosi di ieri e di oggi.
Fonologia	Suoni intensi /kk/ /gg/ /dd/. Intonazione per esprimere accordo/disaccordo.

Unità 15 progetti futuri

Funzioni	Parlare del futuro. Fare previsioni. Fare promesse. Fare proposte, invitare. Accettare un invito. Rifiutare un invito. Fare ipotesi. Esprimere una probabilità.
Grammatica	Presente indicativo con valore di futuro. Il futuro semplice: verbi regolari e irregolari. Verbi in *-ciare* e *-giare*. *Hai voglia*? *Ti va*? *Perché non*...? *Magari* (*forse*). *Se* + futuro + futuro, periodo ipotetico della realtà.
Abilità	Strategie di apprendimento: imparare parole nuove 2.
Lessico	Lessico relativo a proposte e inviti: *perché non*...? *Ti va*...? *Hai voglia*...? *Verso le 10*. *Fino a* di tempo.
Civiltà	L'Italia dei festival.
Fonologia	Suoni intensi /tts/ /ddz/ /ttʃ/ /ddʒ/.

Questo simbolo rimanda al sito internet di **Rete!** www.rete.co.it. È un modo nuovo di intendere la civiltà, una possibilità in più per voi e i vostri studenti. Lì troverete, inoltre, collegamenti a siti relativi agli argomenti trattati nelle unità e attività didattiche per lo sviluppo della lingua attraverso gli elementi di civiltà che i siti web offrono.

 ascoltare

 parlare

 leggere

 scrivere

1 Ascolta il dialogo e trova la risposta corretta.

1 Nome della donna:	a Francisca	b Marta	c Maria
2 Nome dell'uomo:	a Sandro	b Emilio	c Roberto
3 Sono in:	a nave	b aereo	c treno

2 Ascolta nuovamente il dialogo e leggi il testo.

Lui: Come ti chiami?
Lei: Maria. E tu?
Lui: Mi chiamo Sandro.
Lei: Come, scusa?
Lui. Sandro, mi chiamo Sandro.
Lei: Piacere.
Lui: Piacere. Sei italiana?
Lei: No, sono argentina. E tu, di dove sei?
Lui: Io sono italiano.

3 Adesso chiedi il nome a due tuoi compagni.

Esempio: A Come ti chiami?
B Mi chiamo Frank.

4 Di' alla classe i nomi dei tuoi compagni.

Esempio: Lui si chiama Clive. / Lei si chiama Fabienne.

5 Lavora con due compagni. A turno A presenta B a C .

Esempio: A Lui si chiama David.
B Piacere, io mi chiamo Pedro.
C Come, scusa?
B Pedro.
C Piacere.

6 Ascolta e ripeti le parole.

7 Alla scoperta della lingua Ascolta e metti le terminazioni *o*, *a* oppure *e*.

1 ingles..e...
2 brasilian.....
3 frances.....
4 turc.....
5 spagnol.....
6 cines.....
7 giappones....
8 portoghes.....
9 tedesc.....
10 russ.....
11 italian.....
12 marocchin.....

o
e
a

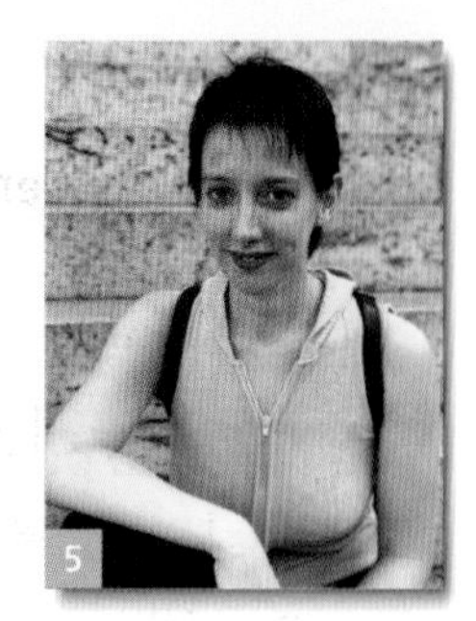

8 Lavora con un compagno.
A turno uno chiede il nome e la nazionalità di una persona e l'altro risponde.

Esempio: A Come ti chiami? B Mi chiamo Vladimir.
A Di dove sei? B Sono russo.

1 Vladimir/russo **2** Pierre/francese **3** Eva/tedesca
4 Iara/brasiliana **5** Patricia/inglese **6** Caetano/portoghese
7 Yoko/giapponese **8** Hassan/marocchino **9** Michele/italiano

Alla scoperta della lingua

Dov'è il soggetto? **Osserva le domande:**
Come ti chiami? Di dove sei?

9 Ascolta e completa il dialogo.

Hostess: Buongiorno; tutto bene? Lei è italiano?
Sandro: Tutto bene, grazie. Sì, sono ....italiano..........
Hostess: E ....?
Maria: No, non sono italiana.
Hostess: Di ....?
Maria: Sono argentina.
Hostess: Come si ....?
Maria: Maria Caballero.
Hostess: Maria. Scusi, come si scrive il ...., per favore?
Maria: C.a.b.a.l.l.e.r.o.
Hostess: Perfetto. Va in .... per turismo?
Maria: No, studio italiano all'università.
Hostess: Bene, ... italiano. Grazie e arrivederci.
Maria: Prego. Buongiorno.
Sandro: Perché queste domande?
Hostess: Per una statistica sui passeggeri Alitalia.

▶▶ **Alla scoperta della lingua**

Informale	Formale
Come ti chiami?	Come ....?
Di dove sei?	Di dov' ....?
E tu?	E ....?

10 Ascolta e ripeti le lettere dell'alfabeto.

11 Ascolta nuovamente e leggi l'alfabeto.

12 Ascolta e leggi le altre lettere.

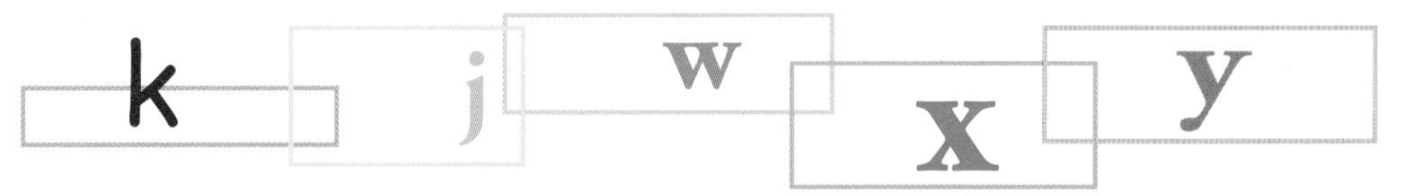

13 Ascolta i dialoghi e scrivi i nomi e i cognomi.

....

....

....

....

....

....

....

....

....

14 A coppie fate dei dialoghi simili. A turno uno è la segretaria e l'altro lo studente.

15 Provate a dettare alcune parole. A turno A dice come si scrivono 5 parole e B le scrive.

abilità

1 Ascolta e abbina i dialoghi alle figure.

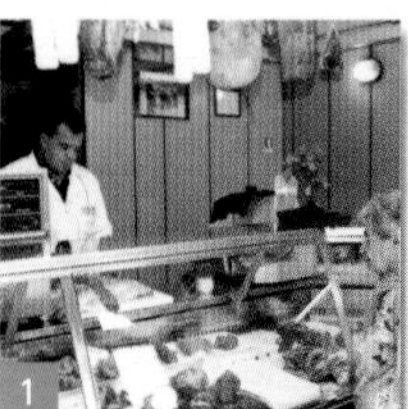

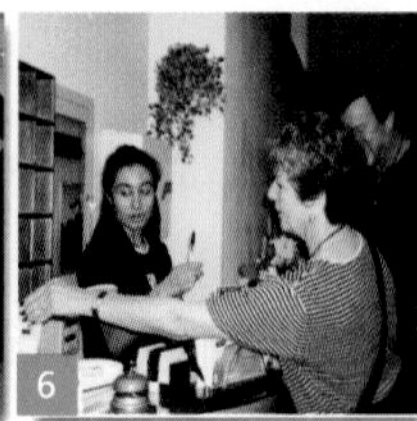

2 Ascolta nuovamente i dialoghi e completa la tabella.

1	Nome	Giacomo
	Cognome	

2	Nome della ragazza	
	Nome del ragazzo 1	
	Nome del ragazzo 2	
	Nazionalità del ragazzo 2	

3	Nome	
	Cognome	
	Nazionalità	
	Città di residenza	

3 Quale dialogo è formale e quale informale?

1 F I **2** F I **3** F I

4 Metti in ordine i due dialoghi.

Formale

8...

1 No, studio all'università.
2 Scusa? Di dove sei, Kevin?
3 Poletti. Lei è inglese?
4 Questo è il Signor Meyer.
5 Piacere, mi chiamo Poletti.
6 Sono americano, di Evanston, vicino a Chicago.
7 Ciao, Luca.
8 Buongiorno.
9 Bene, ci vediamo all'università, allora. Ciao. Ciao Luca.

Informale

7...

10 Grazie.
11 No, sono tedesco. Ecco il mio passaporto.
12 Ciao Antonella, come va?
13 Scusi?
14 Sei in Italia per turismo?
15 Buongiorno, Dottore.
16 Ciao.
17 Prego e arrivederci.
18 Bene, grazie.Ti presento Kevin, un amico di Evanston.

5 Leggi la pagina del diario di Sandro e completala con le informazioni che hai.

Caro Diario,
Sono sull'aereo per Roma. Di fianco a me c'è una ragazza .... Si chiama ...., studia .... all'Università in .... È molto carina!
Vorrei avere il suo numero di telefono e indirizzo!

6 E tu? Scrivi alcune frasi con informazioni personali.

grammatica

Pronomi personali soggetto

Io sono italiano.
Tu studi francese?
Lui/lei si chiama Andrea?

 **1 Completa le frasi con il soggetto.**

1 ..Io... mi chiamo Tom. E Lei?
2 Scusi, ... è francese?
3 .... è brasiliano, ma .... è italiana.
4 Scusa, ... ti chiami Giacomo?

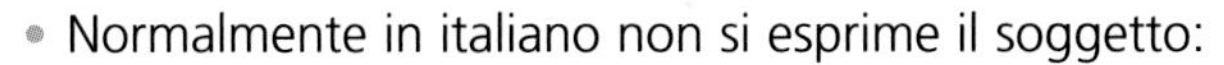

- Normalmente in italiano non si esprime il soggetto:
  - Come ti chiami?
  - Mi chiamo Claudio.

- In italiano si usa **tu** in situazioni informali:
  - Ciao, io mi chiamo Claudio e tu?

- In situazioni formali si usa **lei**:
  - Buongiorno, Signora: **lei** è francese?

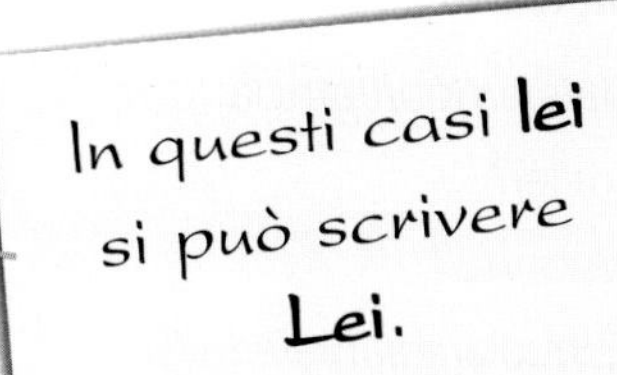

Verbo *essere* – indicativo presente

(Io) **sono** a Roma.
(Tu) **sei** russo?
(Lui lei) **è** di Milano?

 **2 Completa le frasi con il verbo *essere*.**

1 Hans .....è...... tedesco.
2 Di dov' .... Matteo?
3 Io .... italiana. E tu?
4 Scusa, ti chiami Ernesto, ma .... argentino o italiano?

Verbi in *-are studiare* – indicativo presente

(Io) studi**o** a Roma.
(Tu) studi**i** matematica.
(Lui lei) studi**a** francese.

Verbo *chiamarsi* – indicativo presente

(Io) **mi** chiam**o** Franco.
(Tu) **ti** chiam**i** Steve?
(Lui lei) **si** chiam**a** Andrea?

3 Completa le frasi con il verbo *studiare* o *chiamarsi*.

1 Io ....mi chiamo.......... Sandra e tu?
2 Lui .... Kevin e lei .... Ann.
3 John non .... italiano.
4 Io .... inglese, ma tu non .... cinese?

Forma affermativa
(Io) sono marocchino. Lui si chiama Hans.

Forma negativa
(Io) **non** mi chiamo Giorgio. (Tu) **non** studi cinese.

Forma interrogativa
Come ti chiami? Di dov'è?

4 Riordina le frasi.

1 Inglese/italiana/è/è/non/Patricia. ....Patricia non è italiana, è inglese...................
2 Dove/scusi/è/di/lei? ....
3 Studi/italiano/non/tu? ....
4 Argentina/è/Claudia/chiama/e/lei/si. ....
5 Si/scusi/chiama/lei/Hassan? ....

Aggettivi in *-o, -a, -e.*		
SINGOLARE		
maschile	**- O**	russ**o**
femminile	**- A**	italian**a**
maschile e femminile	**- E**	frances**e**

5 Completa le frasi con un aggettivo del riquadro.

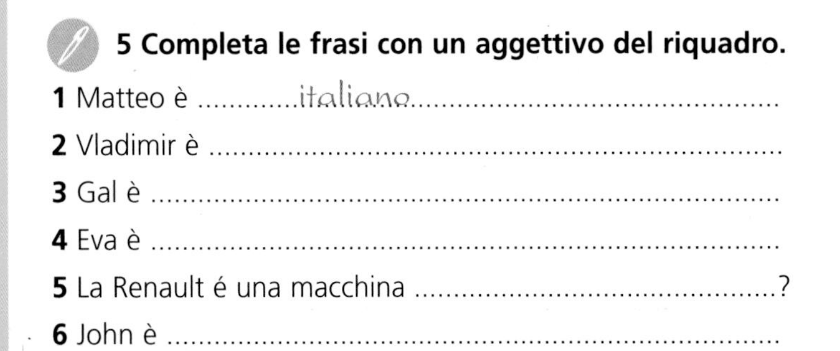

1 Matteo è ....italiano...
2 Vladimir è ....
3 Gal è ....
4 Eva è ....
5 La Renault é una macchina ....?
6 John è ....

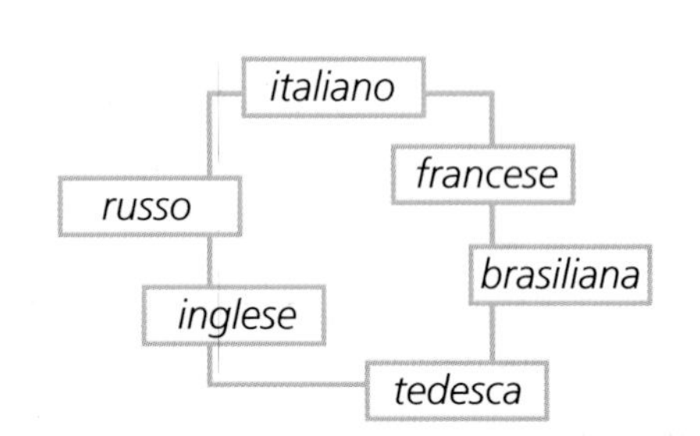

lessico

1 Quali di queste parole sono italiane?

1	☐ gulash	☐ crêpe	☐ mozzarella	☐ kebab
2	☐ tango	☐ rock	☐ opera	☐ salsa
3	☐ bye	☐ ciao	☐ salut	☐ tschuß

2 Fa' una lista delle parole italiane che si usano nella tua lingua.

3 Metti gli aggettivi di nazionalità.

1 ....francese....

2 ....

3 ....

4 ....

5 ....

4 Dividi gli aggettivi di nazionalità che conosci in due liste.

O/A	E
spagnolo	

fonologia

• I suoni delle vocali • L'accento nelle parole (vocale tonica)

1 Ascolta e ripeti le vocali.

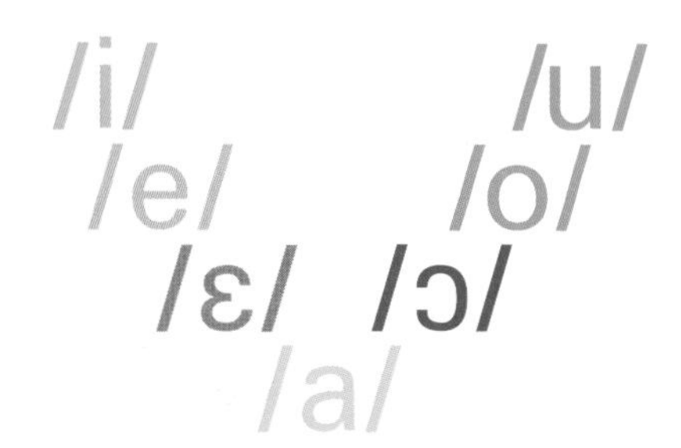

La parte di fonologia è come un dizionario. Usala quando ti occorre per migliorare la tua pronuncia e intonazione.

2 Ascolta le parole e fa' un segno nella colonna corretta.

	/i/	/e/	/ɛ/	/a/	/ɔ/	/o/	/u/
1			×				
2							
3							
4							
5							
6							
7							
8							
9							
10							
11							
12					×		
13							
14							
15							
16							
17							
18							
19							
20							
21							

3 Ascolta le parole e sottolinea l'accento principale.

1 Itali<u>a</u>no — **2** nazionalità
3 francese — **4** Italia
5 Marocco — **6** brasiliano
7 America — **8** americano
9 Francia — **10** marocchino

civiltà

Quiz. Conosci l'Italia?

1 Colosseo

3 Torre pendente

5 Campanile di Giotto

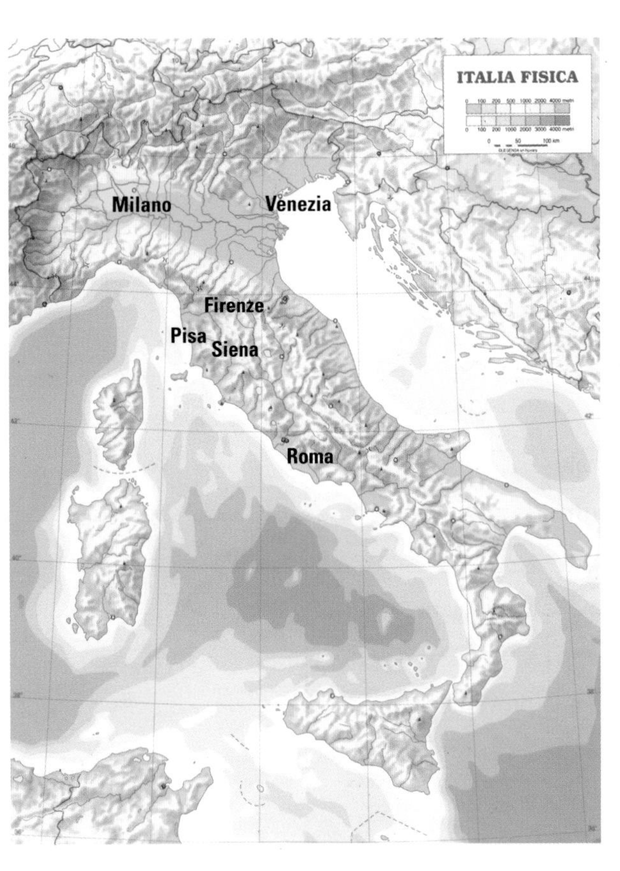

2 Piazza San Marco

4 Piazza del Campo

6 Duomo

1 Abbina le foto alle città.

1 ....

2 ....

3 ....

4 ....

5 ....

6 ....

buon viaggio attraverso l'Italia ... e l'italiano!

sommario

Abbina le frasi o espressioni alla descrizione sotto.

1 Prego.
2 Grazie.
3 Ciao.
4 Arrivederci.
5 Buongiorno.
6 Come, scusa?
7 Come, scusi?
8 Piacere.
9 Come ti chiami?
10 Come si chiama?
11 Mi chiamo...
12 Di dove sei?
13 Di dov'è Lei?
14 Come si scrive...?
15 Sono italiano.
16 Sì.
17 No.

In questa unità abbiamo imparato a:

[16] **a** affermare ....
[ ] **b** negare ....
[ ] **c** salutare in modo formale ....
[ ] **d** salutare in modo informale ....
[ ] **e** presentarci ....
[ ] **f** chiedere la nazionalità e la provenienza in modo formale ....
[ ] **g** chiedere la nazionalità e la provenienza in modo informale ....
[ ] **h** dire la nazionalità e la provenienza ....
[ ] **i** chiedere il nome in modo formale ....
[ ] **l** chiedere il nome in modo informale ....
[ ] **m** dire il nome ....
[ ] **n** chiedere come si scrive una parola ....
[ ] **o** ringraziare ....
[ ] **p** ribadire al ringraziamento ....
[ ] **q** chiedere di ripetere in modo formale ....
[ ] **r** chiedere di ripetere in modo informale ....

Roma - Piazza di Spagna

1 Abbina le vignette al dialogo. Attenzione: ci sono due vignette in più.

a

a - Ciao, io mi chiamo John, sei cinese?
- Piacere sono Diana, io sono americana. Mia madre è cinese.

b - Anna, questa è Isabelle, la mia amica di Parigi.
- Ciao, piacere di conoscerti.

c - Ciao Marta, allora a domani...
- Sì, certo. Ci vediamo domani all'università.

d - Allora arrivederla Signor Gaspari, e grazie di tutto!
- Si figuri, è stato un piacere, a presto.

e - Prego, il suo passaporto è in regola. E' in Italia per lavoro?
- No, studio all'università per stranieri.

f - Un documento prego. Resta per molti giorni?
- No, solo due giorni. Sono qui per lavoro. Ecco il mio passaporto.

g - Scusi, non ho capito. Può ripetermi il suo nome?
- Roche, Isabelle ROCHE, vorrei prenotare una camera per due giorni.

..... / 7

2 Trova le espressioni di saluto. Ce ne sono sei.

A U S K B C L O M A B T R H
B A U A R R I V E D E R C I
A N A R I C A S T I V A R A
I A O B U O N A N O T T E L
S R E U S T E G D L I B D L
C I A O O T I L E R I N N A
F A R N A T E R V J U D I F
U T E A A L P I A C E R E D
C U N S I L O M E D R O A B
E U N E S S E T I L E M I U
U O O R T E Z Z L D G B V O
P U C A T E R A L I A N O T
N R O S I T I L O R E N O T
C O N E B U O N G I O R N O

..... / 6

3 **Osserva la risposta e scrivi la domanda corretta in modo formale e informale.**

DOMANDA		RISPOSTA
formale	**Informale**	
Buongiorno, come sta?	Ciao, come stai?	Bene, grazie
....................................?	....................................?	Marcela García
....................................?	....................................?	Sono spagnola
....................................?	....................................?	Studio a Perugia

..... / 6

4 **Completa il cruciverba con gli aggettivi di nazionalità.**

* Mei Li vive a Pechino. Lei è...
1 Simon vive a Londra. Lui è...
2 Francesco vive a Roma. La sua nazionalità è...
3 Ursula vive a Berlino. Lei è...
4 Susy studia a New York. Lei è...
5 Hélène abita a Parigi. Lei è...
6 Irina è in vacanza in Italia, ma vive a Mosca. Lei è...

* c i n e s e

..... / 6

5 **Abbina le frasi come nell'esempio.**

a - Buongiorno signora Risi come sta?
b - Francesca, ti presento il dottor Benni
c - Scusi, di dov'è Lei?
d - Ciao, sei spagnolo?
e - Paola, questo è Marco
f - Ciao Gino, come stai?

1 - Ciao, come va?
2 - Sì, sono di Barcellona, e tu?
3 - Non c'è male, grazie e Lei?
4 - Abbastanza bene, e tu?
5 - Sono di Madrid, piacere.
6 - Piacere di conoscerla.

3					
A	**B**	**C**	**D**	**E**	**F**

..... / 5

NOME:
DATA:
CLASSE:

totale ..... / 30

1 Ascolta e rispondi alle domande.

	Vero	Falso
1 Maria e Sandro sono a Milano.	☐	☐
2 Maria non è stanca.	☐	☐
3 L'agente di polizia chiede a Maria perché è in Italia.	☐	☐
4 Maria ha problemi con il passaporto.	☐	☐

2 E' difficile? Ascolta nuovamente il dialogo e leggi il testo.

Sandro: Finalmente in Italia! Finalmente a Roma!
Maria: Come sono stanca!
Sandro: Anch'io: E ora c'è il controllo dei passaporti.
Agente di polizia: Passaporto, per favore.
Lei si chiama Maria Caballero. Perché è in Italia?
Maria: Studio italiano a Siena.
Agente: Quando torna in Argentina?
Maria: Alla fine del corso.
Agente: Tutto bene. Un altro, per favore.

Alla scoperta della lingua

Capisci la regola?
– Lino vive **a** Venezia, **in** Italia.

3 Abbina le figure alle parole.

1 2 3 4 5 6 7 8 9

☐ banca
☐ ufficio postale
☐ telefono
☐ bar
☐ ufficio informazioni
☐ stazione ferroviaria
☐ ristorante
☐ bagno
☐ uscita

4 Ci sono molti servizi all'aeroporto. Leggi il testo e completa la tabella.

I servizi all'aeroporto
Benvenuti all'aeroporto!

Piano terra
due Uffici informazioni, Ufficio postale, Telefoni,
Banca Nazionale del Lavoro, Banca di Roma
quattro Negozi per souvenir e regali
cinque Agenzie Rent-a-car
Uscite
Stazione della metropolitana
ferroviaria
Toilette

Primo piano
Ristorante "La Perla"
Ristorante "Sant'Ambrogio"
Ristorante "Rapido"
Bar "Da Gianni"
Bar "La terrazza"
Bar "Espresso"
Due Sale d'attesa Telefoni
Toilette
Per il check-in

Un ....
....
....
Una stazione ferroviaria ....
....
....
Due ....
....
....
Tre ....
....
....
Quattro ....
....
....
Cinque ....
....
....
....

5 ▷▷ Alla scoperta della lingua. Completa la tabella.

	SINGOLARE	PLURALE
Nomi in **-O**	Telefono	Telefoni
Nomi in **-A**		
Nomi in **-E**		

6 Sai contare in italiano? Ascolta e ripeti i numeri.

7 Ora ascolta e leggi i numeri.

0 zero
1 uno
2 due
3 tre
4 quattro
5 cinque
6 sei
7 sette
8 otto
9 nove
10 dieci
11 undici
12 dodici
13 tredici
14 quattordici
15 quindici
16 sedici
17 diciassette
18 diciotto
19 diciannove
20 venti

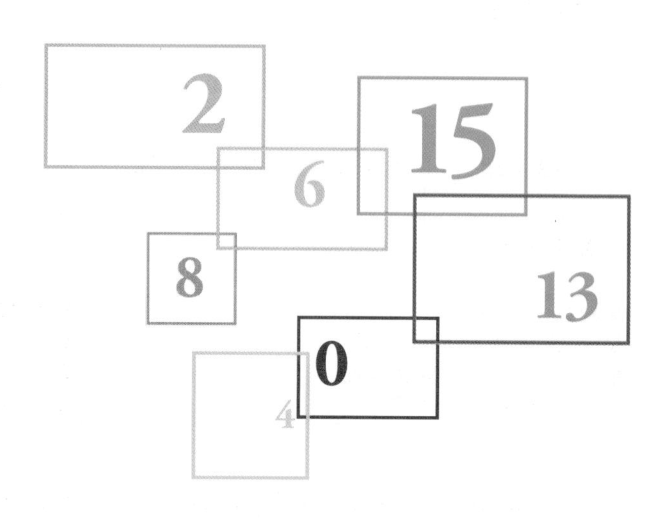

8 Quali numeri senti?

0	3	6	9	12	15	18
1	4	7	10	13	16	19
2	5	8	11	14	17	20

9 Scrivi in lettere 5 numeri su un pezzo di carta e poi dettali a un compagno.
A turno fate la stessa cosa due volte. Controllate i numeri che avete scritto.

10 A coppie, a turno dite cosa c'è all'aeroporto.

Esempio: Ci sono tre ristoranti.

11 Sai qualcosa sulla geografia dell'Italia? Lavora con un compagno. Uno è A, l'altro è B. A va a pagina I, B a pagina III dell'appendice. A turno fate domande e date risposte.

Esempio: A Dov'è Bologna? E' in Sicilia?
B No, non è in Sicilia. E' in Emilia Romagna.
A Dov'è Perugia? E' in Umbria?
B Sì, giusto!
Oppure
B Non lo so.

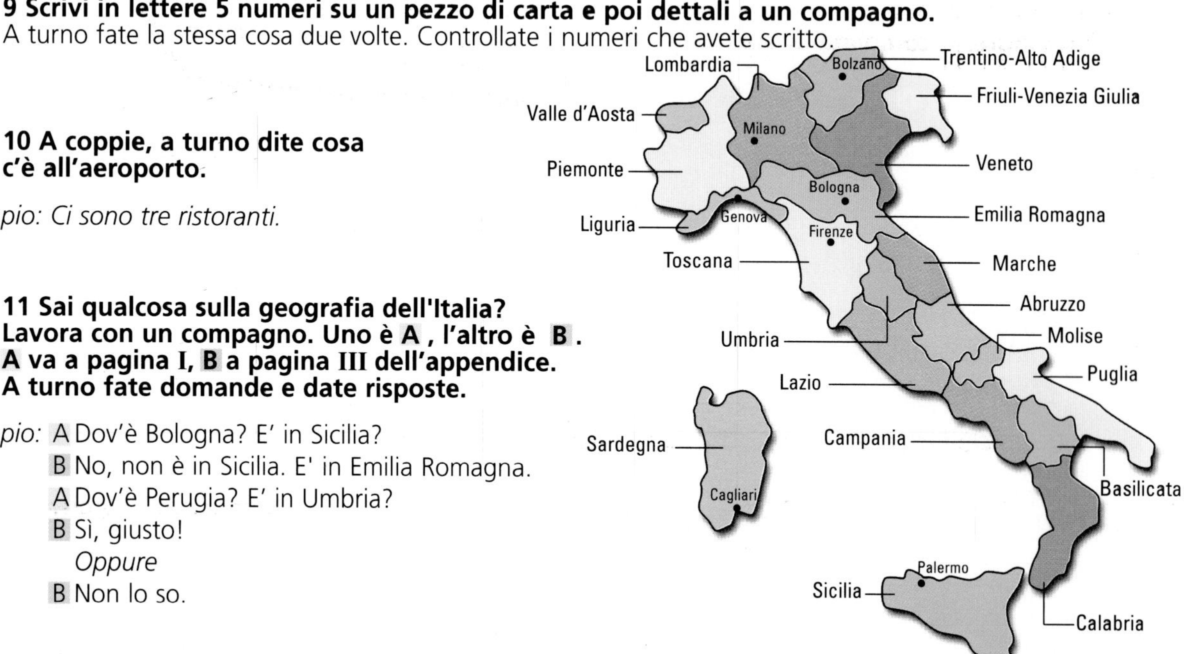

12 Ascolta il dialogo e scegli ogni volta tra A), B), C) e D).

Maria: Ciao Sandro!
Sandro: Maria, non ho il tuo indirizzo...
Maria: Giusto! Ma io non ho ancora
[a] un ristorante, [b] una casa, [c] una lettera, [d] una macchina.
Sandro: Senti Maria, io abito a Perugia, in Via Danti
[a] 8, [b] 6, [c] 15, [d] 18.
Maria: Davvero? Abiti a Perugia? Qual è il tuo numero di telefono?
Sandro: 0,7,5 - 5,2,2,6 [a] 4,8,6, [b] 5,3,1, [c] 8,9,7, [d] 3,0,5.
Maria: 0,7,5 - 5,2,2,6 [a] 4,8,6, [b] 5,3,1, [c] 8,9,7, [d] 3,0,5.
Ti telefono, ciao!
Sandro: Maria?
Maria: Sì? Cosa?
Sandro: Quanti anni [a] hai, [b] abbiamo, [c] ho, [d] ha?
Maria: 20. Ciao, c'è l'autobus.
Sandro: Ciao.

In Italia nei numeri di telefono c'è sempre il prefisso della città prima del numero: 06 per Roma, 02 per Milano, ecc.

13 Abbina le domande alle risposte.

1 Quanti anni hai?
2 Di dove sei?
3 Come ti chiami?
4 Dove abiti?
5 Qual è il tuo indirizzo?
6 Qual è il tuo numero di telefono?
7 Perché sei in Italia?

a Alain.
b Abito in Via Firenze 4.
c Sono francese.
d Perché studio italiano all'università di Siena.
e A Siena.
f 20.
g 0577823796.

14 Tocca a te. Prova a rispondere alle domande.

abilità

1 Ascolta gli annunci all'aeroporto e completa la tabella.

Annuncio: *è un messaggio che si sente all'aeroporto, alla stazione, in altri posti pubblici o alla radio e in televisione con informazioni per le persone, oppure si trova scritto su giornali, ecc.*

Volo	Destinazione	Uscita
1	Los Angeles	
2		
3		
4		

2 Ora ascolta i dialoghi e completa la tabella.

	Indirizzo	Numero di telefono
1		
2		
3		

3 Leggi l'annuncio.

> **Affitto stanza a studenti stranieri.**
> Età minima 18 anni. Costo 150 Euro al mese. Scrivere a Signora Caffi, Via Passo Buole 3, 43100 Parma. Specificare dati personali. Telefono: 0521 231243

4 Scrivi una lettera alla Signora Caffi con informazioni personali.

4 settembre 2001

Gentile Sig.ra Caffi,
Sono interessato/a alla stanza che lei affitta
....
....
....
....
....
....
....

Distinti saluti

lessico

1 Che cosa sai sulla geografia degli altri paesi? Abbina le città ai paesi.

a Madrid
b Parigi
c Londra
d Istanbul

1 Germania
2 Inghilterra
3 Francia
4 Spagna

e Berlino
f Tokyo
g Pechino
h Rio de Janeiro

5 Cina
6 Turchia
7 Brasile
8 Giappone

2 A coppie, a turno fate delle frasi con le città e i paesi dell'esercizio 1.

Esempio: Madrid è in Spagna.

3 Dove troviamo le seguenti cose? Completa la tabella.

pasta

vino

caffè

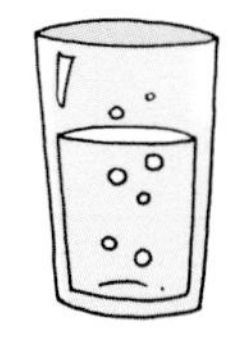
acqua minerale

francobollo

carta di credito

gelato

soldi

pizza

biglietto del treno

lettera

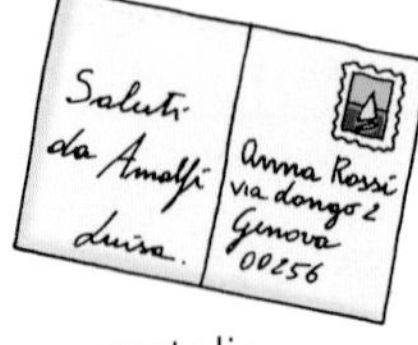

cartolina

Ristorante	Pasta
Banca	
Ufficio postale	
Stazione ferroviaria	

4 Abbina le figure agli aggettivi del riquadro.

1 ....Nuovo..........
2 ....
3 ....
4 ....
5 ....
6 ....

1 2 3 4 5 6

vecchio, bello, grande, piccolo, brutto, nuovo

5 Come si dice in italiano?
A coppie fate delle domande e date le risposte.

Esempio: Come si dice "aeroporto" nella tua lingua?

Oppure:

Come si dice " " in italiano?

6 Come si scrive? A coppie fate delle domande e date le risposte.

Esempio: - Come si scrive "Pasta"?
- P.A.S.T.A.

L'Italia fisica.

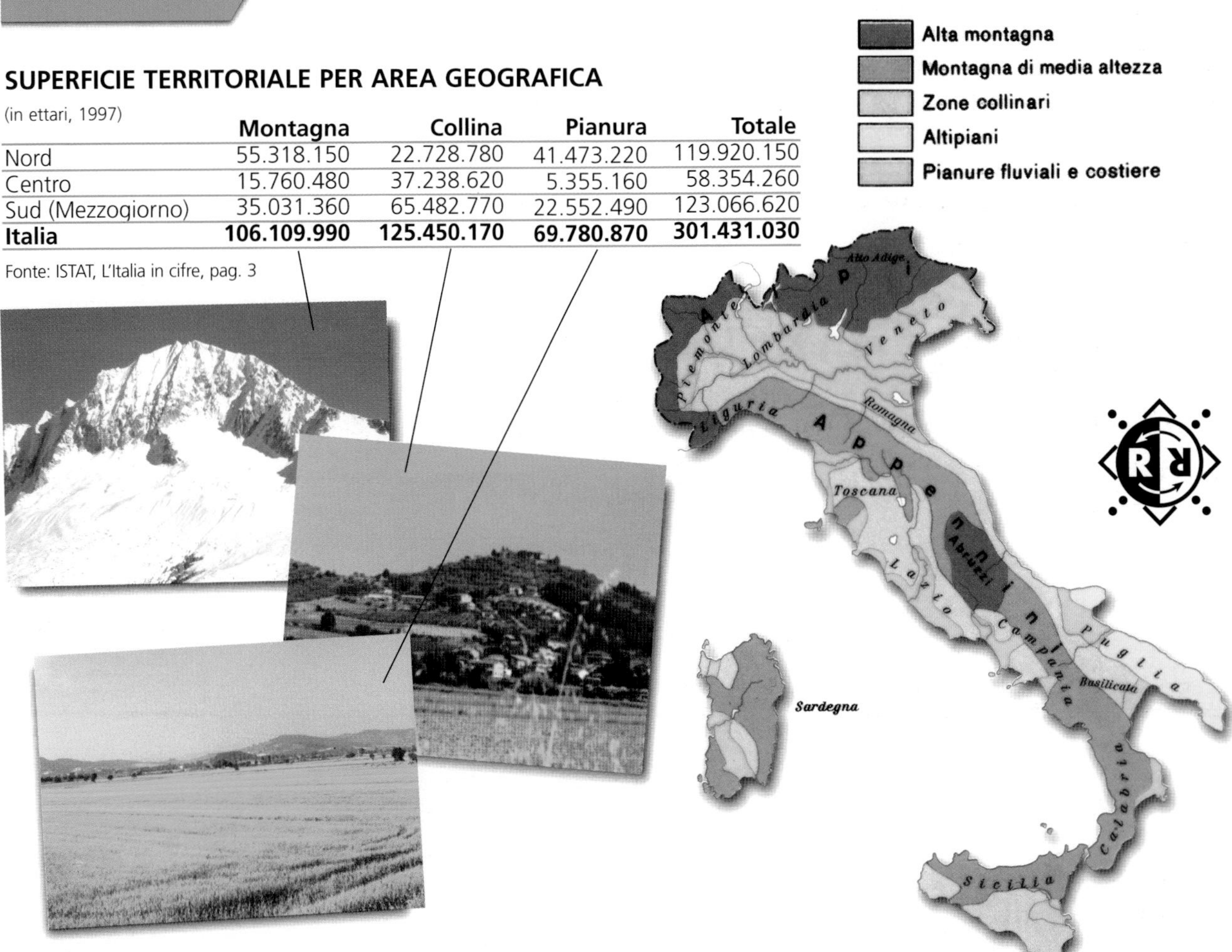

SUPERFICIE TERRITORIALE PER AREA GEOGRAFICA

(in ettari, 1997)

	Montagna	Collina	Pianura	Totale
Nord	55.318.150	22.728.780	41.473.220	119.920.150
Centro	15.760.480	37.238.620	5.355.160	58.354.260
Sud (Mezzogiorno)	35.031.360	65.482.770	22.552.490	123.066.620
Italia	**106.109.990**	**125.450.170**	**69.780.870**	**301.431.030**

Fonte: ISTAT, L'Italia in cifre, pag. 3

Quali sono le città più popolate d'Italia?

Milano

Torino

Roma

Napoli

Bologna

Genova

POPOLAZIONE RESIDENTE NEI GRANDI COMUNI*
Anno 1998, migliaia di unità

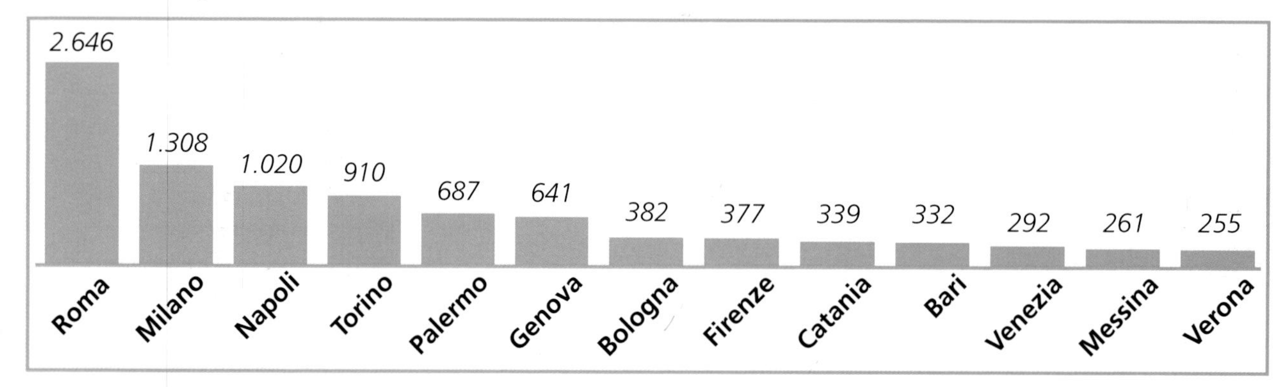

*comuni con oltre 250.000 residenti

fonologia

- **I suoni** /p/ Na***p***oli e /b/ a***b***itare
- Contrasto tra intonazione interrogativa (ascendente) e intonazione affermativa/negativa (discendente).

1 Ascolta le parole e fa' un segno nella colonna corretta.

	/p/	/b/
1		×
2		
3		
4		
5		
6		
7		
8		
9		
10		

Manifesto di *Tosca* di G. Puccini, un grande musicista italiano (1858-1924).

 **2 Ascolta le parole e scrivile nella colonna corretta.**

/p/	/b/
esprimere	

 **3 Leggi al compagno le parole che hai scritto.**

4 Ascolta le frasi e indica nella colonna corretta se l'intonazione della frase è ascendente ▲ o discendente ▼.

	▲	▼
1	×	
2		
3		
4		
5		
6		
7		
8		
9		
10		

Manifesto di *Manon Lescaut* di G. Puccini,

grammatica

Verbo *essere* – indicativo presente plurale
(Noi) **siamo** studenti. (Voi) **siete** italiani. (Loro) **sono** a Roma?

Io, tu, lui, lei, noi, voi, loro. Ricorda: in italiano molto spesso non si esprimono quando sono soggetti.

 **1 Completa le frasi con il verbo *essere*.**

1 Claudio e Maria .....sono.........italiani.
2 Giovanna e io ....di Firenze.
3 Loro abitano a Parigi, ma non ....francesi.
4 Voi non ....di Berlino.
5 Io ....americano.
6 Tu non .... Claudia?
7 Milano ....in Lombardia?
8 Loro ....spagnoli?

Verbo *avere* – indicativo presente

(Io) **ho** un bar.
(Tu) **hai** due libri.
(Lui lei) **ha** una carta di credito.

– Hai il mio indirizzo?
– Sì, ce l'ho!
Ce l'ho: Unità 9.

 **2 Completa le frasi con il verbo *avere*.**

1 Giovanni, hai una lettera di Mary? Sì, ...ce l'ho......
2 Luisa, hai l'indirizzo di Sandro? No, ...
3 La tua amica ha una casa? Sì, ...
4 Fabrizia ha un numero di telefono? No, ...

 **3 Completa le frasi con un verbo. Scegli fra: c'è, *ci sono*, forme di *avere* e *essere*.**

1 A Parigi ....ci sono...... molti monumenti.
2 Cristina .... un indirizzo nuovo.
3 Di dove ....? Io..........................di Istanbul, lui .... di Tunisi.
4 Quanti anni ....? .... 25 anni.
5 A Parma .... una stazione ferroviaria.
6 Noi .... francesi e voi di dove ....?

Verbi in *-ere scrivere* – indicativo presente

(Io) **scrivo** una lettera.
(Tu) **scrivi** un libro.
(Lui lei) **scrive** una cartolina.

 **4 Completa le frasi con un verbo del riquadro.**

1 Io ....abito.........in Via Garibaldi 17.
2 Signora, lei ....a Roma?
3 Maria......................italiano all'università.
4 John......................una lettera a David.
5 Lei .... Camilla.
6 Tu .... in Italia?

vivere, scrivere, chiamarsi, studiare, lavorare, abitare

5 Metti le frasi alla forma negativa.

1 Giovanna e io siamo di Firenze. ......Giovanna e io non siamo di Firenze......
2 (Loro) abitano a Parigi. ....
3 (Io) abito in Via Garibaldi 17. ....
4 Cristina ha un indirizzo nuovo. ....
5 (Io) ho una casa bella. ....
6 Fabrizia ha un numero di telefono. ....
7 Maria studia italiano all'università. ....
8 John scrive una lettera a David. ....

Articolo indeterminato	
maschile	
DAVANTI A UNA CONSONANTE	**UN telefono**
DAVANTI A S + CONSONANTE, Z, PS, GN, X	**UNO studio**
DAVANTI A UNA VOCALE	**UN ufficio**
femminile	
DAVANTI A UNA CONSONANTE	**UNA casa**
DAVANTI A UNA VOCALE	**UN' amica**

6 Metti l'articolo indeterminativo.

1 ....Un........... caffè.
2 .... acqua minerale.
3 .... francobollo.
4 .... carta di credito.
5 .... gelato.
6 .... pizza.
7 .... biglietto del treno.
8 .... lettera.
9 .... studente.
10 .... psicologo.

Nomi e aggettivi in *-o, -a, -e.*					
SINGOLARE			**PLURALE**		
maschile	**- O**	**Un** aeroporto italian**o**	**maschile**	**- I**	**Due** aeroport**i** italian**i**
	- E	**Un** ristorante frances**e**		**- I**	**Due** ristorant**i** frances**i**
femminile	**- A**	**Una** macchina american**a**	**femminile**	**- E**	**Due** macchin**e** american**e**
	- E	**Una** stazione ingles**e**		**- I**	**Due** stazion**i** ingles**i**

7 Completa le parole.

1 Maria ha un.a.... cas.a.... nuov.a....
2 A scuola ci sono tre student....... russ.......e due tedesch.......
3 Karl ha un.......indirizz.......nuov.......
4 Molte ragazz....... italian.......sono bell.......
5 Il tuo libr.......non è brutt.......
6 All'aeroporto ci sono due banch.......e cinque agenzi.......Rent-a-car.
7 Ana e Paula sono due ragazz....... portoghes.......
8 A Bologna c'è un.......piccol.......ristorant.......frances.......

Le preposizioni *in* e *a*

 **8 Guarda le figure e fa' delle frasi.**

1 Fabienne.

Fabienne vive a Parigi in Francia

2 Carlo.

....

3 Maria.

....

4 Pilar.

....

5 David.

....

Gli interrogativi

9 Completa le domande.

1 ......Come........... si scrive "indirizzo"?
2 .... abiti?
3 .... è il tuo indirizzo?
4 .... ti chiami?
5 .... sei?
6 .... sei in Italia?
7 .... si dice "cat" in italiano?
8 .... anni hai?

Formale - Informale

10 Rendi formale il dialogo.

Matteo Russo. Antonio Porta. Karl Ohlendorf.

Antonio:	- Ciao, Matteo.	- Buongiorno Signor Russo
Matteo:	- Ciao Antonio. Questo è Karl.	- ....
Antonio:	- Ciao Karl. Karl, sei tedesco?	- ....
Karl:	- No, sono austriaco.	- ....
Antonio:	- Perché sei in Italia? Studi o lavori qui?	- ....
Karl:	- Lavoro a Milano.	- ....
Antonio:	- Ah, bene. Ora devo andare. Ciao!	- ....
Karl/Matteo:	- Ciao!	- ....

sommario

Abbina le frasi o espressioni alla descrizione sotto.

1 Davvero?
2 Come si dice "???" in italiano?
3 Sì? Cosa?
4 Ci sono tre ristoranti.
5 Come sei bella!
6 - Qual è il tuo numero di telefono?
- 02 3451984.
7 - Perché sei in Italia?
- Perché studio a Siena.
8 - Qual è il tuo indirizzo?
- Via Londra 2.
9 - Quanti anni hai?
- Ho 34 anni.
10 Non lo so.
11 Dov'è Torino?
12 Quando torni in Germania?

Siena, Piazza del Campo.

In questa unità abbiamo imparato a:

2	**a** chiedere e dire come si dice	Come si dice "???" in italiano
	b chiedere e dare il numero di telefono	....
	c chiedere e dare l'indirizzo	....
	d chiedere l'età e rispondere	....
	e esclamare	....
	f esprimere meraviglia	....
	g chiedere e dare spiegazioni	....
	h chiedere dove si trova una località	....
	i chiedere quando si svolgerà una determinata azione	....
	l dire cosa c'è in un luogo	....
	m dire che non si conosce la risposta	....
	n rispondere quando si è interpellati	....

1 **Osserva le immagini e trova i nomi degli oggetti completando il cruciverba.**

...../ 10

2 Scrivi in lettere i numeri.

1 Scusa, qual è il numero del tuo volo?
(AZ11-0-2) ....

2 Qual è il tuo numero di telefono?
(5-3-18-9-8-6)..

3 Ecco il tuo nuovo numero di carta di credito.
(17-4-12-11) ....

4 Scusa, puoi ripetere il numero del tuo documento?
(7-1-13-19) ....

..... / 4

3 Completa le domande con le espressioni contenute nel sacco.

...Di dov'è........ il professore?
1 .... ti chiami?
2 .... abiti?
3 .... anni hai?
4 .... sei stanco?
5 .... il tuo indirizzo?
6 .... il gatto?
7 .... torni a casa?
8 .... sei?

dove
quanti
dov'è
qual è
come
perché
di dove

..... / 8

4 Riordina le seguenti frasi.

1 nuovo il Luisa ho telefono di numero non di
....

2 ci Venezia sono cinema non a molti
....

3 americano a ma è John Londra abita
....

..... / 3

5 Completa il testo con i verbi *prendere, scrivere, studiare, avere, lavorare*.

Ahmed abita a Roma ma .... all'Università di Perugia
dove .... una piccola camera in affitto con un amico marocchino.
Il fine settimana .... il treno e torna a Roma,
dove .... in un ristorante arabo. In treno ....
lettere ai suoi amici in Marocco.

..... / 5

NOME:
DATA:
CLASSE:

totale ..... / 30

1 E' un lavoro interessante?
Insieme a un compagno leggi l'annuncio e rispondi alle domande.

1 Che tipo di lavoro è?
2 Com'è il salario?
3 Quanto dura il lavoro?
4 Quali caratteristiche richiedono?
5 Come si chiama la ditta?
6 Qual è il numero di telefono?

Cerchiamo giovane tecnico video per un anno.
Offriamo: salario alto, lavoro interessante. Possibilità di carriera nel settore.
Chiediamo: laurea, esperienza, serietà, motivazione, creatività, disponibilità a viaggiare in Italia.
Inviare CV a **Video 2000**, CP 486 Roma.

2 Ora scrivi le risposte.

1 ....
2 ....
3 ....
4 ....
5 ....
6 ....

3 Conoscete queste parole? A coppie, a turno chiedete il significato delle parole del riquadro.

titolo di studio, stato civile, patente, lingue straniere, sposato

Esempio: - Cosa vuol dire "sposato"?
- Vuol dire...

4 Ascolta il dialogo e completa la tabella.

Nome .... Cognome ....
Età .... Nazionalità .... Stato civile ....
Indirizzo ....
Numero di telefono ....
Titolo di studio ....
Lingue straniere ....
Esperienza ....
Altro ....

5 Secondo voi, Sandro va bene per il lavoro della ditta Video 2000? Parlane con due compagni.

Esempio: Secondo me Sandro va bene perché...

6 Che lavoro fanno? Unisci i lavori alle figure corrispondenti.

☐ *parrucchiera* ☐ *impiegato* ☐ *taxista* ☐ *medico* ☐ *meccanico* ☐ *muratore* ☐ *idraulico* ☐ *macellaio* ☐ *contadino* ☐ *commessa* ☐ *poliziotto* ☐ *infermiera* ☐ *cliente*

7 Insieme a due compagni controlla le risposte.

8 Guarda le figure e con un compagno, a turno, uno fa le domande e l'altro dà le risposte.

Esempio.: Che lavoro fa Angelo?
Fa il carabiniere.

Salvatore

Rino

"sono carabiniere"
oppure
"faccio il carabiniere"

Anna

Lino

Angelo

Luisa

9 Lavora con un compagno. Uno di voi è [A], l'altro [B]. [A] va a pagina I, [B] a pagina III. A turno fate domande e date risposte per completare le informazioni personali delle persone nelle foto.

Esempio: [B] Come si chiamano?
[A] Inge e Hans.

10 Con le informazioni che hai, scrivi la descrizione di queste persone.

Esempio: Inge Moeller è tedesca, fa la parrucchiera ...

11 Insieme a due compagni: a turno, [A] presenta [B] a [C] in modo formale.

[B] è uno dei personaggi descritti nell'esercizio 10. [C] interviene a fare domande e [B] risponde.
Cominciate così: Questa è la Signora Inge Moeller ...

abilità

1 Leggi i testi di questa pagina e della successiva e rispondi alle domande.

Alla scoperta della lingua.

Osserva gli esempi e completali.

..................................è? E' un libro.

..................................è? E' mio fratello.

Quando si usa chi, quando si usa cosa?

1 Chi abita a Marsiglia?
2 Chi parla russo?
3 Chi va in vacanza in Italia?
4 Chi lavora all'università?
5 Chi ha un figlio di 8 anni?
6 Chi ha una casa con giardino?
7 Chi abita con tre amici?
8 Chi conosce l'Africa?

Roberto e Maria Soares

"Siamo brasiliani, abitiamo a San Paolo, una città grande e moderna. Io faccio il medico e Maria fa la casalinga. Abbiamo una casa con un giardino carino in una zona tranquilla di San Paolo. Abbiamo due bambini: Carla ha 8 anni e Vinícius 10 anni. Sono due bambini meravigliosi. Siamo una famiglia felice."

Pete Johnson

"Ho 19 anni. Abito a Londra con tre amici in un appartamento. Al momento non studio e non lavoro. La mia passione è la musica, il calcio e le vacanze in Italia."

Patrick Hassoun

"Sono francese, ma la mia famiglia è algerina. Vivo a Marsiglia e studio medicina all'Università di Aix-en-Provence. Finisco tra due anni. In luglio e agosto lavoro in un villaggio africano in Burkina Faso. Aiuto un mio amico medico che abita là."

Diego e Ada Jimenez

"Siamo cubani, abitiamo a L'Avana con i nostri due bambini di 2 e 9 anni. Io lavoro in un ufficio, faccio la segretaria: uso il computer per scrivere lettere ai clienti e per l'amministrazione. Conosco l'inglese, il russo e l'italiano. In ufficio rispondo spesso al telefono e parlo con i clienti stranieri. Diego è professore all'università. Insegna fisica."

Alla scoperta della lingua.

Leggi nuovamente i testi e prova a completare la tabella.

Articolo determinativo.

MASCHILE	FEMMINILE
....il.... medico	.... casalinga
.... studente	.... infermiera
.... impiegato	

2 Indovinate chi siete! Insieme a un compagno, a turno siete uno dei personaggi dei testi dell'esercizio 1. Uno fa le domande e l'altro risponde.

il dizionario

Quante volte abbiamo bisogno del dizionario!
Ma non è facile usarlo. Ti aiutiamo a imparare come si fa con un dizionario italiano.

3 Leggi la frase e cerca sul dizionario la definizione corretta della parola "medico".

Il Dott. Pasquini è il medico di famiglia di Giovanni.

dicus, der. di *mederi* 'curare'].

medico[2] ⟨mè·di·co⟩ s.m. (pl. *-ci*). Professionista abilitato all'esercizio della medicina (indica la professione più che la persona, alla quale ci si riferisce com. col titolo di *dottore*): *m. condotto, legale, fiscale; m. di base*, di famiglia o di fiducia; *ufficiale m.*, che presta servizio nell'esercito; ***estens.***: *m. dell'anima*, il sacerdote ♦ ***fig.*** Cura, rimedio: *il tempo è un gran m.* [Uso sost. dell'agg. prec.].

medico[3] ⟨mè·di·co⟩ agg. (pl.m. *-ci*). Della *Media*, antica regione dell'Iran nord-occid., abitata dal popolo dei Medî.

medietà ⟨me·die·tà⟩ s.f., *lett., non com.* Posizione di mezzo tr... considerati come estremi. [Dal lat. *med*...

s.m.pl. sono abbreviazioni.
Capisci questa parola?
È formata da
breve = corto

4 I dizionari usano spesso abbreviazioni. Abbina le abbreviazioni con le parole intere.

1 *s.*	**a** letterario
2 *m.*	**b** plurale
3 *agg.*	**c** sostantivo
4 *pl.*	**d** femminile
5 *lett.*	**e** maschile
6 *f.*	**f** aggettivo

5 Quali altre informazioni dà il dizionario? Guarda nuovamente la definizione di medico.

1 Pronuncia	no	sì	..................mèdico..................
2 Diversi significati	no	sì	....
3 Etimologia	no	sì	....
4 Proverbi/modi di dire	no	sì	....
5 Esempi di uso della parola	no	sì	....

6 Scrivi un breve testo simile a quelli dell'esercizio 1. Usa il dizionario se necessario.

7 Lavora con due compagni. A turno fate domande e date risposte per ottenere informazioni sulle persone dei vostri testi.

lessico

1 Abbina definizioni e lavori.

1 Casalinga	**a** lavora in un ufficio o in banca.
2 Meccanico	**b** costruisce case.
3 Commessa	**c** lavora in un negozio, vende cose ai clienti.
4 Medico	**d** vende carne.
5 Impiegato	**e** lavora in casa.
6 Macellaio	**f** serve i clienti in un ristorante, bar, pizzeria.
7 Muratore	**g** ripara le macchine.
8 Cameriere	**h** cura i malati.
9 Giornalaio	**i** vende giornali.

2 Quale lavoro fanno le persone? Ascolta le registrazioni.

3 Ascolta nuovamente la registrazione e scegli la risposta.

1.1 Roberto lavora per **a** *8,* **b** *6,* **c** *10,* **d** *12* ore al giorno.
1.2 Lavora in un **a** *ufficio,* **b** *ospedale,* **c** *mercato,* **d** *negozio.*
1.3 Secondo lui, la sua vita è **a** *facile,* **b** *difficile,* **c** *bella,* **d** *interessante.*

2.1 Rino **a** *fa,* **b** *ripara,* **c** *lava,* **d** *vende macchine.*
2.2 Secondo lui, è un lavoro **a** *creativo,* **b** *interessante,* **c** *bello,* **d** *difficile.*
2.3 Lavora con **a** *una persona,* **b** *due persone,* **c** *tre persone,* **d** *quattro persone.*

fonologia

• **I suoni /k/ che; /g/ prego; /tʃ/ francese; /dʒ/ giorno.**

1 Ascolta queste parole, contengono i suoni /k/ /g/ /tʃ/ /dʒ/.

carriera	agente	stanca	amici	Perugia	giusto	Genova
cosa	giovane	impiegato	Parigi	gusto	dialogo	qualcuno
Inghilterra	Pechino	Giappone	amiche	Portogallo	portoghese	macellaio

2 Ora ascolta di nuovo le parole dell'attività precedente e prova a sottolineare le sillabe che contengono i suoni /k/ /g/ /tʃ/ /dʒ/.

3 Ascolta le parole della prima colonna, contengono i suoni /k/ /g/. Prova a collegarli con i simboli della seconda colonna.

1 Ragusa — **a** /ka/
2 Senegal — **b** /ke/
3 iugoslavo — **c** /ki/
4 tedesco — **d** /ku/
5 marocchina — **e** /ko/
6 Ungheria — **f** /ga/
7 greche — **g** /ge/
8 Camerun — **h** /gi/
9 curdo — **i** /go/
10 Inghilterra — **l** /gu/

4 Ascolta le parole della prima colonna, contengono i suoni /tʃ/ e /dʒ /. Prova a collegarli con i simboli della seconda colonna.

1 giugno — **a** /tʃa/
2 arrivederci — **b** /tʃe/
3 geografia — **c** /tʃi/
4 Giovanni — **d** /tʃo/
5 ciao — **e** /dʒa/
6 Parigi — **f** /dʒe/
7 piacere — **g** /dʒi/
8 annuncio — **h** /dʒo/
9 Perugia — **i** /dʒu/

Ogni parola è composta da **sillabe**, ad esempio la parola "francese" è composta dalle sillabe **fran-ce-se**.

Le sillabe sono formate da una o più consonanti e una vocale, o anche dalla sola vocale come in **cia-o**!

5 Ora fa' attenzione a come questi suoni si scrivono e prova a completare la tabella.

Suono /k/	Suono /g/	Suono /tʃ/	Suono /dʒ/
c + u = /ku/	g + _____= /gu/	c + i + u = /tʃu/	g +_______= /dʒu/
c + o = /ko/	g + _____= /go/	c + i + o = /tʃo/	g +_______= /dʒo/
c + a = /ka/	g + _____= /ga/	c + i + a = /tʃa/	g +_______= /dʒa/
c + h + e = /ke/	g + _____= /ge/	c + e = /tʃe/	g +_______= /dʒe/
c + h + i = /ki/	g + _____= /gi/	c + i = /tʃi/	g +_______= /dʒi/

Attenzione, per il suono **/kw/** come in **qui**, **quello**, **qualcosa** ecc. vedere l'Unità 10.

grammatica

Verbo *avere* – indicativo presente plurale
(Noi) **abbiamo** un cane. (Voi) **avete** una macchina nuova. (Loro) **hanno** un lavoro interessante.

Coniugazione III -ire in: III a (sentire) e III b (finire)

L'INDICATIVO PRESENTE DEI VERBI REGOLARI

Ci sono tre coniugazioni: **I -are;** (**amare**) **II -ere;** (**scrivere**) **III -ire**. (**sentire - finire**)

I - ARE: amare	II - ERE: scrivere	III a - IRE: sentire	III b - IRE: finire
(io) am - **o** (tu) am - **i** (lui, lei) am - **a** (noi) am - **iamo** (voi) am - **ate** (loro) am - **ano**	(io) scriv - **o** (tu) scriv - **i** (lui, lei) scriv - **e** (noi) scriv - **iamo** (voi) scriv - **ete** (loro) scriv - **ono**	(io) sent - **o** (tu) sent - **i** (lui, lei) sent - **e** (noi) sent - **iamo** (voi) sent - **ite** (loro) sent - **ono**	(io) fin - **isc- o** (tu) fin - **isc- i** (lui, lei) fin - **isc-e** (noi) fin - **iamo** (voi) fin - **ite** (loro) fin - **isc- ono**

	Verbi con due sillabe	Verbi con più di due sillabe
Singolare	P**a**rlo P**a**rli P**a**rla	Risp**o**ndo Risp**o**ndi Risp**o**nde
Plurale	Parli**a**mo Parl**a**te P**a**rlano	Rispondi**a**mo Rispond**e**te Risp**o**ndono

1 Metti il verbo alla persona richiesta.

1 Abitare: (tu) ....abiti..........................
2 Vendere: (lui) ....
3 Scrivere: (io) ....
4 Lavorare: (lei) ....
5 Ascoltare: (io) ....
6 Tornare: (tu) ....
7 Finire: (io) ....
8 Sentire: (tu) ....

2 Metti i verbi dell'esercizio 1 al plurale.

1 Abitare: (voi) ....abitate....................
2 Vendere: (loro) ....
3 Scrivere: (noi) ....
4 Lavorare: (loro) ....
5 Ascoltare: (noi) ....
6 Tornare: (voi) ....
7 Finire: (noi) ....
8 Sentire: (voi) ....

3 Completa le frasi con un verbo.

1 Quando ....lavoro.........., ... la radio.
2 .... a Napoli, ma siamo inglesi.
3 Quando .... di lavorare nel tuo ufficio?
Io .... alle 5, ma Sara .... alle 7.
4 In settembre .... a casa, sono molto felice!
5 Björn .... l'Italia, viene sempre in vacanza.
6 Quando siete in vacanza, ... sempre una cartolina a casa?

VERBI IRREGOLARI

Verbo *fare* – indicativo presente
(Io) **faccio** l'insegnante. (Tu) **fai** la commessa. (Lui, lei) **fa** il medico. (Noi) **facciamo** l'università. (Voi) **fate** la pizza. (Loro) **fanno** una pausa.

Verbo *sapere* – indicativo presente
(Io) **so** l'inglese. (Tu) **sai** il tedesco. (Lui, lei) **sa** il francese. (Noi) **sappiamo** l'italiano. (Voi) **sapete** il russo. (Loro) **sanno** lo spagnolo.

4 Completa le domande e le risposte con *essere*, *avere*, *sapere* o *fare*.

1 - Di dove ....è.................. Paolo? - .... italiano.
2 - Quanti anni ....? - Io 45 e lei 34.
3 - Quante lingue .... i tuoi studenti? - .... due lingue.
4 - Cosa ....? - Lavoro in ospedale, ... il medico.
5 - Qual .... il tuo indirizzo? - Via Ponte Nuovo 43. Mia moglie e io .... un appartamento con giardino.
6 - Cosa .... Peter? - Lavora in un supermercato................................. il macellaio.
7 - .... dove vive John? - Mi spiace, non lo ....
8 - .... una penna rossa? - Sì, eccola!

Articolo determinativo	
MASCHILE	
DAVANTI A UNA CONSONANTE	**IL telefono**
DAVANTI A S + CONSONANTE, Z, PS, GN, X	**LO studio**
DAVANTI A UNA VOCALE	**L'ufficio**
FEMMINILE	
DAVANTI A UNA CONSONANTE	**LA casa**
DAVANTI A UNA VOCALE	**L'amica**

Articoli determinativi completi: vedi Unità 4.

5 Metti l'articolo determinativo e completa le parole.

1 ..La... cas.......... nuov.......... di Anna è molto bell..........

2 Questo è Ivan, ... student.......... russ..........

3 .... ragazz.......... carin.......... è mia amica.

4 Leggi .... ultimo libr.......... di Eco, è interessant..........

5 .... amic.......... di Mario è felic.......... perché ha un.......... macchin.......... nuov..........

6 Giorgio fa .... impiegat..........

6 Completa le frasi con l'articolo determinativo dove necessario.

1 ...Il..... tuo numero di telefono è 02 3426785, vero?

2 Abiti in .... Piazza del Popolo?

3 .... Signor Rossi fa .... ingegnere.

4 .... Portogallo è un paese dell'Unione Europea.

5 .... Signora, lei è inglese?

6 .... mia casa nuova è molto carina.

7 .... libro d'italiano è facile.

8 .... studente con .... tua amica Cristina è Tommaso.

7 Lavora con un compagno. Lo studente A va a pagina I, lo studente B va a pagina III. Fate delle domande. Rispondete con gli articoli determinativi.

Le preposizioni IN e A

In Via Liguria 6 — **a** casa

In Piazza del Campo — **a** scuola

a Madrid, in Spagna: vedi Unità 2.

La preposizione PER

Settembre 2000 — Settembre 2001

Julie ha un lavoro **per** un anno.
(Julie ha un lavoro che dura un anno.)

2000 = anno, ottobre = mese, sabato = giorno.

8 Metti le preposizioni.

1 ...A... casa.
2 .... due giorni.
3 .... Berlino.
4 .... Piazza Navona.
5 .... sei anni.
6 .... Francia.
7 .... quattro mesi.
8 .... Via Farini.
9 .... scuola.

9 Fa' le domande.

1 ......Di dove sei..?
Sono turco.
2 ....?
Ascolto solo rock.
3 ....?
Vende giornali.
4 ....?
E' in Spagna.
5 ....?
E' Hans, uno studente tedesco.
6 ....?
Sono in Italia per lavoro.
7 ....?
Non lo so. Probabilmente in ottobre.
8 ....?
E' inglese, vuol dire gatto.

civiltà Il lavoro in Italia.

Grafico dei settori lavorativi in Italia.

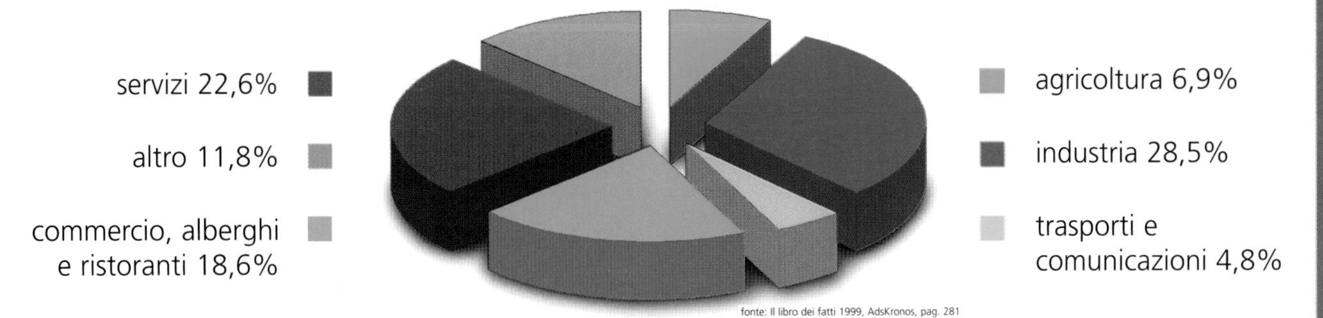

1 Collega i mestieri alle foto.

1 Pizzaiolo	
2 Responsabile sistemi informatici	
3 Gondoliere	
4 Agricoltore	
5 Operaio	
6 Impiegata	
7 Guida turistica	

2 Adesso prova a completare la tabella con i mestieri dell'esercizio precedente.

1 Agricoltura	
2 Industria	
3 Trasporti e comunicazioni	Responsabile sistemi informatici
4 Commercio, alberghi e ristoranti	
5 Servizi	

sommario

Abbina le frasi o espressioni alla descrizione sotto.

1 Quante lingue conosci? — Conosco 3 lingue.
2 E' sposato?
3 Secondo me Kevin è inglese.
4 Cosa vuol dire "cat"? — Vuol dire gatto in inglese.
5 Che lavoro fai? — Faccio il meccanico.
6 Che tipo di macchina hai?
7 Faccio un corso d'italiano per tre mesi.
8 Com'è la tua casa?
9 Sai usare il computer?
10 Chi vende giornali?
11 Quanto dura il corso d'italiano?
12 Buongiorno, mi chiamo Di Napoli. Sono il direttore di Video 2000.
13 Questa è la Signora Inge Moeller.

In questa unità abbiamo imparato a:

- [ ] **a** presentarci in modo formale ....
- [ ] **b** presentare un'altra persona in modo formale ....
- [ ] **c** chiedere lo stato civile ....
- [ ] **d** chiedere e dire il significato ....
- [ ] **e** esprimere un'opinione ....
- [ ] **f** chiedere e dire che/quale lavoro si fa ....
- [ ] **g** chiedere e dire quante lingue si conoscono ....
- [ ] **h** chiedere cosa si sa fare ....
- [ ] **i** chiedere chi compie una determinata azione ....
- [ ] **l** chiedere la durata ....
- [ ] **m** dire la durata ....
- [ ] **n** chiedere di descrivere qualcosa ....
- [ ] **o** chiedere informazioni con "che tipo di" ....

Roma, Piazza San Pietro.

1 Completa il testo con gli articoli determinativi.

Chi desidera avere ....il......... permesso di soggiorno in Italia deve completare una scheda e scrivere .... nome, ... nazionalità, ... indirizzo e .... numero di telefono in Italia, ... stato civile, ... titolo di studio o .... professione.

..... / 7

2 Completa con le preposizioni *in*, *a*, o *per*.

Françoise Dupont è una ragazza francese. Vive .... Italia, ... Milano. Ha una borsa di studio .... un anno. Tutti i giorni, la mattina, va .... scuola di italiano .... quattro ore. Poi torna .... casa, ... Via Verdi, vicino .... Piazza del Duomo, dove vive con tre amiche. Il pomeriggio va all'università, ma solo ....tre giorni alla settimana.

..... / 9

3 Completa il testo di queste cartoline con i verbi indicati.

Ciao Paola,
adesso .... a Venezia. ....
una camera in affitto con altri studenti. ....
italiano e la sera .... la baby-sitter.
E tu come ....?
.... sempre la musica heavy metal?
Quando .... il nuovo indirizzo ti
.... subito un'altra cartolina.
Ti abbraccio
Martine

..... / 8

essere, cercare, fare, studiare, avere, scrivere, ascoltare, stare

Cara Francesca,

come .... ? Noi molto bene! .... in un piccolo albergo in centro, ma .... un appartamento in affitto.
Perugia è veramente molto bella.
Non .... ancora bene l'italiano ma .... un corso all'università. Peter .... molte lettere per trovare un lavoro. Quando .... il corso, ... in Germania.
Un bacione e a presto
Peter e Margit

cercare, fare, sapere, scrivere, stare, vivere, tornare, finire

..... / 8

4 Leggi questo testo e riordina le frasi della seconda colonna secondo il senso.

1 - Ciao, io mi chiamo Gianni. **2** - Sei amico di Luisa da tanto tempo? **3** - Non sei italiano? **4** - Lavori o studi? **5** - Di che cosa? **6** - Perché sei venuto in Italia? **7** - Sai parlare l'italiano molto bene, complimenti. **8** - Andiamo a prendere un caffè?	**a** - D'accordo però offro io. **b** - È un negozio di materiale informatico, vendiamo computer. **c** - Grazie, studio ogni giorno in una scuola, di sera, quando finisco di lavorare; mi piace l'italiano. **d** - Piacere, sono Pierre. **e** - Sì, più o meno tre anni. **f** - Lavoro in un negozio. **g** - Mi sono sposato con una ragazza di Roma e così... **h** - No, sono di Parigi, ma vivo a Roma da tre mesi.

d							
1	**2**	**3**	**4**	**5**	**6**	**7**	**8**

..... / 7

5 La segreteria telefonica di Paola non funziona molto bene. Completa il messaggio secondo il senso.

Ciao Paola, ... Martina. Ti chia............... per dirti che quest............... sera con degli amic............... ci trovi .... a casa mia perché è il mio compleanno. Ci ved............... verso le otto. Porta anche .... tuo ragazz............... . Ciao, ... presto.

..... / 9

NOME:	
DATA:	
CLASSE:	

totale ..... / 50

1 Ascolta la telefonata e completa il dialogo.

Sandro: ....Pronto...?
Maria: Pronto, posso parlare con Sandro, per favore?
Sandro: ....
Maria: Sono Maria.
Sandro: ....
Maria: Bene e tu?
Sandro: ....?
Maria: Per il momento molto bene. Comincia domani!!
Sandro: ....?
Maria: Non lo so....
Sandro: ....?
Maria: Va bene. Cucini tu?
Sandro: ....

2 Completa l'albero genealogico di Sandro con le parole del riquadro.

Anna
....

Ugo
....

Alba Marcello Vittorio

- Alba è la nonna di Vittorio.
- Vittorio è il nipote di Alba.
- Marcello è lo zio di Vittorio.
- Vittorio è il nipote di Marcello.

Osserva: nipote in italiano va bene sia per nonni che per zii ed è sia maschile che femminile.

Sandro
...figlio/fratello...

Giuseppina
....

Simona
....

Carlo
....

madre, padre, figlio, figlia, fratello, sorella, marito, moglie, nonno, nonna

3 Ascolta il dialogo e completa gli spazi vuoti.

Maria: Posso entrare?

Sandro: Prego! Entra!... Maria ti presento i miei ....
Mia ...., Giuseppina e questo è mio ...., Carlo.

Maria: Piacere. Come siete giovani!

Carlo: Grazie, ma non è vero. Io ho 53 anni e mia .... 49.

Sandro: E quella è mia ...., Simona.

Maria: Ciao Simona, piacere!...
Scusate, vorrei lavarmi le mani.
Dov'è il bagno per favore?

Carlo: E' la prima porta a sinistra.

a destra

a sinistra

Alla scoperta della lingua

Guarda il testo della conversazione e completa la tabella.

Maschile		Femminile	
Sing.	Plurale (irregolari!)	Sing.	Plurale
Mi......	Miei	Mi......	Mi......
Tu......	Tuoi	Tu......	Tu......
Su......	Suoi	Su......	Su......

4 Ascolta nuovamente il dialogo e controlla le tue risposte.

5 Alla scoperta della lingua Completa la tabella con i nomi del riquadro.

Il ..padre....	....	....	....	....	....
La	....	....	....	....	....
I	....	....	....	....	....
Le	....	....	....	....	....

figlio, figlia, nonni, padre, sorella, madre, nonno, fratello, genitori, moglie, marito

6 Insieme a un compagno, a turno parlate delle relazioni nella famiglia di Sandro.

Esempio: Carlo/Sandro. Carlo è il padre di Sandro.

Sandro/Giuseppina
Sandro/Simona
Simona/Carlo
Simona/Sandro

Giuseppina/Simona
Ugo/Simona
Anna/Sandro
Carlo/Giuseppina

Ugo e Anna/Sandro
Giuseppina/Carlo
Carlo, Giuseppina/Sandro, Simona

7 Completa la tabella e poi ascolta e ripeti i numeri.

Super Enalotto
GIOCATE NORMALI E SISTEMI INTEGRALI

21	ventuno	**28**	....	**42**	....	**70**	settanta
22	ventidue	**29**	....	**50**	cinquanta	**71**	....
23	ventitré	**30**	trenta	**51**	....	**72**	....
24	....	**31**	....	**52**	....	**80**	ottanta
25	....	**32**	....	**60**	sessanta	**81**	....
26	....	**40**	quaranta	**61**	....	**82**	....
27	....	**41**	....	**62**	....	**90**	novanta

8 Scrivi i numeri che senti.

9 Correggi gli errori dove necessario.

34	trentadue	trentaquattro
51	cinquantuno	....
95	novantaquattro	....
44	quarantasei	....
78	settantotto	....
58	cinquantasette	....
62	sessantasei	....

10 Lavorate in tre. Scrivete su un pezzo di carta il nome di un personaggio famoso. Non fate vedere il nome del vostro personaggio ai compagni. Fate domande per scoprire chi sono i personaggi.

11 Insieme a un compagno, a turno fate domande e date risposte sulle vostre famiglie.

12 Ora scrivete le domande degli esercizi 10 e 11.

abilità

1 Metti in ordine la telefonata.

1 - Silvia non c'è; è all'Università. [ ]
2 - Certamente! [ ]
3 - Pronto. [ ]
4 - Grazie. Arrivederci. [ ]
5 - Ciao. [ ]
6 - Sono Paolo, sono in Tunisia. Telefono domani mattina. [ ]
7 - Pronto. Sono Paolo. C'è Silvia, per favore? [ ]
8 - Va bene. [ ]
9 - Come? Non sento bene! Può parlare più forte? [ ]
10 - No, è all'università. [ ]
11 - Posso lasciare un messaggio? [ ]

2 Ascolta la telefonata e controlla l'ordine dell'esercizio 1.

3 Lavora con un compagno. Fate una conversazione telefonica come questa.

4 Cosa dici al telefono?

a	quando rispondi	Pronto
b	quando telefoni e dici chi sei	
c	per parlare con una persona	
d	per lasciare un messaggio	
e	quando non senti bene	
f	per finire la telefonata	

prevedere
Immaginare il contenuto di un testo, prima di leggerlo o ascoltarlo, ad esempio con l'aiuto delle figure, può favorire la comprensione.

5 Guarda la fotografia e rispondi alle domande.

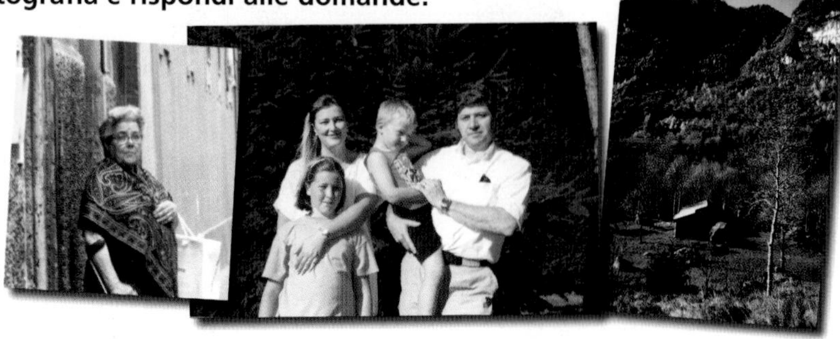

Dove sono le persone nella foto? ....
Chi sono? ....
Quanti anni hanno? ....
Che lavoro fanno? ....
Di dove sono? ....

6 A coppie, confrontate le vostre risposte.

7 Ora ascolta la registrazione e controlla le tue risposte.

lessico

1 Completa gli schemi con nomi relativi alla famiglia.

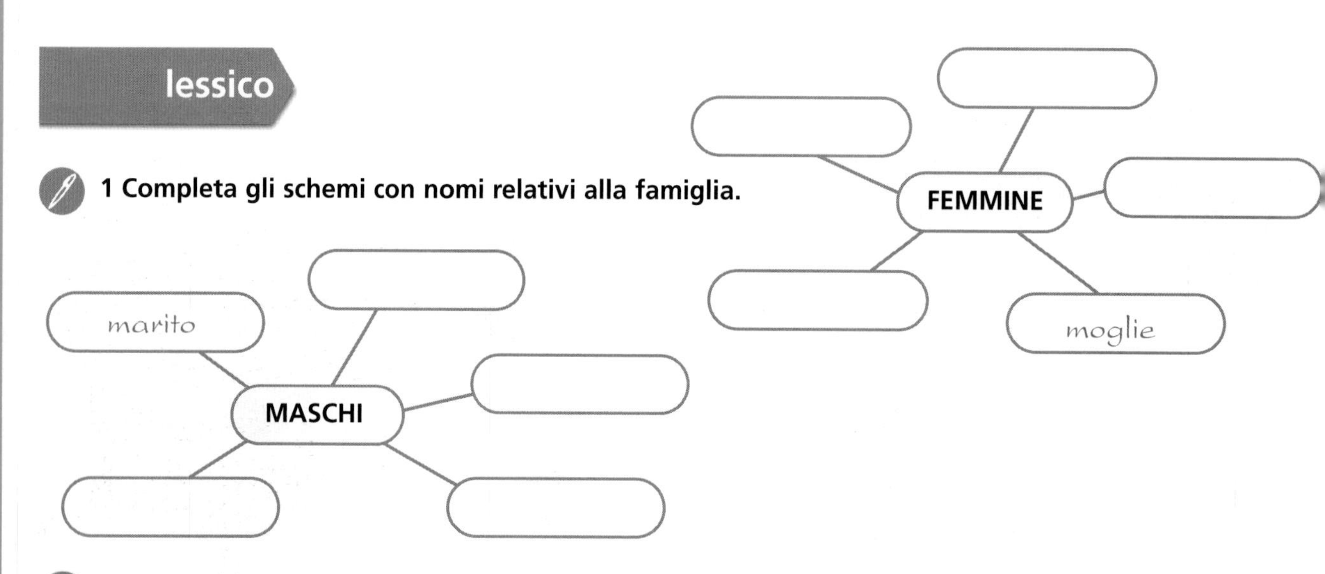

2 Completa la tabella.

padre	madre
	figlia
fratello	
zio	
nonno	
	moglie
cugino	

 **3 Abbina i disegni agli aggettivi del riquadro.**

1	Alto
2	Basso
3	Magro
4	Grasso

☐ ☐ ☐ ☐

 **4 Insieme a un compagno, a turno chiedete chi sono le persone, indicando la foto della famiglia di Sandro.**

Guardate anche la foto dell'esercizio 5 a pag. 50. Usate gli aggettivi che conoscete:

alto, basso, magro, giovane, vecchio, bello, brutto, carino, piccolo

A: Chi è questa ragazza? E' molto carina!
B: E' Simona la sorella di Sandro.

5 Abbina le figure ai nomi.

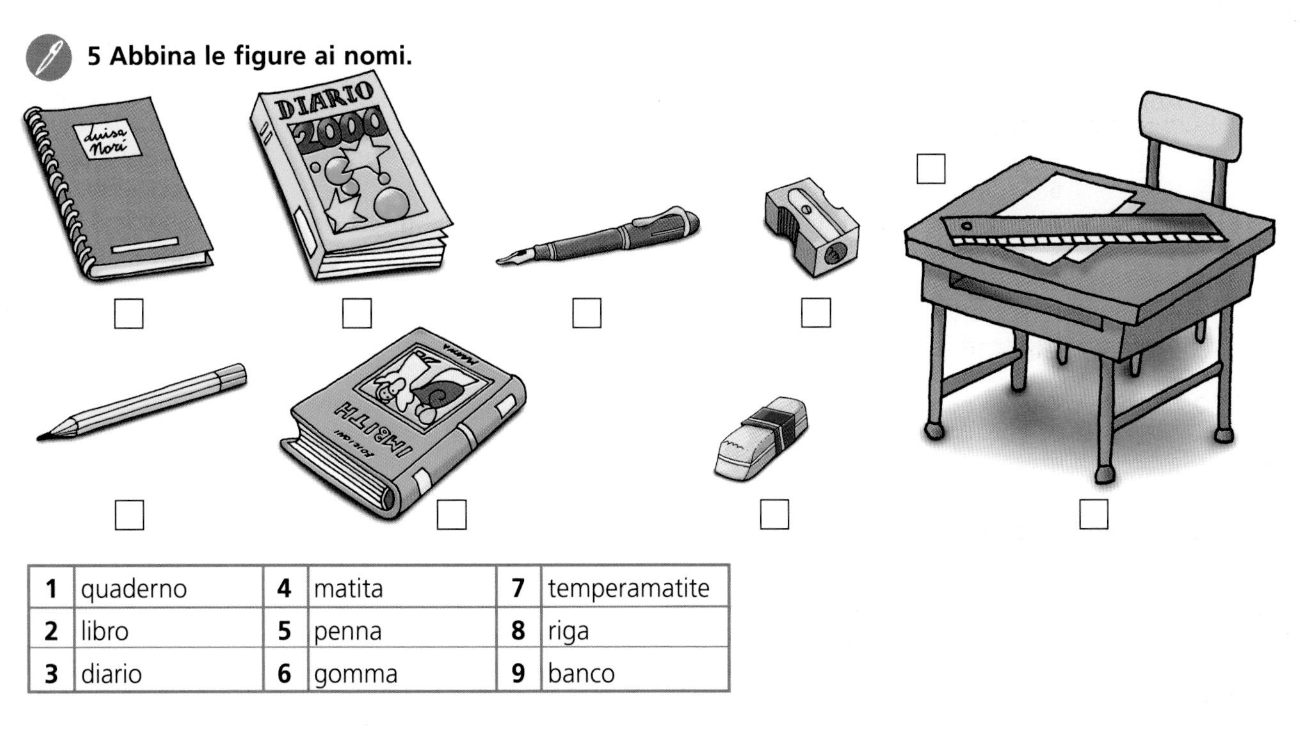

1	quaderno	4	matita	7	temperamatite
2	libro	5	penna	8	riga
3	diario	6	gomma	9	banco

 **6 Insieme a un compagno, a turno chiedete e dite di chi sono gli oggetti nelle figure.**

Lo studente A va a pag. II, lo studente B a pag. IV.

A: Di chi è/ sono...?
B: E'/sono di ...

grammatica

Nomi in -*TA'*

I nomi in **-TA'** sono *femminili*. Singolare e plurale sono uguali.

	SINGOLARE		PLURALE	
FEMMINILE	-TA'	**La** cit**tà**	-TA'	**Le** cit**tà**
		La possibili**tà**		**Le** possibili**tà**

Articoli determinativi singolari e plurali

MASCHILE	SINGOLARE	PLURALE
DAVANTI A UNA CONSONANTE	**IL** telefono	**I** telefoni
DAVANTI A S + CONSONANTE, Z, PS, GN, X	**LO** studente	**GLI** studenti
DAVANTI A UNA VOCALE	**L'**ufficio	**GLI** uffici
FEMMINILE		
DAVANTI A UNA CONSONANTE	**LA** casa	**LE** case
DAVANTI A UNA VOCALE	**L'**amica	**LE** amiche

1 Abbina gli articoli ai nomi.

articoli

1 Il
2 La
3 L'
4 Il
5 La
6 Lo
7 L'
8 Lo
9 L'
10 La
11 Lo
12 L'

nomi

a via
b acqua
c padre
d insegnante
e nome
f città
g creatività
h zio
i psicologo
l studente
m indirizzo
n aeroporto

1/e											

2 Metti al plurale i nomi dell'esercizio 1 e aggiungi l'articolo determinativo.

1 ..I.. nomi **2** ..... creativit...... **3** ..... insegnant...... **4** ..... padr......
5 ..... vi...... **6** ..... student...... **7** ..... acqu...... **8** ..... zi......
9 ..... indirizz...... **10** ..... citt...... **11** ..... psicolog...... **12** ..... aeroport......

L'aggettivo dimostrativo: *questo*

SINGOLARE			PLURALE	
MASCHILE	*Davanti a consonante* **Questo** libro	*Davanti a vocale* **Quest'**amico	**MASCHILE**	**Questi** libri/amici
FEMMINILE	*Davanti a consonante* **Questa** penna	*Davanti a vocale* **Quest'**amica	**FEMMINILE**	**Queste** penne/amiche

I possessivi per le persone singolari *(io, tu, lui/lei)*				
	MASCHILE		**FEMMINILE**	
	SINGOLARE	**PLURALE**	**SINGOLARE**	**PLURALE**
I persona	**Mio**	**Miei**	**Mia**	**Mie**
II persona	**Tuo**	**Tuoi**	**Tua**	**Tue**
III persona	**Suo**	**Suoi**	**Sua**	**Sue**

Solitamente i possessivi sono preceduti dall'*articolo determinativo*, ma **non** quando ci sono nomi che indicano la famiglia (padre, madre, ecc.) al singolare.

Osserva:

Il cane di Paolo **= il suo cane.**

Il cane di Luisa **= il suo cane.**

E' la parola cane che determina l'aggettivo (maschile), non le parole Paolo o Luisa.

3 Rispondi alle domande usando l'aggettivo possessivo.

1 - Di chi è questa casa? E' di Marta?
- Sì, ...è la sua casa...
2 - Di chi è questa macchina? E' di Abel?
- No, ...
3 - Di chi sono questi quaderni? Sono di Sandro?
- Sì, ...
4 - Di chi sono queste penne? Sono di Cristina?
- No, ...

4 Metti l'aggettivo possessivo e l'articolo determinativo dove necessario.

1	Questa è ...la mia casa....casa.	(Io)
2	............................genitori sono inglesi.	(Di Megan)
3	............................padre è molto giovane.	(Tu)
4	............................passaporto è sul tavolo.	(Io)
5	Dov'è ....ufficio?	(Tu)
	............................ufficio è in Via Veneto.	(Io)
6	............................nonni sono molto vecchi.	(Di Fabrizia)

Molto con gli aggettivi	
+ La tua casa è bella.	++ La tua casa è **molto** bella.
- Questo libro è brutto.	-- Questo libro è **molto** brutto.

Osserva: molto seguito da aggettivo non cambia mai.

5 Metti l'aggettivo contrario.

1 La mia città è molto bella.

La mia città è molto brutta

2 Giuseppe è molto vecchio.

....

3 I tuoi genitori sono molto magri.

....

4 Alghero è una città molto grande.

....

5 Questo esercizio è molto facile.

....

6 La tua amica è molto alta.

....

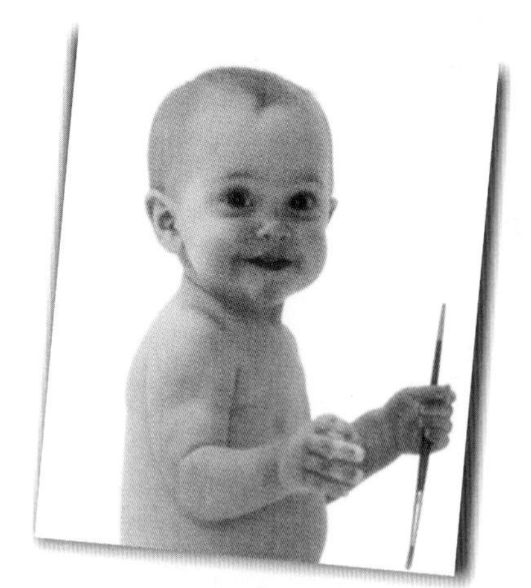

Mattia è ancora giovane ma è molto, molto simpatico!

Voi di cortesia	
Signora Martinez, **lei** è argentina?	Signora Martinez e Signor Lopez, **voi** siete argentini?

Il plurale di **lei** (di cortesia) è **voi**.

6 Metti le frasi al plurale.

1 Scusi, dov'è la stazione, per favore?

Scusate, dov'è la stazione, per favore?

2 Lei è francese?

....

3 Può darmi il passaporto, per favore?

....

4 Lei lavora all'università di Venezia?

....

5 Va spesso a lavorare in macchina?

....

6 Scusi, ha una sigaretta?

....

- Scusi ha una sigaretta?
- Mi spiace, non fumo.

VERBI IRREGOLARI

Verbo *potere* – indicativo presente	
	Posso andare in bagno?
	Puoi ripetere?
	Può passarmi l'acqua per favore?
Stasera	**possiamo** andare al cinema.
	Potete fare silenzio?
Gli studenti	**possono** andare a casa.

7 Completa le frasi con *potere* o *sapere*.

1 Luca,....puoi........ fare silenzio?

2 Signora Ferri, lei .... l'inglese?

3 Scusi, ... ripetere, per favore?

4 Giovanni e Franco non .... nuotare.

5 Mamma, ... andare al cinema stasera?

6 Io non .... guidare un camion grande. E' troppo difficile.

7 Scusi Professoressa: Claudio, Rita e io .... andare a casa?

8 Scusa, ... dov'è Piazza Cavour, per favore?

Verbo *andare* - indicativo presente	
	Vado a casa.
	Vai in Francia con i tuoi amici?
	Va all'università?
	Andiamo in Piazza Garibaldi?
	Andate in vacanza in agosto?
I miei fratelli	**vanno** a Firenze in macchina.

Osserva: Andare **a/in**.

Andiamo a Bologna/a casa/a scuola.
Andiamo in Francia/in Umbria/in America.

Andare **a** mangiare un gelato.

Per invitare o suggerire: **perché non...?**

8 Invita o suggerisci.

1 Maria è stanca, suggeriscile di andare a dormire.

..Maria, sei stanca. Perché non vai a dormire?..........

2 Invita Maria a Napoli per Natale.

....

3 Suggerisci ai tuoi compagni di studiare la grammatica italiana.

....

4 Invita i tuoi amici a cucinare qualcosa insieme a casa tua stasera.

....

5 Suggerisci a Matteo e Andrea di vedere l'ultimo film di Bertolucci stasera alla televisione.

....

6 Invita Claire a sentire il concerto di Pavarotti a Modena.

....

fonologia

• **I suoni** /m/ ***m***edico; /n/ u***n***

1 Ascolta le parole e fa' un segno nella colonna corretta.

	/m/	/n/
1	x	
2		
3		
4		
5		
6		
7		
8		
9		
10		

Manifesto di *Madama Butterfly* di G. Puccini, (1858-1924).

2 Ascolta le parole e scrivile nella colonna corretta.

/m/	/n/
armadio	

Maria Callas, la più grande cantante lirica del Novecento: greca di origine, milanese di adozione.

3 Leggi le parole che hai scritto insieme a un compagno.

Foto di scena della *Madama Butterfly* di G. Puccini, (1858-1924).

civiltà La famiglia in Italia.

1 Osserva le immagini e collega ogni commento con l'immagine giusta.

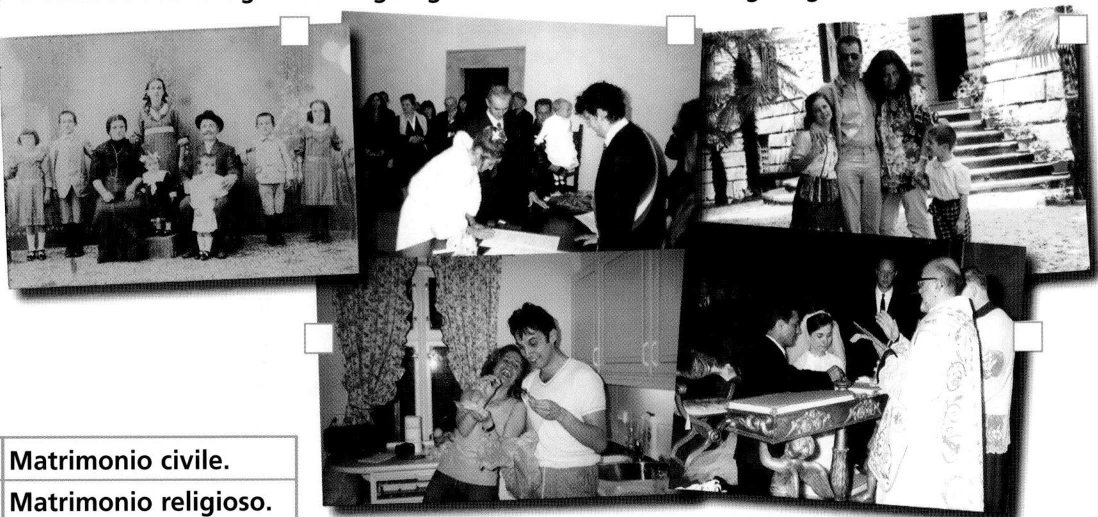

a	Matrimonio civile.
b	Matrimonio religioso.
c	La famiglia patriarcale.
d	La famiglia moderna.
e	Convivenza.

Convivenza: vivere come marito e moglie senza essere sposati.

2 La tipologia della famiglia italiana è molto cambiata, soprattutto in questi ultimi 20 anni. Osserva lo schema che segue.

	Numero di matrimoni	Per 1.000 abitanti	Con rito civile %	Con un coniuge straniero %
1961	397.461	7,9	1,6	–
1971	404.464	7,5	3,9	–
1981	316.953	5,6	12,7	–
1991	312.061	5,5	17,5	–
1992	312.348	5,5	18,2	3,2
1993	302.230	5,3	17,9	3,3
1994	291.607	5,1	19,1	3,8
1995	290.009	5,1	20,0	4,3
1996*	272.049	4,7	20,4	–
1997*	273.111	4,7	20,8	–

* dati provvisori

3 Anche in Italia, come nel resto dell'Europa, la famiglia diventa sempre più piccola, osserva le percentuali che seguono.

PRINCIPALI TIPOLOGIE FAMIGLIARI NEL 1997

coppie con figli 47%
genitore solo con figli 8%
coppie senza figli 21%
altre famiglie 3%
persone sole 21%

fonte: L'Italia in cifre, 1999, ISTAT, pag. 9.

sommario

1 Abbina le frasi o espressioni alla descrizione sotto.

1 Puoi/può ripetere, per favore?
2 Perché non andiamo al cinema domani sera?
3 So l'inglese.
4 Franco e Giovanni sanno nuotare.
5 Carlo è il padre di Sandro.
6 C'è Silvia, per favore?
7 Questa è la macchina di Paolo.
8 Va bene.
9 Come stai? Bene, grazie e tu?
10 Questa è mia sorella./Maria ti presento i miei genitori.
11 Come va il corso di italiano? Molto bene.
12 Di chi è questa penna.
13 E' la prima porta a sinistra/a destra.
14 Pronto. Sono Paolo.
15 Va bene.
16 Pronto.
17 Posso entrare? Prego!/Certamente!

Torino, Mole Antonelliana.

In questa unità abbiamo imparato a:

[5] **a** esprimere legami familiari ....
[ ] **b** parlare di abilità ....
[ ] **c** parlare di conoscenze ....
[ ] **d** chiedere di ripetere ....
[ ] **e** invitare e suggerire ....
[ ] **f** accettare l'invito ....
[ ] **g** presentare altre persone ....
[ ] **h** parlare del possesso ....
[ ] **i** chiedere il possessore ....
[ ] **l** chiedere qualcosa gentilmente ....
[ ] **m** chiedere della salute di qualcuno e rispondere ....
[ ] **n** chiedere come procede qualcosa e rispondere positivamente ....
[ ] **o** localizzare nello spazio ....
[ ] **p** esprimere accordo ....
[ ] **q** chiedere il permesso e acconsentire ....
[ ] **r** rispondere al telefono ....
[ ] **s** presentarsi quando si telefona a qualcuno ....

1 In questa tabella si nascondono otto nomi di famiglia. Trovali e scrivili come nell'esempio. I nomi possono essere in orizzontale, in verticale e in obliquo.

A	I	N	S	A	F	***Z***	D	R	H	M
M	A	U	O	E	I	***I***	A	F	C	S
F	H	A	R	I	P	***A***	D	R	E	B
U	T	D	E	C	N	L	L	A	E	C
J	A	A	L	S	S	O	U	T	T	H
M	E	A	L	E	C	I	O	E	N	I
A	O	I	A	D	E	P	R	L	U	L
R	K	G	O	M	I	S	D	L	L	R
I	U	U	L	N	O	N	N	O	A	S
T	J	E	S	I	P	A	R	P	O	U
O	F	U	N	I	E	C	A	S	S	E

1 ....zia.......... 2 ....
3 .... 4 ....
5 .... 6 ....
7 .... 8 ....

..... / 7

2 Osserva l'albero genealogico della famiglia Bellini. Quindi completa le frasi seguenti come nell'esempio.

1 Paola è ....sorella.......... di Gino.
2 Maria è .... di Francesco e Paola.
3 Gino è .... di Filippo.
4 Marta e Filippo sono .... di Pietro e Luisa.
5 Paola è .... di Maria.
6 Maria è .... di Gino e Caterina.
7 Caterina è .... di Maria.
8 Pietro è .... di Maria.
9 Marta e Filippo sono..........................
10 Filippo è .... di Gino e Caterina.

..... / 9

3 Riordina le seguenti frasi.

1 casa - sorella - è - di - molto - la - grande - mia

....

2 amica - questa - cena - a - mia - Anna - viene - la - sera

....

3 molto - è - sua - giovane - e - sempre - gentile - ancora - madre

....

..... / 3

4 **Leggi i dialoghi e segna con una X la vignetta corretta.**

1 - Signora. Può descrivere il ladro?
- Certo. Un uomo alto, piuttosto grasso, penso abbastanza giovane...

 ☐  ☐  ☐  ☐

2 - Allora dimmi, com'è il tuo uomo ideale?
- Vorrei un uomo della mia età, non molto alto perché io sono abbastanza piccola, magro e sempre elegante...

 ☐  ☐  ☐

3 - Com'è il tuo cane?
- È piccolo, molto dolce e carino. Per la verità è anche un po' grasso. Ormai ha dieci anni, è abbastanza vecchio.

 ☐  ☐  ☐

..... / 3

5 **Abbina le frasi della colonna di sinistra a quelle della colonna di destra.**

1 Grazie Luisa, a presto.
2 Scusi, dov'è il bagno?
3 Ecco il suo documento.
4 Posso entrare?
5 Posso vedere la camera?
6 Buongiorno, c'è Marta?

a In fondo, la prima porta a sinistra.
b Sì, un momento, viene subito.
c Figurati, grazie a te. Ciao.
d Certo, al terzo piano la prima porta a destra.
e Certamente, prego.
f Grazie, arrivederci.

			e		
1	**2**	**3**	**4**	**5**	**6**

..... / 5

6 **In questo dialogo ci sono otto errori. Trovali e scrivi nello spazio a fianco la forma corretta come nell'esempio.**

Francesca: - Pronto Luisa?
Luisa: - **Che** parla?
F: - Sono Francesca...
L: - Francesca, che sorpresa! Sono a Venezia?
F: - Sì, in queste giorni sono a Venezia.
Poi, la settimana prossima, vado in Londra e poi a Brasile.
L: - Certo che tu con questa lavoro di hostess sei sempre in giro.
Senti, quando ci vediamo?
F: - Questa sera non puoi. Sono a cena con i miei genitori.
Sai, non li vedo mai...
L: - Perché non ci vediamo domani a pranzo?
F: - D'accordo. Va bene a mezzogiorno alla Taverna San Trovaso?
L: - Benissimo, a domani. Ciao.
F: - Buongiorno.

1 ......Chi......
2 ....
3 ....
4 ....
5 ....
6 ....
7 ....
8 ....

..... / 7

NOME:
DATA:
CLASSE:

totale ..... / 34

1 Conosci i nomi delle stanze? Prova a scriverli.

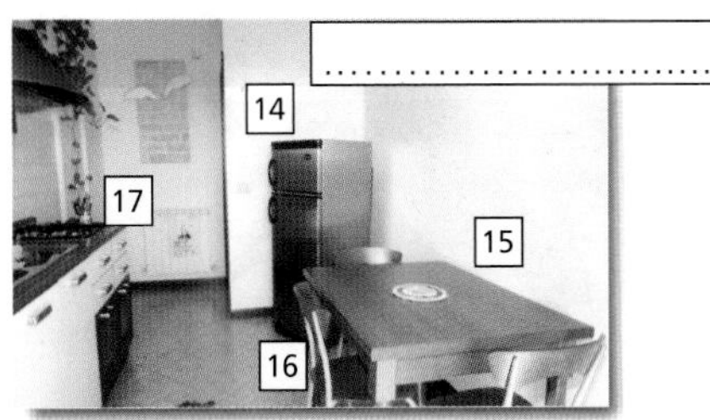
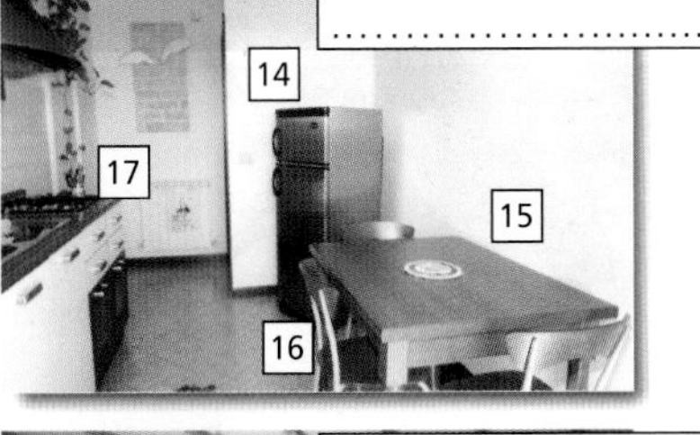

cucina, camera da letto, bagno, soggiorno

2 E i nomi dei vari oggetti? Abbina le immagini alle parole del riquadro.

1	2	3	4 ....
5	6	7	8 ....
9	10	11	12 ....
13	14	15	16 ....
17			

finestra, letto, lavandino, divano, sedia, cucina, libreria, bidè, specchio, armadio, lampadario, water, poltrona, quadro, doccia e vasca, frigorifero, tavolo

3 Ascolta la telefonata e rispondi alle domande.

1 Perché Maria telefona a Sandro? ....

2 Con chi abita Maria? ....

3 Dov'è la sua nuova casa? ....

4 Ha il telefono? ....

5 Quando arriva l'altro studente? ....

4 Leggi la prima parte della lettera di Maria e completa la piantina del suo appartamento.

Perugia, 6 settembre

Cara Rita,
Come va? Io sto bene. Finalmente ho una stanza in un appartamento nel centro di Perugia. Sono molto contenta! Abito con altri tre studenti, ma ho una stanza tutta per me. Quando entri c'è subito il soggiorno, a destra della porta d'ingresso c'è la cucina, poi c'è la porta del corridoio, proprio di fronte alla porta d'ingresso. Dietro la porta del corridoio a sinistra c'è il bagno. Di fianco al bagno c'è la camera di Mark, un ragazzo inglese, e di fronte c'è la camera da letto grande di due ragazze finlandesi. Vicino alla camera di Mark c'è la mia. Ci sono anche due balconi; uno nel soggiorno e uno in cucina.

Alla scoperta della lingua

Come si forma questa parola? Ce ne sono altre dello stesso tipo nella lettera? Quando si usano?

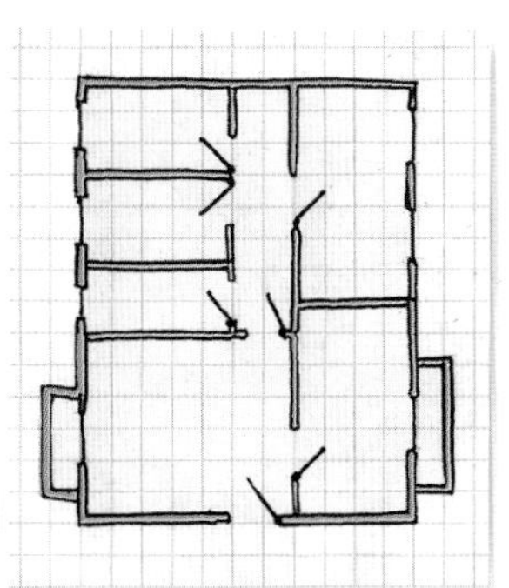

5 Leggi la seconda parte della lettera di Maria. Qual è la sua camera?

Nella mia stanza non ci sono molte cose. Dietro la porta c'è una poltrona, di fronte
alla porta c'è la finestra e vicino alla finestra un piccolo tavolo con una sedia.
A sinistra della porta c'è il letto e di fronte al letto l'armadio. Ho anche una piccola
libreria tra il tavolo e il letto. Il letto è molto alto e abbastanza comodo.
Sotto il letto c'è spazio per le mie valigie, per fortuna!
Ora ti saluto, è molto tardi. Telefona da Roma in ottobre quando arrivi.
Un bacio a Matteo e un abbraccio forte a te.

A presto
Maria

6 Scrivi la descrizione della tua camera da letto. Usa il dizionario per le parole che non conosci.

7 Com'è la vostra casa? Insieme a un compagno, a turno descrivete la vostra casa.

8 Ascolta la descrizione del soggiorno di Beatrice e scrivi i nomi dei mobili.

9 Ascolta nuovamente la descrizione del soggiorno di Beatrice e disegna gli oggetti sulla piantina.

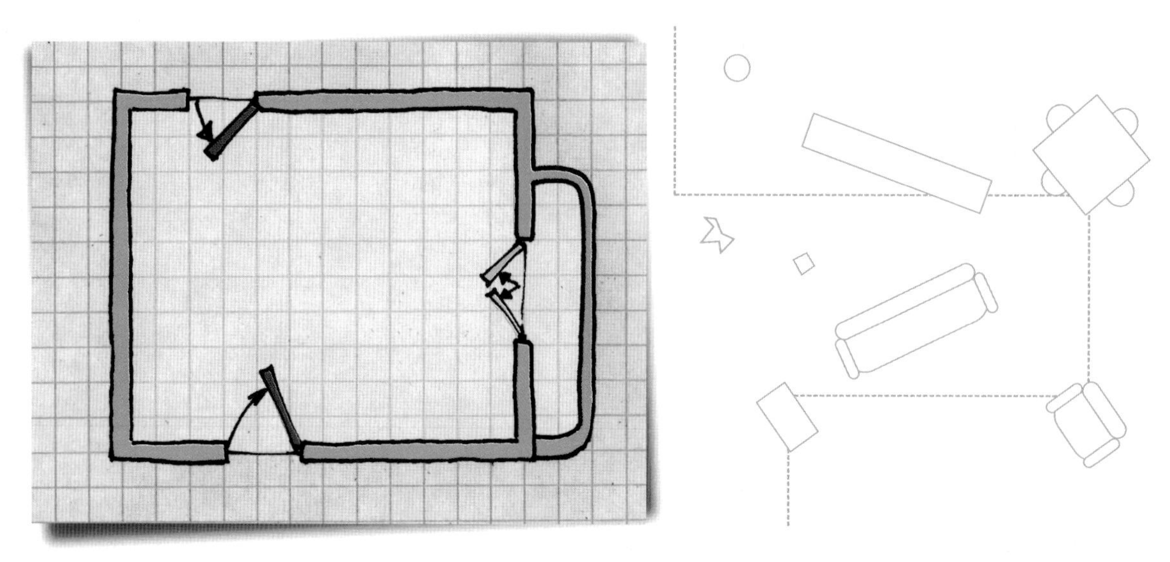

10 Confronta con un compagno la tua piantina e poi ascolta nuovamente la descrizione che fa Beatrice.

11 Lavora con un compagno. Uno è A, l'altro B. A va a pagina II, B a pagina IV. Descrivete le stanze e fate domande per trovare le differenze. Ci sono 10 differenze.

Nel tuo soggiorno c'è un lampadario?
Sì, è vicino a/a destra/dietro…
No.

12 Ascolta e ripeti i nomi dei mesi.

Gennaio
Febbraio
Marzo

Aprile
Maggio
Giugno

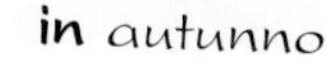

Luglio
Agosto
Settembre

Ottobre
Novembre
Dicembre

Benedetto Antelami, da sinistra:
Dicembre, *Inverno*, *Giugno*, *Primavera*,
fine XII sec. Battistero, Parma.

13 Ascolta e cerchia quello che senti.

1	a 2 marzo	b 2 maggio	c 22 marzo
2	a 14 gennaio	b 4 febbraio	c 14 febbraio
3	a 13 giugno	b 30 giugno	c 13 luglio
4	a 12 dicembre	b 6 novembre	c 26 settembre
5	a 15 agosto	b 11 ottobre	c 31 agosto.

14 Adesso prova a scrivere le date in lettere.

1 3/3 ....tre marzo........
2 15/4 ....
3 29/1 ....
4 26/9 ....
5 16/10 ....
6 15/12 ....
7 6/5 ....
8 12/6 ....
9 2/8 ....
10 1/7 ....

Il compleanno di Sandra
è **il** 26 settembre.
Il compleanno di Sandra
è **in** settembre.

15 Lavora con due compagni. A turno chiedete e dite quand'è il vostro compleanno.

lessico

1 Osserva i disegni.

2 Osserva i disegni degli elettrodomestici. C'è un errore. Correggilo.

televisione

forno

radio

videoregistratore

stereo

3 Elimina la parola che non c'entra.

1 Casa	appartamento	condominio	(tetto)
2 Bidè	water	letto	lavandino
3 Divano	porta	poltrona	libreria
4 Tappeto	specchio	doccia	tavolo
5 Sedia	cucina	frigorifero	armadio

4 Abbina le parti del gelato ai colori.

- [ ] viola
- [ ] arancione
- [ ] giallo
- [ ] blu
- [ ] verde
- [x] 1 rosso

5 Osserva gli altri colori. Abbinali ai relativi nomi nel riquadro.

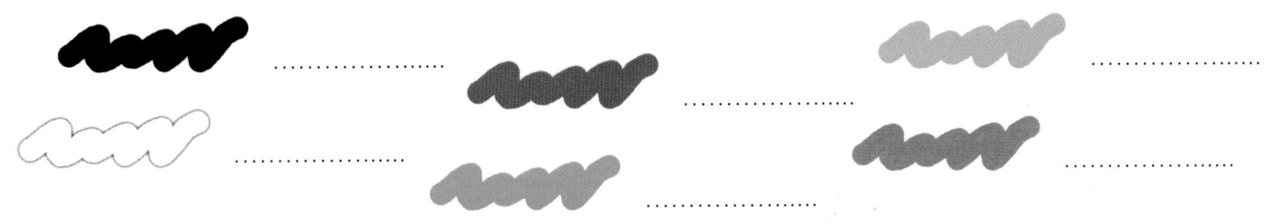

grigio, bianco, nero, marrone, rosa, azzurro

6 Insieme a un compagno, a turno chiedete di che colore sono i mobili della vostra camera da letto.

- Di che colore è il tuo letto?
- Verde.

abilità

prevedere 2

1 Leggi i titoli. Scrivi alcune frasi sui possibili contenuti degli articoli.

La casa dei sogni

La casa della fortuna

Casa o non casa. Questo è il problema.

2 Ora, a coppie confrontate le vostre idee.

3 Leggi l'articolo e metti in ordine i paragrafi.

a Ma la parte principale è l'Ufficio Scommesse, dove Giacomo, collegato via computer con una ditta di Londra, lavora e i clienti scommettono più o meno su tutto.

b Giacomo ha comprato una casa. E che casa! Una vecchia fabbrica, grande, brutta e grigia. Ma ora è tutta diversa.

c Sul tetto, infine, una piscina e una sauna aperta a tutti i clienti per preparare meglio le scommesse.

d Il padre di Giacomo è operaio, sua madre casalinga. E i soldi per cambiare vita? La fortuna a volte aiuta. La fortuna di Giacomo si chiama Totocalcio. Da un anno tutto è diverso!! Da un anno tutto è nuovo!!
Voi cosa fareste con due milioni di euro?

e La casa - fabbrica si chiama *La casa della Fortuna.* Al piano terra c'è una biblioteca con libri e riviste un po' speciali: solo sport o storie di gente fortunata e soprattutto tutto quanto riguarda le scommesse. In un'altra stanza tanti computer per qualsiasi informazione. C'è poi una palestra con tavoli da ping-pong e da biliardo, ecc. Un bar e tanti comodi divani e poltrone.

f Giacomo F., architetto napoletano disoccupato di 30 anni, non sa cosa fare nella vita. Davanti a lui ci sono due possibilità: continuare a vivere come vive oggi o cambiare tutto.

g Al primo piano c'è la casa di Giacomo: un po' speciale. Gli chiediamo cosa manca nella sua casa e lui risponde: "Uno zoo." A voi immaginare com'è.

☐ ☐ ☐ ☐ ☐ ☐ ☐

4 Avete fantasia? A coppie osservate la pianta della casa di Giacomo. Provate a immaginare quali stanze ci sono.

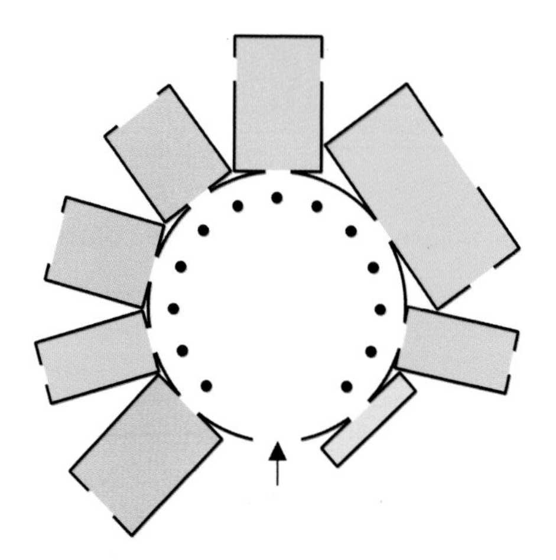

5 Ascolta la descrizione e completa la pianta della casa di Giacomo.

civiltà La casa.

1 Trova il termine giusto per definire le immagini:

a casa di campagna ☐
b palazzo 1
c appartamento ☐
d casa a schiera ☐
e villa ☐

2 Adesso ascolta cosa dicono alcuni italiani del problema della casa, ma prima guarda le immagini e leggi le spiegazioni.

a *Anna e Claudio*

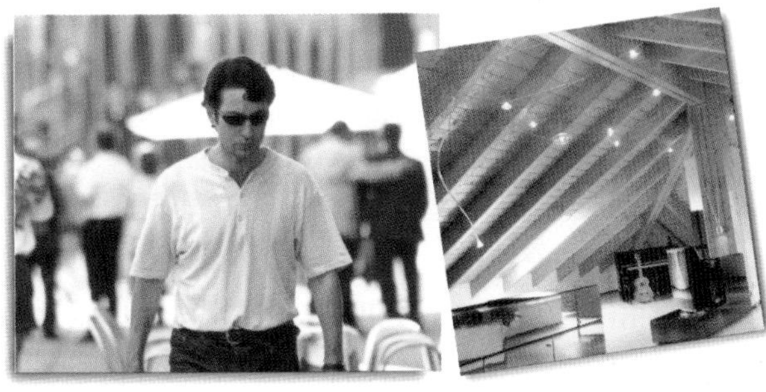

b *Massimo*

Mutuo:
denaro che una banca presta a persone che vogliono comprare una casa o altri beni.

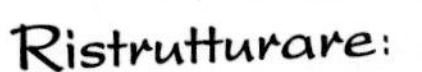

Ristrutturare:
fare dei lavori in una vecchia casa per renderla nuova.

c *Sonia e Andrea*

d *Giovanna e Filippo*

3 Ascolta nuovamente i testi e indica se le seguenti affermazioni sono vere o false.

		Vero	Falso
a	In Italia gli affitti sono generalmente alti.	☐	☐
b	Un monolocale è un appartamento grande.	☐	☐
c	Molti Italiani fanno un mutuo per l'acquisto della prima casa.	☐	☐
d	La mansarda è un tipo di appartamento che si trova in campagna.	☐	☐
e	Chi ha i soldi preferisce andare a vivere in campagna.	☐	☐
f	Ristrutturare una casa significa costruirla di nuovo.	☐	☐

grammatica

Articoli determinativi e indeterminativi in contrasto

1 Metti l'articolo determinativo o indeterminativo.

1 Nella mia camera c'è *.un.* armadio.
2 .... moglie di Paolo si chiama Daniela.
3 .... mia macchina è gialla.
4 .... fratello di Pietro fa il barbiere, l'altro è disoccupato.
5 .... lingua italiana non è molto facile.
6 Sotto .... appartamento dove vivo c'è .... supermercato.
7 .... Italia è .... paese molto bello.
8 Stasera andiamo al cinema a vedere .... film giapponese.
9 .... mio compleanno è .... 16 ottobre.
10 Questa è .... casa molto grande.

Preposizioni articolate

	Il	Lo	L'	La	I	Gli	Le
A	**Al**	**Allo**	**All'**	**Alla**	**Ai**	**Agli**	**Alle**
Da	**Dal**	**Dallo**	**Dall'**	**Dalla**	**Dai**	**Dagli**	**Dalle**
Di	**Del**	**Dello**	**Dell'**	**Della**	**Dei**	**Degli**	**Delle**
In	**Nel**	**Nello**	**Nell'**	**Nella**	**Nei**	**Negli**	**Nelle**
Su	**Sul**	**Sullo**	**Sull'**	**Sulla**	**Sui**	**Sugli**	**Sulle**

Preposizioni articolate = **di, a, da, in, su** + articolo determinativo.

2 Metti la preposizione articolata.

1 .... armadio. (In)
2 .... negozio. (In)
3 .... autobus. (Su)
4 .... giornalaio. (Da)
5 .... camera da letto. (In)
6 .... cinema. (A)
7 .... finestra. (Su)
8 .... bambina. (Di)
9 .... insegnanti. (Di)
10 .... appartamento. (In)

3 Rispondi alle domande. Usa le preposizioni articolate dove necessario.

1 Dov'è il libro? .....Sulla..... finestra.
2 Di chi è questa macchina? .... sorella .... Claudio.
3 Da dove vieni? .... Stati Uniti, ... New York.
4 Dove abitate? .... centro .... Milano.
5 Dove sono le valigie? .... letto.
6 Di chi è quest'ufficio? .... idraulico .... Ditta *Subito da te!*

Indicazioni di luogo

vicino

di fianco

davanti

di fronte

dietro

su

sotto

tra

Vicino
Di fianco
Davanti
Di fronte
Alla casa.

Sulle sedie

Sotto
Dietro
Tra/fra
le sedie

4 Scegli l'indicazione di luogo corretta.

a Dietro la casa c'è una pianta.
b Davanti alla casa c'è una pianta.
c A destra della casa c'è una pianta.

a Sulla macchina c'è un uomo.
b Sotto alla macchina c'è un uomo.
c Di fianco alla macchina c'è un uomo.

a Sotto il tavolo c'è un libro.
b Sul tavolo c'è un libro.
c A sinistra del tavolo c'è un libro.

a Il bambino è vicino ai suoi genitori.
b Il bambino è sui suoi genitori.
c Il bambino è tra i suoi genitori.

Nomi irregolari

Alcuni nomi che finiscono in **-o** sono femminili: **la** man**o** > **le** man**i**.
Alcuni nomi che finiscono in **-a** sono maschili: **il** poet**a** > **i** poet**i**; **l'**artist**a** > **gli** artist**i**

Osserva: sia i femminili che i maschili hanno il plurale in **-i**: **le** man**i**, **i** poet**i**.

Spesso sono nomi abbreviati:

SINGOLARE	PLURALE
La foto	Le foto
La moto	Le moto
L'auto	Le auto
La radio	Le radio

SINGOLARE	PLURALE
Il cinema	I cinema

Osserva: sia i femminili che i maschili hanno il plurale uguale al singolare.

VERBI IRREGOLARI

Verbo *venire*
Indicativo presente

Vengo a casa tua stasera.
Vieni al cinema con me?
Sam **viene** dal Ghana.
Veniamo dalla Svezia.
Perché non **venite** in vacanza con noi?
Paul e Linda **vengono** da Londra

Verbo *dire*
Indicativo presente

Dico
Dici
Dice
Diciamo
Dite
Dicono

Verbi in -cere *Vincere*	e -gere *Leggere*
Vin**co**	Leg**go**
Vin**ci**	Leg**gi**
Vin**ce**	Leg**ge**
Vin**ciamo**	Leg**giamo**
Vin**cete**	Leg**gete**
Vin**cono**	Leg**gono**

Preposizioni: *da* e *in*

Osserva l'esempio:

settembre• •oggi

Studio portoghese **da** settembre.

settembre•

Vado sempre in vacanza **in** settembre.

Osserva la differenza:

Ho un lavoro **da** un anno.

Un anno fa• •oggi

Ho un lavoro **per** 10 mesi. Finisce in ottobre.

Gennaio• •oggi• •ottobre

Provenienza: *da* e *di*

Di dove sei? — Sono brasiliana, sono **di** San Paolo.
Da dove vieni? — Vengo **dal** Brasile (*oppure* sono brasiliana), vengo **da** San Paolo.

5 Fa' le domande.

1 - José viene da Madrid? (José)
- No, da Barcellona.

2 - .... ? (In vacanza)
- In marzo.

3 - .... ? (Per la Ditta Lamberti)
- Dal 1992.

4 - .... ? (Gianni e Sara)
- Di Venezia.

5 - .... ? (In Italia)
- Da tre settimane.

6 - .... ? (I tuoi amici)
- Dal Cile.

DA (a casa di)

Osserva: Tutti i giorni vado a mangiare **a casa di** mia madre.
Tutti i giorni vado a mangiare **da** mia madre.

andare e **venire** + preposizioni:
a Milano
in Francia/Europa/Lombardia
da Giovanni
a giocare a tennis.

6 Trasforma le frasi con *da* o *a casa di*.

1 Perché non andiamo da Marco stasera?
Perché non andiamo a casa di Marco stasera?

2 In questo momento Lino è a casa di Giovanna.
....

3 Tutti gli anni in settembre vado a casa dei miei zii.
....

4 Per Natale sono a pranzo da mia nonna.
....

RIPASSO DELLE PREPOSIZIONI.

7 Completa con le preposizioni (articolate e non).

1 I libri sono .sul. tavolo. (su)
2 Ho un nuovo lavoro .... settembre .... anno scorso. (da, di)
3 L'anno prossimo .... marzo vado .... Madrid .... fare un corso .... spagnolo .... tre mesi. (in, a, a, di, per)
4 Vado spesso a casa .... mia zia Lina. (di)
5 Il cinema è .... sinistra .... banca. (a, di)
6 - .... chi è questa penna?
- E' .... padre .... Antonio. (di, di, di)
7 - .... dove sei?
- Sono portoghese, vengo .... Lisbona. (di, da)
8 .... mia camera c'è uno specchio davanti .... letto. (in, a)

Abbastanza

Osserva: La lingua italiana è — **Abbastanza** difficile +
— **Molto** difficile ++

 **8 Guarda le figure e fa' delle frasi.**

1 La persona numero 1 è abbastanza alta
2 ...
3 ...
4 ...
5 ...
6 ...

fonologia

• **I suoni** /t/ **t**empo; /d/ nor**d** • Intonazione negativa e affermativa (II)

 **1 Ascolta le coppie di parole. Fa' attenzione, le parole con * (asterisco) non esistono.**

*abitande abitante
*vetere vedere
*ambiende ambiente

dado dato
*cardolina cartolina
*lavantino lavandino

età *edà
calendario *calentario
aceto *acedo

bibita *bibida
sedia *setia
madre *matre

 **2 Ascolta le parole e scrivile nella colonna corretta.**

/t/	/d/
	desiderio

3 Ascolta queste frasi. Fa' attenzione all'intonazione.

a Non lo vedo!
b Non lo so.
c Dammi quella borsa, per favore.
d Non risponde nessuno!
e Vengono domani
f No grazie! L'ho già preso!
g Lo so! Lo so!
h Mi piace guidare!

Hai già notato che non c'è differenza tra l'intonazione negativa e l'intonazione affermativa? Infatti, tutte e due hanno un'intonazione discendente.

 **4 Leggi le frasi dell'esercizio precedente insieme a un compagno.**

sommario

1 Abbina le frasi o espressioni alla descrizione sotto.

1 Di che colore è la tua macchina?
2 La mia macchina è blu.
3 Di dove sei? Sono di Berlino.
4 Nella mia casa ci sono due camere da letto, un bagno, ecc.
5 Da quando studi italiano? Dall'anno scorso.
6 Da dove vieni? Vengo dall'Australia.
7 Il mio compleanno è il 28 novembre.
8 Vado sempre in vacanza in settembre.
9 Davanti alla porta d'ingresso c'è uno specchio.

In questa unità abbiamo imparato a:

[4] **a** descrivere la casa ....
[ ] **b** localizzare gli oggetti nello spazio ....
[ ] **c** dire il mese ....
[ ] **d** dire il giorno del mese ....
[ ] **e** chiedere e dire la provenienza con di ....
[ ] **f** chiedere e dire la provenienza con da ....
[ ] **g** chiedere il colore ....
[ ] **h** dire il colore ....
[ ] **i** chiedere e parlare dell'inizio di un'azione ....

Napoli, Piazza del Plebiscito.

1 **Osserva le vignette e scrivi il nome degli oggetti nel cruciverba.**

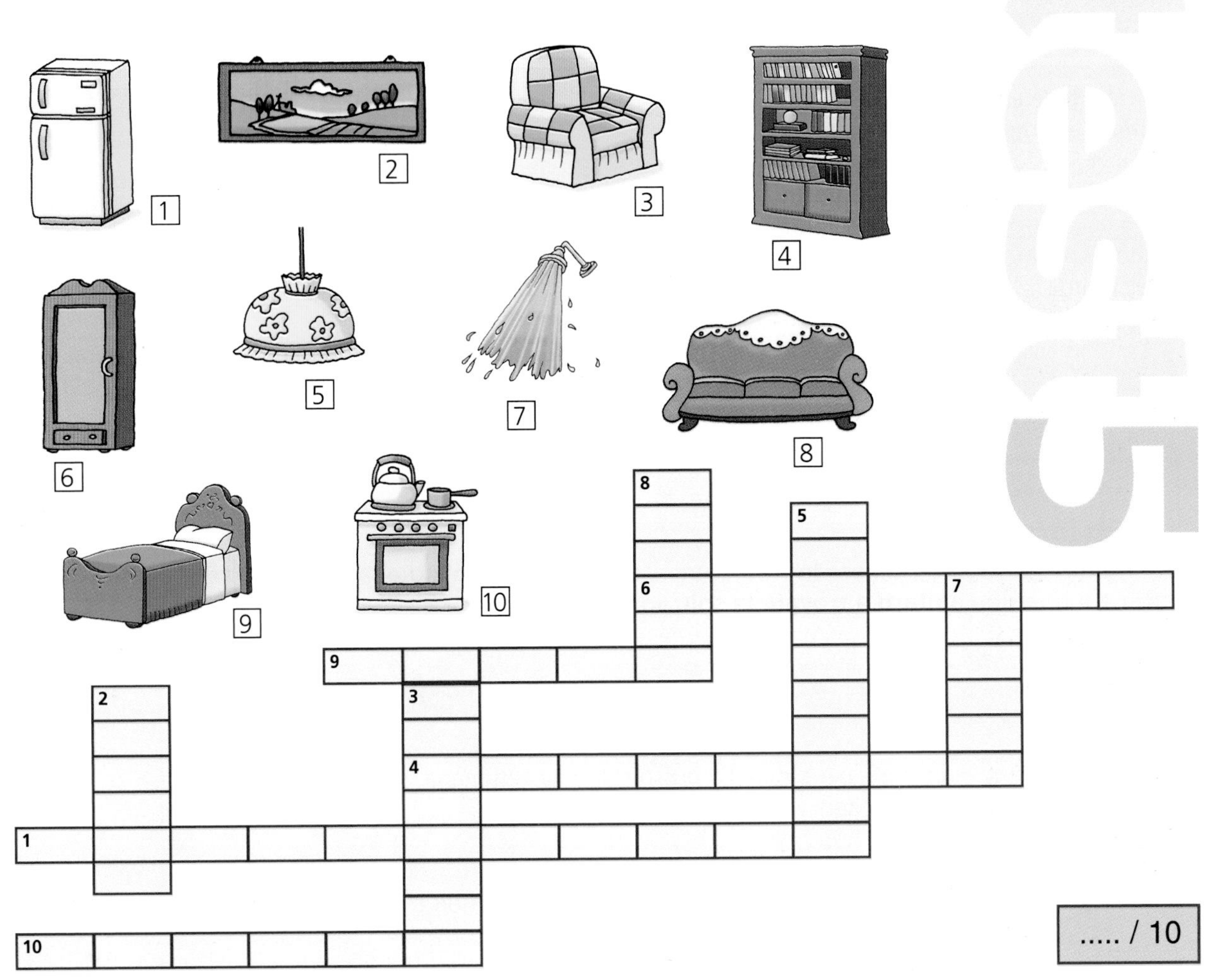

..... / 10

2 **Osserva queste vignette. Sei oggetti non sono nello stesso posto. Trovali e scrivi dove si trovano come nell'esempio.**

Vignetta 1

a *Il gatto è sul divano.*
b ....
c ....
d ....
e ....
f ....

Vignetta 2

a *Il gatto è vicino alla porta.*
b ....
c ....
d ....
e ....
f ....

..... / 5

3 Elimina la parola che non c'entra.

1 televisione – radio – balcone - frigorifero
2 radio – foto – moto - stereo
3 città – bidè – possibilità - università
4 affitto – mutuo – vendita - tetto

..... / 4

4 Abbina la parola alla sua definizione.

1 Monolocale
2 Mansarda
3 Appartamento
4 Condominio
5 Villa
6 Case a schiera

a Locali che insieme costituiscono l'abitazione di una famiglia.
b Abitazione elegante con un giardino o parco.
c Abitazione di una sola stanza.
d Abitazioni per una sola famiglia tutte uguali, con uno o più lati in comune.
e Edificio con parti in comune dove vivono più famiglie.
f Stanza, o stanze, d'abitazione all'interno di un tetto.

c					
1	2	3	4	5	6

..... / 5

5 Ordina il dialogo e numera le frasi come negli esempi. L'inizio e la fine della telefonata sono in ordine e possono aiutarti a trovare la soluzione giusta.

1	IMPIEGATO - Hotel "Al Ponte" prego...
2	CLIENTE - Buongiorno, vorrei prenotare una camera matrimoniale con bagno per due settimane, in settembre.
	CL - Bene. Purtroppo però in luglio posso solo una settimana.
	CL - Dall'1 al 7 va bene.
	CL - E in luglio?
	IM - La prima o la seconda?
	IM - Lo so, ma purtroppo per agosto e settembre ormai non c'è più un posto. Venezia è piena di turisti...
	CL - Ma se siamo ancora in inverno!
	IM - Mi dispiace, non c'è posto. Mi chiama troppo tardi.
	IM - OK allora, lei è il signor...
	IM - Sì, è fortunato. C'è una matrimoniale libera dall'1 al 15.
12	CL - Wessner, Theo Wessner
13	IM - Allora Wessner... prima settimana di luglio... matrimoniale con bagno. Ecco fatto Signor Wessner. Tutto a posto. A presto allora e grazie.
14	CL - Grazie a lei, arrivederci.

..... / 10

6 Osserva la pianta di questo appartamento e scrivi a un tuo amico una breve lettera con una descrizione.

Caro Michele,
finalmente ho un appartamento a Roma, così puoi venirmi a trovare quando vuoi. La casa è abbastanza grande, quando entri dalla porta ....

....

....

....

....

....

..... / 6

NOME:
DATA:
CLASSE:

totale ..... / 40

unità 6 la vita quotidiana

1 Abbina le azioni del riquadro alle figure.

☐ *lavarsi*
☐ *finire di lavorare*
☐ *lavorare*
☐ *pranzare*
☐ *andare a letto*
☐ *cenare*
[1] *svegliarsi*
☐ *alzarsi*
☐ *guardare la tv*
☐ *fare colazione*
☐ *fare la doccia*

2 Ascolta la descrizione di una tipica giornata di lavoro di Mirella e indica se le affermazioni sono vere o false.

	Vero	Falso
1 Mirella lavora in un ufficio.	☐	☐
2 Lavora poco.	☐	☐
3 Non lavora mai di pomeriggio.	☐	☐
4 Fa colazione in bar.	☐	☐
5 Va a casa a pranzo.	☐	☐
6 Dopo cena Mirella e suo marito escono spesso con gli amici.	☐	☐

3 Ascolta nuovamente la descrizione di Mirella e metti gli orari nei disegni dell'esercizio 1.

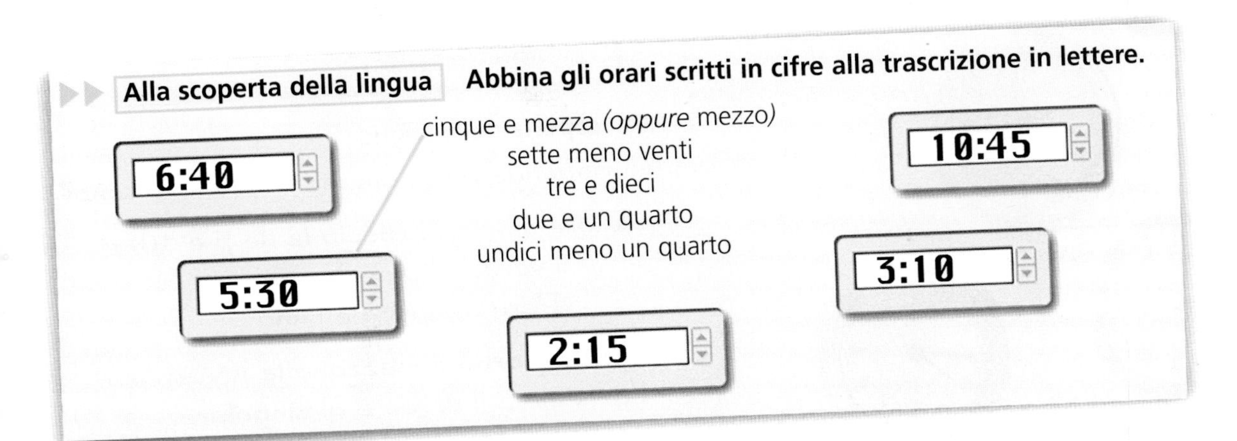

4 Guarda il tabellone delle partenze degli aerei e completa gli spazi. Scrivi gli orari in lettere.

Volo	Destinazione	Orario	Uscita
AZ349	Berlino	03.05	8
AF497	Parigi	05.15	6
SA112	Stoccolma	09.30	1
BA182	Londra (Luton)	07.10	4
AZ898	Bruxelles	12.00	12
AZ334	Barcellona	13.25	7
IB123	Madrid	18.40	9
KL667	Amsterdam	20.45	1
MX109	Città del Messico	21.50	3
AF556	Marsiglia	22.55	8
BA963	Edimburgo	02.40	11

1 03.05 tre ...e cinque...
2 05.15 cinque...e un quarto...
3 09.30 nove...e mezza...
4 07.10 ...
5 12.00 ...
6 13.25 una...
7 18.40 sette...meno venti...
8 20.45 nove...meno un quarto...
9 21.50 ...
10 22.55 ...
11 02.40 ...

5 Scrivi gli orari che senti.

1 ...tre e un quarto...
2 ...
3 ...
4 ...
5 ...
6 ...
7 ...
8 ...
9 ...
10 ...

12.00 = **mezzogiorno**
24.00 = **mezzanotte**

6 Insieme a un compagno guarda gli orologi. Poi a turno chiedete e dite che ore sono.

Esempio: - Che ore sono? - Sono le tre e cinque.
- Che ore sono? - E' l'una e cinque.

Alla scoperta della lingua

Come si risponde alla domanda: **Che ore sono?**

Con le ore si usa l'articolo **le** (le 5 e 10) e il verbo al plurale **sono**.
Però osserva: **è l'una**.

Con **mezzogiorno** e **mezzanotte** non si usa l'articolo e il verbo è al singolare.

7 Ascolta e ripeti i giorni.

lunedì martedì mercoledì giovedì venerdì sabato domenica

Il lunedì,
il martedì, ecc.
MA
la domenica.

8 Scrivi una breve descrizione di una tua giornata tipica. Indica gli orari.

9 Guarda com'è diviso il giorno e fa' delle frasi.

mattina

pomeriggio

sera

notte

Esempio: Il lunedì mattina mi alzo alle sette.

Il giovedì pomeriggio
non lavoro.
MA
di pomeriggio
non lavoro.

10 A coppie, a turno fate delle domande per scoprire com'è una tipica giornata del vostro compagno.

Se avete bisogno di un aiuto guardate l'esercizio 8. Vince chi indovina azioni e orari con meno domande.

Esempio: - Ti svegli alle otto?
- No/Sì.

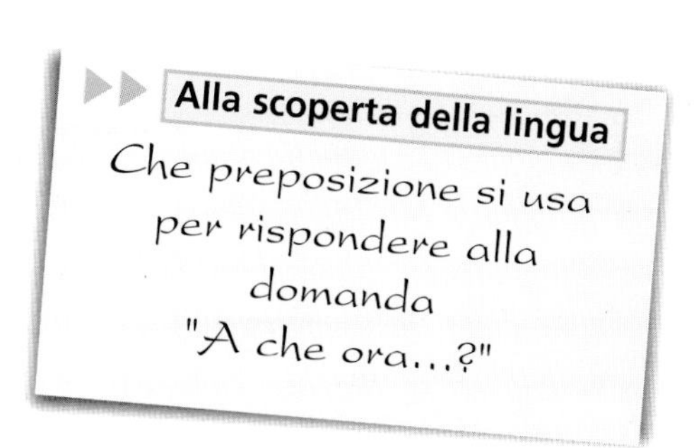

11 Ti ricordi Mirella, la libraia dell'esercizio 2? Scrivi delle domande per le sue risposte.

1 ......É' sposata......?
Sì, mio marito si chiama Fabrizio.
2 ......?
Non ci svegliamo tardi. Di solito alle 7.
3 ......?
No, spesso andiamo al bar. La colazione al bar è migliore!
4 ......?
Andiamo quasi sempre in macchina. Mi accompagna Fabrizio.
5 ......?
Io faccio la libraia; Fabrizio è ricercatore.
6 ......?
Io mi stanco sempre molto, mentre il lavoro di Fabrizio non è molto duro.
7 ......?
No, la domenica non lavoro quasi mai.
8 ......?
Di mattino e di pomeriggio dal lunedì al sabato. Il giovedì pomeriggio la libreria è chiusa.

12 Metti in ordine gli avverbi di frequenza.

Sempre......
......
......
......
......
......
......
Mai......

quasi mai
raramente
quasi sempre
di solito
a volte
spesso

Mi sveglio **sempre** alle 7.
Solitamente gli avverbi vanno dopo il verbo, ma si possono trovare in posizioni diverse.

Con **mai** il verbo è alla forma negativa:
- **Non** vado **mai** al cinema.

13 Ora in gruppi di tre, a turno intervistate i vostri compagni e completate la tabella.

Esempio: Non vi svegliate mai alle 6 del mattino?
A : - Sì, spesso. B : - No, quasi mai.

	A	B
Svegliarsi alle 6.		
Fare colazione alle 6.30.		
Uscire di casa alle 7.		
Cominciare a lavorare/studiare alle 8.		
Pranzare alle 13.30.		
Fare la doccia alle 17.		
Finire di lavorare/studiare alle 19.		
Guardare la tv alle 20.		
Andare a letto alle 2.		
Alzarsi alle 4 del mattino.		

lessico

1 Osserva i disegni.

cucinare | lavare i piatti | pulire | stirare

lavare i vestiti | fare il letto | riordinare

2 Ascolta due giovani italiani che parlano dei lavori di casa. Completa la tabella.

	Maurizio	Franco
Sempre		
Quasi sempre		
Di solito		
Spesso		
A volte		
Raramente	stirare	
Quasi mai		
Mai		

3 Completa lo schema con le azioni e gli orari della tua giornata in sequenza.

Azione	Orario
svegliarsi	ore:............

abilità

1 Leggi la lettera di Sandro a sua madre e rispondi alle domande.

a Come si comincia una lettera informale? ....

b Dove si scrive la data? ....

c Come si finisce la lettera? ....

Parigi, 3 maggio

Cara mamma,
come va? Io sto bene e Parigi è bellissima. Purtroppo non
ho molto tempo per fare il turista, non sono qui in
vacanza. Oggi è domenica e ti scrivo perché ho un
po' di tempo da dedicare alle mie cose e a parenti
e amici. In questo periodo lavoro molto e sono
stanco. Spero di tornare presto in Italia. Ormai
mancano solo 3 settimane.
Durante la settimana mi sveglio presto, alle 7
circa, mi alzo e mi preparo una colazione
rapida, dopo esco. Parigi è enorme e devo prendere
la metropolitana e dopo camminare per dieci
minuti per arrivare in ufficio. Comincio a lavorare
alle 9. Alle 12.30 faccio una pausa di un'ora
per mangiare qualcosa, solitamente un panino,
ma non ti preoccupare, di sera ceno sempre
abbondantemente!!
Alle 6.30 torno a casa, una doccia e poi, dopo cena,
esco con qualche collega (sono tutti molto gentili
con me) o guardo la televisione. Anche se non
capisco molto, il francese mi piace.
Ora ti lascio. Ci vediamo presto.

Un bacio
tuo Sandro

Camminare e **andare a piedi**:
- Mi piace **camminare** nei parchi.
Vado a piedi al lavoro.

Dopo e **poi** possono avere lo stesso significato:
- Mi sveglio presto, faccio la doccia e **poi/dopo** faccio colazione.

2 Stai facendo un corso di inglese a Londra. Scrivi una lettera simile a quella di Sandro a un tuo amico italiano.

comprensione globale

Questa tecnica consiste nel leggere velocemente o ascoltare un testo per comprendere l'idea principale, senza cercare di capire tutte le informazioni.

3 Abbina le informazioni sui film ai riassunti. Hai 2 minuti di tempo.

GIUDIZIO CRITICO: ★ MEDIOCRE ★★ SUFFICIENTE ★★★ BUONO ★★★★ OTTIMO

SCONSIGLIATO AI BAMBINI · DA VEDERE CON I GENITORI · PER TUTTI

☐ 23.00 CANALE 5
Alien
★★★
FANTASCIENZA · USA 1979 · Regia: Ridley Scott · Cast: S. Weaver, T. Skerritt, H. D. Stanton · 115 min.

☐ 20.35 RETE 4
Delitto perfetto
★★★★
GIALLO · USA 1954 · Regia: Alfred Hitchcock · Cast: Ray Milland, Grace Kelly, Robert Cummings, Anthony Dawson · 105 min.

☐ 20.35 RETE 4
Mery per sempre
★★★
DRAMMATICO · Italia 1989 · Regia: Marco Risi · Cast: M. Placido, C. Amendola, F. Benigno · 98 min.

☐ 20.40 TMC
Non ci resta che piangere
★★
COMMEDIA · Italia 1984 · Regia: R. Benigni, M. Troisi · Cast: R. Benigni, M. Troisi · 112 min.

a
Il maestro Saverio e il bidello Mario, sorpresi da un temporale in campagna, trovano rifugio in una locanda. Al risveglio, scoprono di essere finiti nel 1492. Dopo un primo smarrimento, si adeguano alla situazione. E a Saverio viene la grande idea di andare in Spagna per fermare Cristoforo Colombo prima che scopra l'America... *Nella foto, Massimo Troisi e Roberto Benigni*
PER CHI DICE SEMPRE: AH SE AVESSI DIECI ANNI DI MENO!
HUMOUR •• RITMO •• IMPEGNO TENSIONE • EROTISMO •

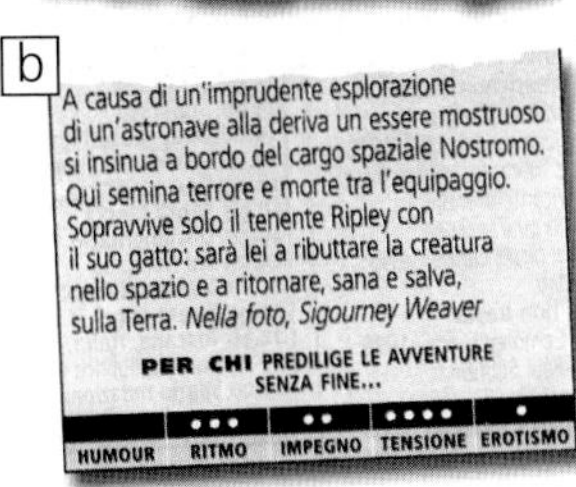
b
A causa di un'imprudente esplorazione di un'astronave alla deriva un essere mostruoso si insinua a bordo del cargo spaziale Nostromo. Qui semina terrore e morte tra l'equipaggio. Sopravvive solo il tenente Ripley con il suo gatto: sarà lei a ributtare la creatura nello spazio e a ritornare, sana e salva, sulla Terra. *Nella foto, Sigourney Weaver*
PER CHI PREDILIGE LE AVVENTURE SENZA FINE...
HUMOUR RITMO ••• IMPEGNO •• TENSIONE •••• EROTISMO •

c
Tony Wendice vive alle spalle della ricca moglie Margot e quando si accorge che lei si sta innamorando dello scrittore Hilliday capisce che deve intervenire. Ricattandolo, costringe un vecchio amico a introdursi in casa per uccidere la donna. Margot però riesce a reagire e ammazza l'uomo. *Nella foto, Grace Kelly e Ray Milland*
PER CHI SOSPETTA CHE LA MOGLIE LO TRADISCA
HUMOUR • RITMO ••• IMPEGNO TENSIONE ••• EROTISMO

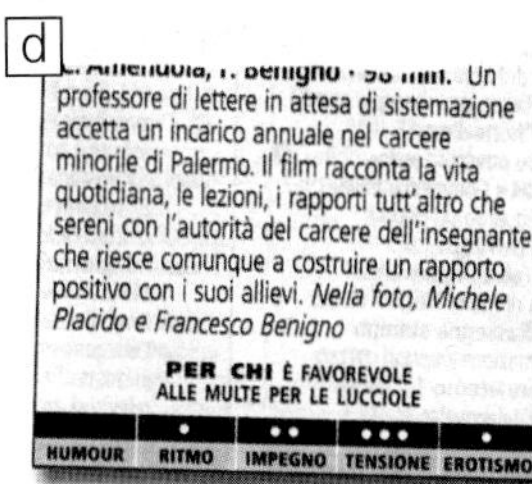
d
Un professore di lettere in attesa di sistemazione accetta un incarico annuale nel carcere minorile di Palermo. Il film racconta la vita quotidiana, le lezioni, i rapporti tutt'altro che sereni con l'autorità del carcere dell'insegnante che riesce comunque a costruire un rapporto positivo con i suoi allievi. *Nella foto, Michele Placido e Francesco Benigno*
PER CHI È FAVOREVOLE ALLE MULTE PER LE LUCCIOLE
HUMOUR RITMO • IMPEGNO •• TENSIONE ••• EROTISMO •

4 Leggi le presentazioni dei film e scegline una.

5 In piccoli gruppi, a turno spiegate il contenuto del vostro film. Gli altri devono indovinare il titolo del film, leggendo di nuovo rapidamente le presentazioni.

fonologia

• **I suoni** /r/ ***r**osso*; /l/ ***l**una* • Mettere in risalto un elemento della frase

1 Ascolta queste coppie di parole. Ti sembrano uguali o diverse? Fa' un segno nella colonna corretta.

	uguali	diverse
a		×
b		

	uguali	diverse
c		
d		

	uguali	diverse
e		
f		

	uguali	diverse
g		
h		

2 Ascolta e scrivi le parole dell'attività precedente.

caro calo

3 Ascolta questo breve dialogo e fa' attenzione a come il parlante B mette in rilievo una parola nella frase.

A : Questa è mia?
B : No! Questa è la **MIA** penna!

4 Ascolta le frasi e sottolinea le parole che vengono messe in rilievo.

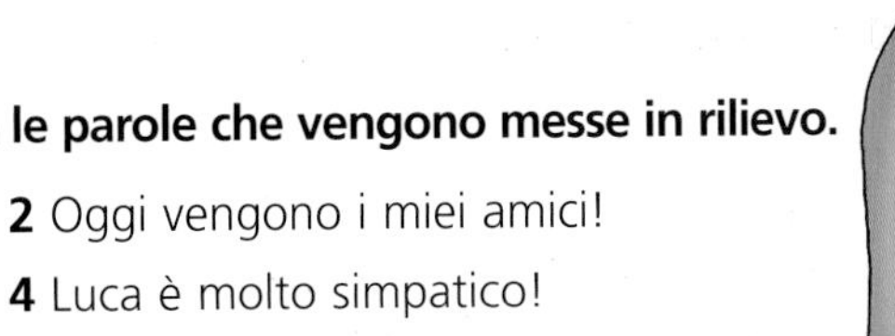

1 Questo è mio!
2 Oggi vengono i miei amici!
3 Oggi vado dai miei!
4 Luca è molto simpatico!
5 Questo non è nostro!
6 Questo è suo fratello!

civiltà Gli orari in Italia.

In Italia gli orari e i giorni di apertura dei luoghi pubblici cambiano leggermente da città a città, ma in generale le differenze non sono troppe. Osserva bene le immagini e rispondi alle domande che seguono.

1 A che ora aprono e chiudono le banche in Italia? ....

2 Sono aperti i negozi in Italia la domenica? ....

3 Qual è, in generale, il giorno di chiusura di musei, monumenti, ecc.? ....

4 I ristoranti e i bar sono aperti tutti i giorni della settimana? ....

5 Quando sono aperti gli uffici postali? ....

E nel tuo paese quali sono gli orari di bar, banche musei, negozi, supermercati, ecc.? Chiedi anche ad alcuni tuoi compagni e decidete dove gli orari sono migliori per i cittadini.

Esempio:
- A che ora aprono e chiudono le banche in Germania/Francia/Gran Bretagna, ecc.?
- I musei sono aperti ogni giorno nel tuo paese?
- La domenica sono aperti i supermercati

Chi sono i cittadini? Sono solo gli abitanti di una città?

grammatica

VERBI IRREGOLARI

Verbo *uscire* - indicativo presente

Esco
Esci
Esce
Usciamo
Uscite
Escono

VERBI RIFLESSIVI

Indicativo presente

Mi chiamo Anna.
Ti alzi sempre alle 8?
Lucia **si** sveglia alle 7 tutti i giorni.
Ci chiamiamo Anna e Domenico.
Vi alzate sempre alle 8?
Lucia e suo figlio **si** svegliano alle 7 tutti i giorni.

1 Forma delle frasi.

1 Giovanni/alzarsi/alle 8.
Giovanni si alza alle 8
2 Mia moglie e io/svegliarsi/alle 7.
....
3 Come/chiamarsi (voi)?
....
4 I gatti/lavarsi/spesso.
....

2 Trova l'errore e correggilo.

1 Paolo ci svegliamo sempre alle 8.
Paolo si sveglia sempre alle 8
2 Come ti chiami il tuo cane?
....
3 A che ora ti alzi tu e tuo fratello?
....
4 Io si lava sempre prima di andare a letto.
....

Possessivi singolari e plurali

	MASCHILE		FEMMINILE	
	SINGOLARE	**PLURALE**	**SINGOLARE**	**PLURALE**
I persona	**Mio**	**Miei**	**Mia**	**Mie**
II persona	**Tuo**	**Tuoi**	**Tua**	**Tue**
III persona	**Suo**	**Suoi**	**Sua**	**Sue**
I persona	**Nostro**	**Nostri**	**Nostra**	**Nostre**
II persona	**Vostro**	**Vostri**	**Vostra**	**Vostre**
III persona	**Loro**	**Loro**	**Loro**	**Loro**

Loro non cambia mai.

I pronomi e gli aggettivi possessivi in italiano sono uguali.

1 = aggettivo. **2** = pronome.

La **mia** (1) camera è grande, la **tua** (2) è piccola.

Osserva l'esempio: l'aggettivo è seguito dal nome, mentre il pronome sostituisce il nome.

3 Completa le frasi con il possessivo.

1 Questo è il ....mio..... libro. Non vedi che è sul mio banco?
2 Noi siamo tedeschi, ma i ....genitori sono italiani.
3 Vieni ti presento i ....amici!
4 Ecco Silvia e Gregorio con i ....figli.
5 Sei stanca? Non ti piace più il ....lavoro?
6 Prendete! Queste sono le ....penne! Le ....sono qui.
7 La figlia di Luca e Cristina si chiama Angela, il ....figlio si chiama Luigi.
8 Non so dov'è ....moglie. Forse è ancora al lavoro.

L'aggettivo dimostrativo: *quello*		
MASCHILE	**SINGOLARE**	**PLURALE**
Davanti a consonante	**Quel** libro	**Quei** libri
Davanti a S + consonante, Z, PS, GN, X	**Quello** studente	**Quegli** studenti
Davanti a vocale	**Quell'**appartamento	**Quegli** appartamenti
FEMMINILE		
Davanti a consonante	**Quella** casa	**Quelle** case
Davanti a vocale	**Quell'**amica	**Quelle** amiche

5 Metti l'articolo determinativo e l'aggettivo dimostrativo.

.Il.. giardino ....questo......... ....quel..........
..... giornale ....
..... infermiera ....
..... esercizio ....
..... film ....

..... parola ....
..... uomo ....
..... paese ....
..... stanza ....
..... anno ....

6 Metti l'articolo determinativo e l'aggettivo dimostrativo.

.I... giardini ....questi......... ....quei..........
..... giornali ....
..... infermiere ....

..... esercizi ....
..... film ....

..... parole ....
..... uomini ....
..... paesi ....
..... stanze ....
..... anni ....

7 Guarda le figure e completa le nuvolette.

Vedi ....
bambino?
E' mio figlio!

Andare in/a

Vado	A	Casa
		Scuola
		Letto
		Lezione
		Teatro
	Al	Bar
		Ristorante
		Cinema
	Alla	Stazione
		Posta
	All'	Università
	In	Albergo
		Banca
		Città
		Classe
		Discoteca
		Ufficio

Unità 8:
Vado **dal** macellaio/
in macelleria.

8 Invita un amico.

Usa "*perché non...*" + presente indicativo o "*ti va di...*" + infinito.

1 Perché non andiamo al/ Ti va di andare al .... cinema?
2 .... città?
3 .... scuola?
4 .... ristorante?
5 .... bar?
6 .... casa?
7 .... teatro?
8 .... discoteca?

LE DATE

Che giorno è oggi? — (Oggi) è giovedì.

Quanti ne abbiamo oggi?
(Che giorno è oggi?)
- (Oggi) è martedì 3 gennaio 2000.
- (Oggi) è il 3 gennaio.
- Ne abbiamo 3.

Osserva: con le date non ci sono preposizioni.

sommario

1 Abbina le frasi o espressioni alla descrizione sotto.

1 Quanti ne abbiamo oggi?
2 (Oggi) è il 7 dicembre.
3 Che giorno è oggi?
4 (Oggi) è domenica.
5 A che ora ti svegli di solito?
6 Alle 7.
7 Che ore sono?
8 Sono le 17.45.
9 Vado spesso al cinema.
10 Vai mai a letto dopo mezzanotte?
11 Sì, spesso.
12 Faccio colazione alle 7.30.

Venezia, Piazza San Marco.

In questa unità abbiamo imparato a:

[12] **a** parlare delle proprie abitudini ....
[ ] **b** esprimere la frequenza. ....
[ ] **c** chiedere con che frequenza ....
[ ] si fanno determinate azioni ....
[ ] **d** dire con che frequenza ....
si fanno determinate azioni ....
[ ] **e** chiedere l'ora ....
[ ] **f** dire l'ora ....
[ ] **g** chiedere la data ....
[ ] **h** dire la data ....
[ ] **i** chiedere che giorno è oggi ....
[ ] **l** dire che giorno è oggi ....
[ ] **m** chiedere a che ora si compie ....
una determinata azione ....
[ ] **n** dire a che ora si compie ....
una determinata azione ....

1 In questa tabella ci sono sette avverbi di frequenza. Trovali e scrivili come nell'esempio. Le parole possono essere in orizzontale, in verticale o in obliquo.

Q	A	U	T	R	A	S	B	U	D	S
U	U	A	S	V	O	L	T	E	A	N
A	M	F	S	A	D	B	T	H	P	S
S	I	L	S	P	C	N	R	N	O	E
I	D	O	F	N	E	F	H	V	L	M
B	A	I	A	M	N	S	N	S	C	P
M	H	I	A	H	M	B	S	A	H	R
A	B	R	O	R	T	V	P	O	F	E
I	A	I	L	C	H	C	O	C	V	D
R	F	L	D	I	S	O	L	I	T	O
Z	V	N	O	L	P	N	M	G	N	I

1 ...Quasi mai...
2 ....
3 ....
4 ....
5 ....
6 ....
7 ....

..... / 6

2 Completa i dialoghi con l'aggettivo o il pronome possessivo come nell'esempio.

1 - Anche ..la tua.. casa ha un giardino?
- Purtroppo no. ..La mia.. ha solo una piccola terrazza.

2 - Signor Dusi, sono queste .... chiavi?
- Sì, sono proprio .... grazie.

3 - .... genitori sono italiani?
- .... madre sì, di Bologna, ... padre, invece, è marocchino.

4 - Vieni spesso in questo bar?
- No, qualche volta di sabato, con .... ragazzo.

5 - Allora, vengono Sandro e Chiara?
- Sì, vengono con .... amici di Boston.

6 - Anche .... vicini sono così rumorosi?
- No, ... per fortuna sono quasi sempre in viaggio.

7 - È veramente un grande artista. .... quadri mi piacciono molto.
- Anche a me, ma sono un po' troppo cari per .... possibilità economiche.

..... / 11

3 Associa correttamente domanda a risposta come nell'esempio.

1 - Quando vai a letto di solito?
2 - Quanti ne abbiamo oggi?
3 - Che ore sono?
4 - A che ora ti svegli?
5 - Che orario ha il supermercato?
6 - In quale giorno i negozi alimentari sono chiusi?
7 - Che giorno è oggi?

a - Dalle nove alle diciannove e trenta.
b - Sabato.
c - Dopo mezzanotte.
d - Alle sette.
e - La domenica e qui anche il giovedì pomeriggio.
f - È il dieci dicembre.
g - Le undici e un quarto.

c						
1	2	3	4	5	6	7

..... / 6

4 Osserva gli appunti di una pagina dell'agenda di Marco e su un foglio descrivi che cosa deve fare lunedì.

LUNEDÌ 28
- ORE 8: RIUNIONE IN UFFICIO
- ORE 11: TELEFONARE A MARIA PER CENA
- ORE 13: PRANZO CON CLIENTI DI MILANO
- ORE 16: ANDARE IN PALESTRA PER ISCRIZIONE
- ORE 17.30: PASSARE DALLA MAMMA
- ORE 20: CENA CON MARIA?

LUNEDÌ MARCO SI ALZA PRESTO PERCHÉ ALLE 8.00...

..... / 10

5 **Completa il testo con i verbi indicati come nell'esempio. A volte si ripetono.**

Laura e Gino ...si svegliano.... sempre alle sette. Lei .... subito la doccia, lui invece .... il caffè. Poi .... colazione insieme. Mentre Gino ...., Laura rifà il letto e .... poi, verso le otto, ... insieme.
Laura lavora all'ospedale come medico. Spesso la sera torna a casa tardi, ma il suo lavoro le piace molto. Gino invece è architetto e di solito la mattina .... sua moglie al lavoro. Poi .... nello studio dove lavora con altri due colleghi. Qualche volta, se Laura ha tempo, ... insieme in una trattoria vicino all'ospedale. Gino .... di lavorare verso le cinque. Arriva sempre a casa prima di sua moglie, verso le sette, e prepara la cena. Ha la passione della cucina ed è un cuoco molto bravo. A volte .... amici e spesso il fine settimana .... al cinema o a qualche concerto, soprattutto di jazz o blues.

svegliarsi, andare, preparare, finire, lavarsi, fare, accompagnare, vestirsi, uscire, pranzare, invitare

..... / 12

6 **Controlla l'orario di alcuni treni tra Venezia e Roma e rispondi alle domande. Scrivi i numeri in cifre (7, sette).**

ORARIO DEI TRENI VENEZIA-ROMA	9443 ES 1 e 2	2235 IR 1 e 2	9445 ES 1 e 2	31 EC 1 e 2	9447 ES 1 e 2	2243 IR 1 e 2
Venezia	12.30	13.10	14.30	16.04	16.30	17.10
Mestre	12.42	13.22	14.42	16.17	16.42	17.22
Padova	13.00	13.44	15.00	16.35	17.00	17.44
Monselice		14.03				18.03
Rovigo	13.26	14.17	15.26	17.01	17.26	18.16
Ferrara	13.45	14.37	15.45	17.20	17.45	18.37
Bologna	14.19	15.10	16.19	17.55	18.19	19.10
Firenze	15.20	16.27	17.20	18.59	19.20	20.49
Roma Termini	17.05	18.30	19.05	21.15	21.05	22.35

1 Nello stesso giorno devi programmare un appuntamento di lavoro a Rovigo nel pomeriggio e hai un invito a cena a Roma dove ti fermi per il fine settimana. Sei a Venezia, come ti organizzi? Quali treni prendi?

....

2 Laura abita a Ferrara, ma studia all'università di Bologna. La sua casa si trova a circa mezz'ora dalla stazione ferroviaria. A che ora deve uscire di casa per essere a Bologna verso le 16.30? Quale treno deve prendere?

....

3 Stefano e Laura vivono a Padova, ma lui lavora a Venezia. Ogni giorno Laura quando finisce di lavorare, alle 17.00, corre subito alla stazione a prendere Stefano per tornare a casa insieme. Secondo te, a che ora parte Stefano da Venezia?

....

..... / 5

NOME:
DATA:
CLASSE:

totale ..... / 50

unità 7 il cibo al ristorante

1 Quali prodotti mancano? Abbina i nomi ai disegni.

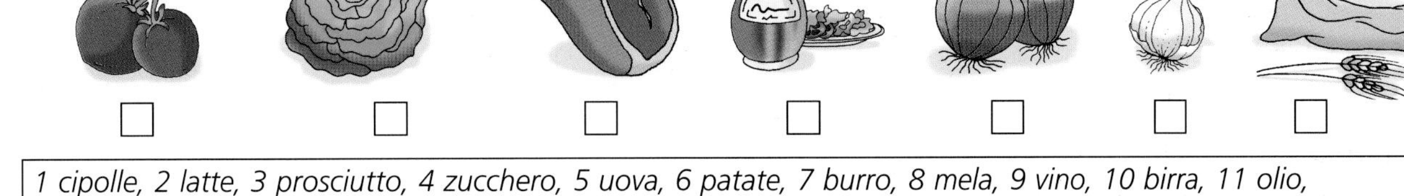

1 cipolle, 2 latte, 3 prosciutto, 4 zucchero, 5 uova, 6 patate, 7 burro, 8 mela, 9 vino, 10 birra, 11 olio, 12 pera, 13 farina, 14 pomodori, 15 insalata, 16 aceto, 17 aglio, 18 sale, 19 carne, 20 pane, 21 formaggio

2 Ora completa la tabella con alcuni prodotti.

un chilo di	un litro di	una bottiglia di	una scatola di	un pacchetto di
....	....	....	....	....
....	....	....	....	....
....	....	....	....	....

3 Ascolta il dialogo e, leggendo il testo, trova le differenze.

Pietro: Oggi devo andare io a fare la spesa, vero?
Chiara: Sì, tocca a te.
Pietro: Di cosa abbiamo bisogno?
Chiara: Non lo so, guarda cosa c'è nel frigo.
Pietro: Non c'è quasi niente. Allora: vino, uova, yogurt, formaggio...no, il formaggio c'è. Birra, almeno 15 bottiglie di birra.
Chiara: Compra anche mezzo chilo di carne di maiale per fare delle braciole...E un pollo. Ah, io vorrei anche uno o due etti di prosciutto e un melone.
Pietro: Nient'altro? Grappa, whisky?
Chiara: Possibile che pensi solo a bere? Se hai sete, compra un pacchetto di caffè. Ah e due scatole di tonno e tre di piselli.
Pietro: Posso andare adesso?
Chiara: Sì, ma non dimenticare il giornale!
Pietro: Ciao. Ah, e i soldi?
Chiara: Tieni. Di quanti soldi hai bisogno?
Pietro: Di 100 euro.

100 grammi = un etto
200 grammi = due etti

4 Al ristorante! Completa il menu del Ristorante *La Torre*.

MENÚ Ristorante La Torre

Antipasti:

....

....

....

Primi Piatti:

....

....

....

....

....

Secondi Piatti:

....

....

....

....

....

....

Contorni:

....

....

....

....

....

....

....

Dolci:

....

....

....

Bevande:

....

....

....

....

zucchini melanzane e peperoni alla gri
pollo ai funghi *fritto misto di pesc*
carciofi alla diavola
spinaci
birra *caffè*
gelato della casa
merluzzo con cipoll
zuppa di verdure
bibite gasate
salsicce ai ferri
antipasto di pesce
arrosto di maiale
lasagne
torta di frutta fresca
pasta e fagioli *tè* *insalata mist*
carne alla griglia *acqua minerale*
patate fritte *mousse al cioccola*
salumi misti
penne all'arrabbiat
carne alla griglia
penne all'arrabbiata
vini rossi e bianchi italiani
spaghetti al ragù *patate arrost*
merluzzo con cipolle

5 Ascolta la conversazione e indica quali piatti ordinano Sandro e il Sig. Di Napoli.

6 Ora leggi e riordina la conversazione.

A

1 - Buonasera. Sì, avete un tavolo tranquillo dove possiamo parlare di affari?
2 - Sì, di fianco a quella pianta...
Prego, se volete, potete sedervi, il menù è sul tavolo.
3 - Buonasera. Siete in due?

B

1 - Acqua minerale e una bottiglia di vino rosso della casa.
2 - Vorrei dell'acqua.
3 - Scusate, di chi sono queste chiavi? Sono vostre?
4 - Ah, sono mie, grazie.
5 - Volete ordinare?
6 - Sì, allora, per me un piatto di risotto ai funghi e della carne alla griglia.
7 - E di contorno?
8 - E da bere? Cosa vuoi?
9 - Sì, allora; vorrei dell'insalata mista.
10 - E lei, cosa vorrebbe mangiare?
11 - Un antipasto di mare e un piatto di penne all'arrabbiata.
12 - E da bere?
13 - Hmm, io vorrei un antipasto e un primo.

A | | | |

B | | | | | | | | | | | | | |

Alla scoperta della lingua

Si sa quanta carne ordina il cliente?
Della indica una quantità indeterminata.
Leggi il testo della conversazione e trova altri esempi dove **del/dello/della/dell'/dei/degli/delle** sono usati allo stesso modo.

C

1 - Le mie penne erano veramente buone.
2 - No, per me solo un caffè, grazie.
3 - Cameriere, il conto per favore.
4 - Volete un dolce, un po' di frutta?
5 - Per me del gelato al cioccolato. Vorresti un dolce anche tu?

C					

7 Ascolta nuovamente la conversazione e controlla il tuo ordine.

Alla scoperta della lingua

Sottolinea la domanda corretta.
1) - Con chi è questa penna?
2) - A chi è questa penna? - E' di Maurizio.
3) - Di chi è questa penna?

8 Lavora con due compagni. Fate una conversazione simile, usando il menu del Ristorante *La Torre.*

9 Ascolta le storie raccontate da due persone intervistate. Di che cibi parlano?

10 Ascolta nuovamente le due storie e indica se le affermazioni sono vere o false.

Prima storia	Vero	Falso
1 La persona che parla sta facendo una trasmissione radiofonica.	☐	☐
2 Sta facendo un'indagine su quello che mangiano i boliviani.	☐	☐
3 Vuole importare pane in Bolivia.	☐	☐
4 Preferisce il cibo boliviano al cibo italiano.	☐	☐

Seconda storia	Vero	Falso
1 La persona che parla vive in Bolivia.	☐	☐
2 Non si trova bene in questo paese.	☐	☐
3 La sua compagna gli dà molte cose da mangiare.	☐	☐
4 Pensa di tornare in Italia.	☐	☐

11 Scrivi alcune frasi per riassumere una delle due storie, servendoti delle informazioni dell'esercizio precedente.

12 A coppie, inventate una storia ciascuno.

La storia di A comincia con una frase contenente "concerto rock" e finisce con una contenente l'espressione "acqua minerale". La storia di B comincia con "vino rosso" e finisce con "cioccolato". A e B devono usare almeno 5 parole relative al cibo.

lessico

Meglio un uovo oggi o una gallina domani?

1 Quante cose da mangiare conosci? Prova a completare gli schemi.

carne di manzo

Cibi rossi

Cibi bianchi

Cibi verdi

2 Sei un bravo cuoco o una brava cuoca? Scrivi la lista di ingredienti necessari per una ricetta tipica del tuo paese. Usa il dizionario se necessario.

3 Ora, a coppie parlate degli ingredienti delle vostre ricette. A turno, cercate di indovinare di cosa avete bisogno per preparare la ricetta del vostro compagno.

abilità

comprensione dettagliata

Questa tecnica consiste nel leggere un testo alla ricerca di informazioni specifiche.

1 Hai alcuni ospiti che non mangiano carne di maiale. Leggi le tre ricette e scegli quella che non contiene questo tipo di carne. Hai tre minuti di tempo.

FAGIOLI CON ORECCHIE

Mettere i fagioli a bagno nell'acqua per dodici ore. Mettere a bagno anche le orecchie.
All'inizio della preparazione pulire e tagliare una carota e una cipolla. Aggiungere un po' di sedano, due chiodi di garofano e il mazzetto aromatico. Scolare i fagioli e metterli in una casseruola insieme a tutti gli ingredienti preparati; in superficie mettere le orecchie intere. Versarci sopra un bicchiere di vino bianco e coprire con acqua fredda. Fare bollire a fiamma alta, poi abbassare la fiamma e far cuocere per 2 ore e mezza. A metà cottura aggiungere sale e pepe. A fine cottura togliere le orecchie di maiale ed eliminare il mazzetto aromatico e i chiodi di garofano. Mettere i fagioli ancora caldi in una vassoio e aggiungere pezzetti di burro. Tagliare le orecchie e disporle sopra i fagioli, quindi servire.

PENNE CON MELANZANA E SALSICCIA.

Pulite e lavate una melanzana, tagliatela a dadini e mettetela per un paio d'ore in un colapasta con sale perché perda l'acqua di vegetazione. Lavate poi i dadini e asciugateli. Tagliate la cipolla e versatela in un tegame con dell'olio, aggiungete la salsiccia e fate rosolare per 2-3 minuti. Versate il vino bianco e fate evaporare. Aggiungere la melanzana, il peperone tagliato a pezzetti e il peperoncino. Dopo 5 minuti aggiungete i pomodori, l'origano, il sale e il pepe. Coprite e fate cuocere per 20 minuti. Aggiungete prezzemolo e aglio tritato e fate cuocere per altri 7-8 minuti. Cuocete la pasta e conditela con la salsa, servite caldo dopo aver aggiunto il parmigiano grattugiato.

Consigli.
Per chi preferisce una dieta senza carne di maiale è possibile sostituire la salsiccia di maiale con salsiccia di tacchino.

ZUPPA DI PISELLI E CARCIOFI

Pulite e tagliate a spicchi i carciofi. Metteteli in una terrina con acqua e succo di un limone.
Tritate la metà di una cipolla e fatela rosolare con 3 cucchiai d'olio. Unite i carciofi ben scolati, sale e pepe. Lasciate cuocere lentamente a recipiente coperto. Se necessario aggiungete un po' di brodo. Tritate l'altra metà della cipolla e fatela rosolare con un po' d'olio, aggiungete i piselli e fateli cuocere con mezzo bicchiere di brodo. Se necessario, aggiungete altro brodo per finire la cottura. Passate i piselli con il passaverdura, mettete il composto ottenuto in una casseruola abbastanza grande e aggiungete i carciofi. Mettete quanto brodo volete per ottenere una zuppa della densità che preferite. Fate cuocere ancora per 10 minuti e servite caldo.

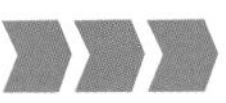
Quanto hai capito? Il 10%, il 30%, il 50%? E' abbastanza per rispondere alla domanda iniziale? Spesso non è importante capire tutte le parole e le informazioni.

2 Con un compagno a turno parlate della cena che vorreste preparare

1 a una persona che non apprezza il cibo;
2 a una persona che ama mangiare e abbondantemente;
3 a una persona che ama provare cibi e sapori nuovi;
4 a una persona che ha sempre fame.

fonologia

• **I suoni** /ɲ/ compa***gn***o; /ʎ/ fi***gl***io; /ʃ/ pe***sc***e • Accento nelle parole (II)

1 Ascolta le parole.

cognome, compagne, gli, griglia, fascino, scegliere, montagna, significato, tovagliolo, raccogliere, prosciutto, sciocco

2 Ascolta le parole e fa' un segno nella colonna corretta.

	/ɲ/	/ʎ/	/ʃ/
1	X		
2			
3			

	/ɲ/	/ʎ/	/ʃ/
4			
5			
6			

	/ɲ/	/ʎ/	/ʃ/
7			
8			
9			

3 Ascolta e scrivi le parole dell'attività precedente.

/ɲ/	/ʎ/	/ʃ/
bagno		

4 Ascolta le parole e sottolinea le sillabe accentate.

camera, cassetta, città, perché, farmacia, caffè, pavimento, camicia, nazionalità, ipotesi, telefonata, ditta

civiltà I pasti degli italiani.

1. La pasta

2. La pasta/le paste

I pasti al Sud, generalmente, si consumano più tardi, mentre in estate si cena più tardi in tutta l'Italia.

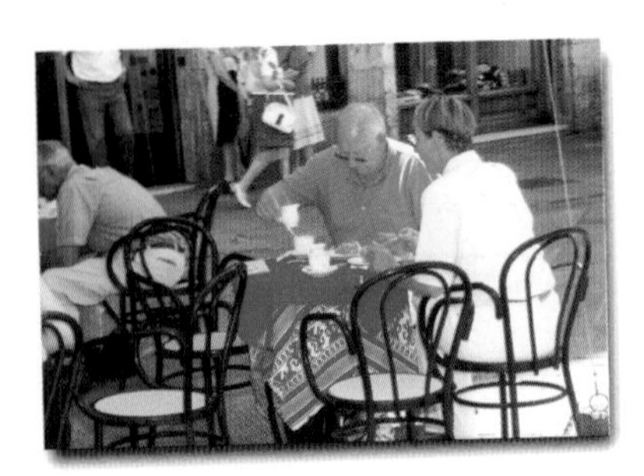

La colazione

E' il primo pasto della giornata e in generale si fa tra le 7 e le 8 a casa. La tradizionale colazione italiana è composta da tè, caffè o caffelatte con biscotti oppure un dolce (una fetta di torta, brioche, ecc.) o pane, burro e marmellata. In questi ultimi anni sono entrati nella colazione italiana i cereali e lo yogurt, ma, almeno per il momento, non sembra una pratica molto diffusa.
Molte persone hanno l'abitudine di fare colazione al bar con il tipico cappuccino e brioche.

Il pranzo

Il pranzo si consuma di solito dalle 12,30 alle 13,30. Fino a non molti anni fa il pranzo in famiglia, insieme alla cena, era un momento molto importante nella giornata degli italiani. Ora, con le nuove abitudini di vita, sta perdendo importanza, molte persone pranzano alle mense nei luoghi di lavoro oppure, per mancanza di tempo, si consuma un panino fuori casa. Chi pranza ancora in famiglia di solito mangia un primo piatto a base di pasta, un secondo a base di carne, pesce o uova con un contorno di verdure; si beve spesso vino. Per finire, la frutta e non può mancare il caffè.

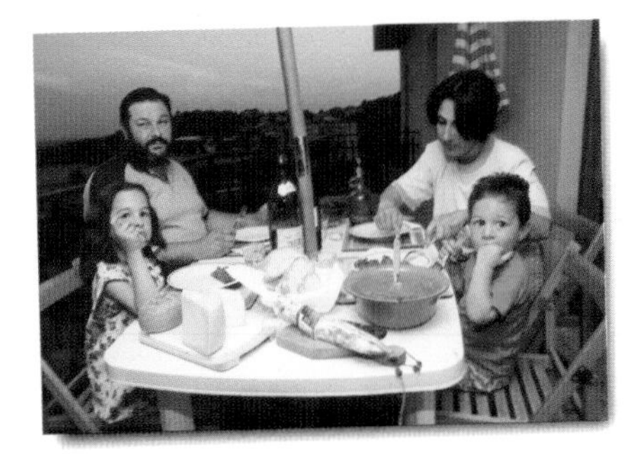

La cena

La cena è ancora un momento importante nella vita degli italiani ed è spesso il pasto principale della giornata. Tutta la famiglia si ritrova a tavola verso le 7,30-8 e si mangia senza fretta, parlando e discutendo. Il menu è molto simile a quello del pranzo in famiglia.

1 Adesso prova a riempire la tabella.

	Colazione	Pranzo	Cena
A che ora?			
Dove?			
Cosa si mangia?			
Con chi?			

Lo spuntino
E' un pasto molto leggero che si consuma tra i pasti principali, può essere costituito da un frutto, una merendina (dolce confezionato di vario tipo), un panino, un cappuccino.

La merenda
E' il pasto di metà mattina o del pomeriggio dei bambini (dalle 4 alle 5).
Tra compiti scolastici e giochi, i bambini mangiano un panino, un gelato o una merendina.

2 Come sono i pasti nei vostri paesi? Sono come in Italia?
A piccoli gruppi rispondete a queste domande e provate a riempire la tabella.

Paese		A che ora?	Dove?	Cosa?	Con chi?
	Colazione	....	....	....	....
		....	....	....	....
	Pranzo	....	....	....	....
....		....	....	....	....
	Cena	....	....	....	....
		....	....	....	....
	Merenda	....	....	....	....
		....	....	....	....
	Colazione	....	....	....	....
		....	....	....	....
	Pranzo	....	....	....	....
....		....	....	....	....
	Cena	....	....	....	....
		....	....	....	....
	Merenda	....	....	....	....
		....	....	....	....
	Colazione	....	....	....	....
		....	....	....	....
	Pranzo	....	....	....	....
....		....	....	....	....
	Cena	....	....	....	....
		....	....	....	....
	Merenda	....	....	....	....
		....	....	....	....

grammatica

VERBI IRREGOLARI.

Verbo *volere* - indicativo presente
Voglio
Vuoi
Vuole
Vogliamo
Volete
Vogliono

ESPRIMERE UN DESIDERIO E OFFRIRE.

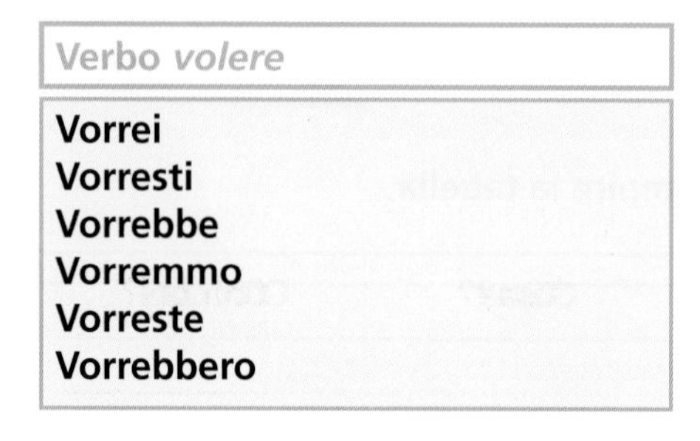

Verbo *volere*
Vorrei
Vorresti
Vorrebbe
Vorremmo
Vorreste
Vorrebbero

Queste sono forme del condizionale: RETE! 2 Unità 6.

*Vorrei/vorresti/*ecc. si usano per esprimere un desiderio o fare una richiesta (1) e per offrire (2) in modo gentile.

1 - Vorrei un piatto di spaghetti alla bolognese, per favore.
2 - Cosa vorrebbe bere?

1 Cosa dici in questi casi?

1 Al ristorante un cameriere ti chiede cosa vuoi mangiare. Cosa ti dice?
Cosa vorrebbe mangiare

2 Sei dal macellaio, vuoi un chilo di carne di manzo.
....

3 Sei in pizzeria. Ordini una pizza *margherita*.
....

4 Al ristorante un cameriere chiede a te e alla tua ragazza cosa volete mangiare. Cosa vi dice?
....

5 Chiedi al tuo amico John se vuole venire al cinema con te.
....

6 Sei al bar con tua madre. Ordini un caffè e un tè.
....

Nomi irregolari

Non cambiano al plurale:

i nomi con una sola sillaba

SINGOLARE	PLURALE
Il re	I re

i nomi di origine straniera

SINGOLARE	PLURALE
L'autobus Il bar Il computer Il film Lo sport	Gli autobus I bar I computer I film Gli sport

i nomi che terminano con una vocale accentata

SINGOLARE	PLURALE
La città La virtù Il caffè	Le città Le virtù I caffè

i nomi che terminano in **i**

SINGOLARE	PLURALE
L'analisi La crisi La sintesi	Le analisi Le crisi Le sintesi

Alcuni nomi sono usati solo al singolare:

la frutta
la gente

La gente ama le lasagne!

Ci sono molti plurali irregolari:

SINGOLARE	PLURALE
L'uomo	Gli uomini

Alcune parole che conosci terminano in *-co*, *-ca*, *-go*, *-ga* e hanno il plurale a volte diverso dal singolare:

SINGOLARE	PLURALE
Ami**co** Ami**ca**	Ami**ci** Ami**che**

SINGOLARE	PLURALE
Medi**co** Meccani**co** Psicolo**go**	Medi**ci** Meccani**ci** Psicolo**gi**

RETE! 2 Unità 2.

Nomi in *-io*:

SINGOLARE		PLURALE	
-IO	**l'**esempi**o** **il** figli**o** **il** macella**io**	**-I**	**gli** esemp**i** **i** figl**i** **i** macella**i**
-IO (con l'accento sulla **i**)	**lo** z**io**	**-II**	**gli** z**ii**

2 Metti gli articoli e il plurale dei nomi.

1 L' esempio Gli esempi
2 ...... abilità ....
3 ...... re ....
4 ...... bacio ....
5 ...... bidè ....
6 ...... foto ....
7 ...... zio ....
8 ...... psicologo ....
9 ...... idraulico ....
10 ...... computer ....
11 ...... problema ....
12 ...... negozio ....

3 Completa le frasi con i nomi del riquadro. Attenzione: i nomi del riquadro sono al singolare.

1 Nella fabbrica dei miei ....zii.......... costruiscono delle macchine molto moderne.
2 Per Natale vorrei comprare due ...., uno per me e uno per mia moglie.
3 Al Motor show a Bologna ci sono delle .... bellissime.
4 Vorrei scrivere a Luis e Pamela, hai i loro ....?
5 Le .... di italiano sono molto allegre.
6 In questi giorni al cinema ci sono due .... che vorrei vedere.
7 Studiare nelle .... italiane può essere interessante, ma anche difficile.
8 I nuovi .... della ditta di mio padre sono al terzo piano di un bel palazzo in centro.

zio, lezione, indirizzo, ufficio, orologio, università, film, moto

Del/dello/della/dell'/dei/degli/delle

Nella figura 1 **degli** si usa per indicare una quantità indeterminata.
Osserva gli esempi:
- Ho **uno** studente molto simpatico.
- Ho **degli** studenti molto simpatici.

Nella figura 2 **dello** si usa per indicare una quantità indeterminata con nomi che non hanno di solito il plurale.

4 Osserva la figura per due minuti, poi scrivi quello che ricordi.

1 Ci sono delle uova nel frigorifero
2 c'è dello zucchero sul tavolo
3 ....
4 ....
5 ....
6 ....
7 ....
8 ....
9 ....
10 ....

I numeri ordinali

I numeri ordinali si comportano come gli aggettivi.

5 Scrivi i numeri in lettere.

1 Mia sorella abita al 2° piano. Secondo
2 Vedi quella finestra al 4° piano? ....
3 E' la 20ª volta che ti dico di aspettarmi! ....
4 Il mio ragazzo è arrivato al 27° posto nella gara di ieri. ....
5 E' esattamente la 42ª telefonata che ricevo oggi. ....
6 Sono le 12ᵉ elezioni del dopoguerra. ....
7 C'è scritto 38°? ....
8 Questo è il 6° paio di calze che rompo questa settimana. ....

25 - venticinquesimo
24 - ventiquatresimo
23 - ventitreesimo
22 - ventiduesimo
21 - ventunesimo
20 - ventesimo
19 - diciannovesimo
18 - diciottesimo
17 - diciassettesimo
16 - sedicesimo
15 - quindicesimo
14 - quattordicesimo
13 - tredicesimo
12 - dodicesimo
11 - undicesimo
10 - decimo
9 - nono
8 - ottavo
7 - settimo
6 - sesto
5 - quinto
4 - quarto
3 - terzo
2 - secondo
1 - primo

I pronomi possessivi

Osserva gli esempi:

- Di chi è quella casa? E' di Roberto?
- Sì, è **sua**.

Nel caso di risposte brevi di solito non si mette l'articolo davanti al pronome possessivo.

- Quella casa è **tua**?
- No, non è mia, è di mio fratello.

Nelle domande in cui il pronome possessivo segue il verbo *essere* non si mette l'articolo.

Una "quasi" regola per aiutarti a non sbagliare.
Se c'è l'articolo nella domanda si ripete nella risposta!
- Questa è **la** vostra camera?
- No, non è **la** nostra.

6 Rispondi alle domande.

1 - Di chi è quella macchina? E' di Luca? - Sì, è sua
2 - Di chi sono quei libri? Sono di Stefania? - No, ...
3 - Di chi è quel ristorante? E' di Salvatore e della sua famiglia? - Sì, ...
4 - Di chi è questo computer? E' tuo e di tua moglie? - No, ...
5 - Di chi è quel cane? E' tuo? - No, ...
6 - Quelle giacche sono nostre? - No, ...
7 - Questa penna è tua? - Sì, ...
8 - Questa camera è vostra? - No, ...

sommario

1 Abbina le frasi o espressioni alla descrizione sotto.

1 Oggi devo andare io a far spesa, vero?
2 Abbiamo bisogno di comprare delle uova e del pane.
3 Vorresti un dolce anche tu?
4 Cameriere, il conto per favore.
5 In casa ci sono solo delle mele e un litro d'olio.
6 E lei cosa vorrebbe mangiare?
7 Vorrei una birra per favore.
8 Di che cosa abbiamo bisogno?

In questa unità abbiamo imparato a:

6	**a** chiedere ciò che uno vuole mangiare o bere	....
	b chiedere qualcosa da bere, mangiare o il menù	....
	c chiedere il conto	....
	d esprimere quantità	....
	e chiedere conferma	....
	f chiedere delle necessità	....
	g parlare delle necessità	....
	h offrire	....

Milano, Duomo.

1 **Leggi gli ingredienti di queste ricette e completa la scheda come nell'esempio.**

Per preparare la mozzarella con gli ortaggi hai bisogno…

	Del	Dello	Della	Dell'	Dei	Degli	Delle
Pomodori					×		
Mozzarella							
Cipolla							
Peperoni							
Sedano							
Zucchine							
Carote							

Mozzarella con ortaggi
12 fette di pomodoro 12 fette di mozzarella 250 gr. tra cipolla, peperoni, sedano, zucchine, carote

Per preparare gli spaghetti aglio e olio hai bisogno…

	Del	Dello	Della	Dell'	Dei	Degli	Delle
Spaghetti							
Aglio							
Olio di oliva							
Sale							
Pepe							
Prezzemolo							

Spaghetti aglio e olio
500 gr. di spaghetti 6 spicchi d'aglio olio di oliva sale, pepe, prezzemolo

Per preparare la torta di mele hai bisogno…

	Del	Dello	Della	Dell'	Dei	Degli	Delle
Mele							
Farina							
Zucchero							
Uova							
Lievito							
Latte							
Limone							
Burro							

Torta di mele
800 gr. di mele 200 gr. di farina 150 gr. di zucchero 3 uova 25 gr. di lievito, latte, limone, burro

….. / 20

2 **Metti in ordine le seguenti frasi.**

1 il in spesso con pizzeria fine vado amici settimana gli

……………………………………………………………………………

2 di vorrei un due prosciutto di pacco e zucchero etti

……………………………………………………………………………

3 primo dei a solito pranzo contorni di solo prendiamo un e

……………………………………………………………………………

4 quinta banca la di destra Paolo è la a dopo la casa

……………………………………………………………………………

….. / 4

3 **Associa i dialoghi alle vignette. Fa' attenzione, due vignette non c'entrano.**

1 - Buongiorno, c'è un tavolo per due?
- Prego, accomodatevi pure. A destra, vicino alla finestra, va bene?

2 - Io di primo prendo un risotto di pesce e tu cara?
- Io preferisco una zuppa di verdure. La dieta…

3 - Perché non prendiamo anche due spaghetti alla carbonara?
- D'accordo. Poi di secondo per me solo un'insalata mista, grazie.

4 - È Paolo. Vuole sapere se ci vediamo dopo, verso le cinque…
- Per me va bene. Nel pomeriggio sono libero.

5 - Allora, ti piace questo ristorante?
- Sì, però scusa, mi sembra un po' troppo caro.

6 - Tutto bene Signori?
- Sì, grazie, però questo non è il mio conto!

1	**2**	**3**	**4**	**5**	**6**

..... / 6

4 **Leggi questi consigli per cuocere bene la pasta e mettili in ordine secondo il senso.**

a Quando l'acqua bolle buttate la pasta. Aggiungete quindi da sei a dieci grammi di sale per ogni litro d'acqua.
b Scolate subito la pasta per togliere l'acqua e aggiungete il sugo.
c Quindi spegnete il fuoco quando sentite che la pasta è al dente, cioè cotta, ma ancora consistente.
d Dopo alcuni minuti controllate la cottura con la prova di un po' di pasta sotto i denti.
e Mettete sul fuoco acqua abbondante, circa un litro per cento grammi di pasta.

1	**2**	**3**	**4**	**5**

..... / 5

5 **Associa le parole di ogni colonna per ottenere delle frasi con senso e scrivile come nell'esempio. Ci sono più possibilità.**

Io	vengono	sempre le spese al mercato.
Voi	pranzate	spesso la sera con la sua ragazza.
I miei genitori	faccio	di una vacanza.
Io e Franco	hai bisogno	mai a lavorare il sabato.
Marco e Luisa	non va	da Milano, ma io preferisco vivere a Roma.
Lei	esce	raramente al cinema.
Il mio amico	andiamo	sempre al ristorante.
Tu	vivono	a Firenze da un anno.

..... / 8

NOME:	
DATA:	
CLASSE:	

totale ..... / 45

unità 8 in negozio, i soldi

1 Guarda le banconote e le monete europee. Scrivi il valore in lettere negli spazi tratteggiati.

2 Ascolta e ripeti il valore delle monete e delle banconote europee.

3 Ascolta e cerchia il prezzo che senti.

1	a	€ 12 350	(b)	€ 12 750	c	€ 12 650
2	a	€ 7 000	b	€ 17 000	c	€ 700
3	a	€ 266	b	€ 366	c	€ 276
4	a	€ 1 060 000	b	€ 1 160 000	c	€ 1 260 000
5	a	€ 862	b	€ 962	c	€ 762
6	a	$ 123	b	$ 132	c	$ 142

4 Ascolta e scrivi il prezzo che senti.

....

5 Ascolta e leggi le conversazioni.

- Quanto costa un pacchetto di sigari toscani? - € 5

- Quanto costano queste sigarette? - € 2.45

6 Ora lavorate a coppie. A va a pagina V, B a pagina VII.
Fate domande e date risposte sul prezzo degli oggetti.

7 Abbina le foto alle parole del riquadro.

1 macelleria, 2 cartoleria, 3 supermercato, 4 farmacia, 5 salumeria, 6 pasticceria

8 Quali prodotti vendono i negozi delle foto? Per ogni negozio scrivi il nome di tutti i prodotti che conosci.

9 Ora, a coppie confrontate le vostre liste.

10 ▸▸ Alla scoperta della lingua – Guarda le figure e completa le frasi con le parole del riquadro.

1 Domenico ha .... soldi.

2 Gaetano ha .... soldi.

3 Gino beve sempre .... birra.

4 E' troppo dolce. Aggiungi .... di sale.

molto, un po', poco, troppo

11 Ascolta e leggi il testo incompleto della conversazione. Ma non scrivere niente!

Salumiere: ....Buongiorno, Signora Sanna..

Cliente: Buongiorno.

Salumiere: ....

Cliente: No. Vorrei un po' di prosciutto crudo.

Salumiere: ....?

Cliente: Un po'.... non so... un etto e mezzo circa.

Salumiere: ....?

Cliente: No, va bene.

Salumiere: ....?

Cliente: Un pezzo di formaggio parmigiano.

Salumiere: ....?

Cliente: Quanto costa?

Salumiere: ....

Cliente: Costa molto! Ne vorrei un pezzo piccolo. Mezzo chilo circa.

Salumiere: ....?

Cliente: Il latte. E anche un chilo di pane.

Salumiere: ....?

Cliente: E' tutto grazie. Quant'è?

Salumiere: ....

Cliente: Ecco a Lei 20 euro.

Salumiere: ....

Cliente: Arrivederci.

100 grammi = un etto;
200 grammi = due etti;
500 grammi = mezzo chilo;
1000 grammi = un chilo;
100 chili = un quintale;
1000 chili = una tonnellata.

Per prendere tempo e riflettere il salumiere usa la parola "**allora**". Ascolta com'è l'intonazione e ripeti la frase.
- Allora...sono 16 euro e 25 centesimi.

12 Dettato. Ascolta nuovamente la conversazione e scrivi la parte del testo che manca.

13 Ora, a coppie fate delle conversazioni simili. Dal fruttivendolo, dal macellaio e dal cartolaio.

lessico

1 Cerca gli oggetti. Sono tutti prodotti che puoi comprare in un supermercato. Ci sono 13 parole.

H	F	Y	F	R	E	***M***	F	S	J	T	F	I	K	P	G	N	S	S	A	L	A	M	E	F
F	E	T	T	I	N	***A***	S	S	P	A	Z	Z	O	L	I	N	O	D	A	D	E	N	T	I
Q	F	F	S	F	F	***C***	F	Q	U	A	D	E	R	N	O	F	E	T	U	C	P	F	T	F
W	F	Z	A	F	F	***I***	F	F	P	R	O	S	C	I	U	T	T	O	F	F	F	F	O	G
E	S	F	P	E	N	***N***	A	F	W	F	A	B	C	F	F	S	A	F	I	R	F	J	R	F
D	F	F	O	J	F	***A***	F	F	F	F	D	E	T	E	R	S	I	V	O	H	V	X	T	Q
Z	F	F	N	F	F	***T***	F	F	F	S	U	C	C	H	I	D	I	F	R	U	T	T	A	D
F	D	D	E	F	P	***O***	L	L	O	F	N	W	F	A	A	C	E	T	O	G	F	D	A	X

2 Dove potete comprare questi prodotti nel vostro paese? In piccoli gruppi, confrontate le soluzioni dell'esercizio 1 e rispondete alla domanda.

3 Buon compleanno! Devi fare una festa per il tuo compleanno e vuoi invitare 20 persone. Hai a disposizione 150 Euro. Cosa compri? Fa' una lista.

4 A coppie confrontate le vostre liste. Alla fine dovete avere una lista unica. Usate le espressioni del riquadro.

Abbiamo bisogno di....	*Abbiamo troppo/poco/...*	*Costa/costano troppo/poco/...*

5 Ora, continua a lavorare con il tuo compagno: A va a pagina V, B a pagina VII. A turno, fate le domande e cercate di indovinare.

6 Abbina le figure ai lavori del riquadro. Quale non c'è?

....

informatico, grafico, manager, cassiera, autista, controllore, parrucchiere

abilità

prevedere, comprensione globale e comprensione dettagliata

1 Secondo te, cosa fa il direttore di un centro commerciale? Parlane con un compagno.

2 Ora ascolta l'intervista al direttore di un centro commerciale e controlla le tue previsioni.

3 Ascolta nuovamente la registrazione e scrivi una lista dei negozi del centro commerciale.

4 La busta e gli indirizzi.

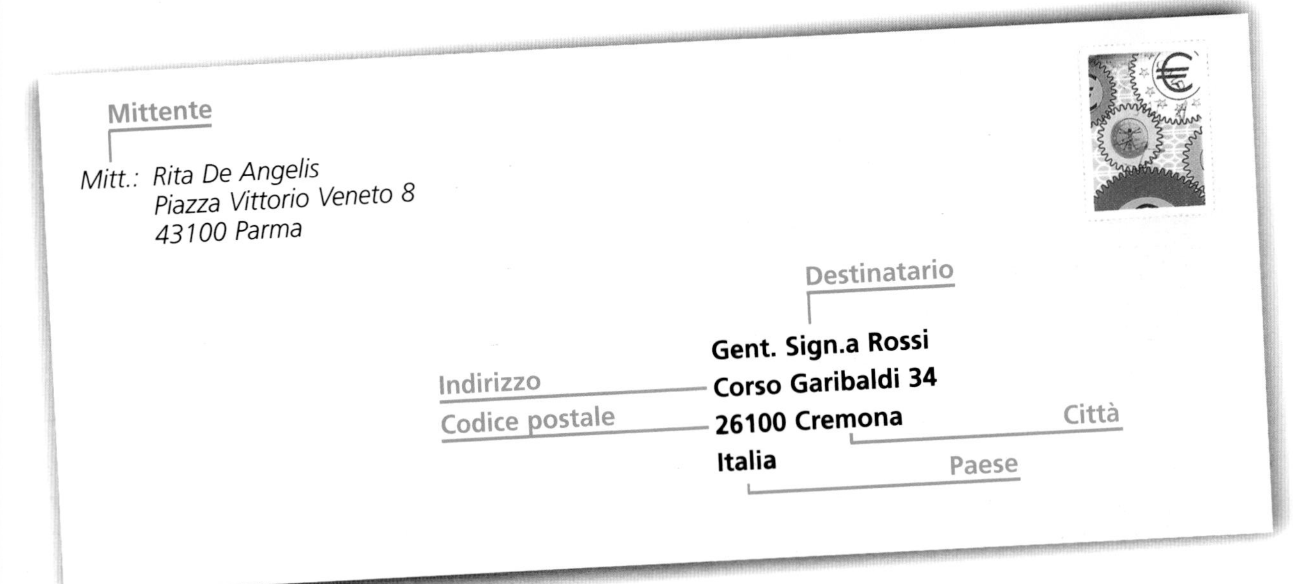

grammatica

Dal macellaio o in macelleria

Osserva:
- Devo andare **dal macellaio/in macelleria** a comprare due bistecche.

In molti casi è possibile usare tutte e due le forme:

da + articolo + nome del lavoro;
in + nome del luogo di lavoro.

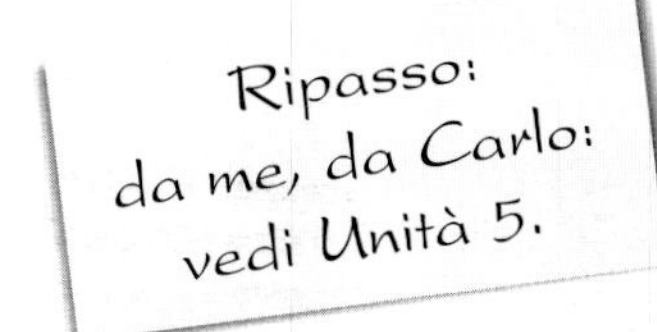

1 Chiedi a Paolo di farti alcuni favori.

1 Hai bisogno di un po' di prosciutto.
Paolo, puoi andare dal salumiere a comprare un po' di prosciutto, per favore? (salumiere)

2 Hai bisogno di prendere un appuntamento per tua madre con la parrucchiera.
.... (parrucchiera)

3 Hai bisogno di ritirare la ricetta per le medicine.
.... (dottore)

4 Hai bisogno di un chilo di pesce per la zuppa.
.... (pescheria)

5 Hai bisogno di due chili di pane.
.... (panettiere)

6 Non hai più sigarette.
.... (tabaccaio)

7 Hai ordinato due pizze, devi andare a prenderle.
.... (pizzeria)

8 Hai bisogno di carta da lettera e di buste.
.... (cartolaio)

Stare + gerundio

Osserva la figura:

Verbo *stare* – indicativo presente + gerundio

Sto parlando.
Stai dormendo?
Mario **sta** studiando portoghese.
Non **stiamo** lavorando molto.
State pensando già alle prossime vacanze?
Stanno mangiando troppo.

La forma **stare + gerundio** si usa per parlare di ciò che sta succedendo in questo momento.

Gerundio	
Infinito	**Gerundio**
Cant-**are**	Cant-**ando**
Legg-**ere**	Legg-**endo**
Sent-**ire**	Sent-**endo**

Tre verbi irregolari:
dire dicendo
fare facendo
bere bevendo

Sono verbi che vengono dal latino facĕre e dicĕre e che hanno mantenuto in alcuni tempi il modello latino.

2 Guarda le figure. Cosa stanno facendo le persone?

1

2

3

4

5

6

1 Sta guardando un aereo .... 2 ....
3 .... 4 ....
5 .... 6 ....

3 Rispondi alle domande.

1 - Cosa stai facendo?
- Mi sto lavando .... (lavarsi)

2 - Cosa stai facendo?
- .... (fare i compiti)

3 - Cosa state facendo?
- .... (parlare delle vacanze di Natale)

4 - Cosa stanno facendo Giovanna e Arturo?
- .... (alzarsi)

5 - Cosa stai facendo?
- .... (svegliarsi)

6 - Cosa sta facendo Achille?
- .... (correre)

VERBI IRREGOLARI

Verbo *dovere* – indicativo presente	
	Devo finire un lavoro molto importante.
	Devi smettere di fumare!
Cristina	**deve** fare un esame molto difficile.
	Dobbiamo invitarvi a cena.
	Dovete studiare di più!
Matteo e Andrea	**devono** andare a fare la spesa.

Verbo *preferire* – indicativo presente
Preferisco lo spagnolo all'inglese.
Preferisci la pizza o gli spaghetti?
Claudio **preferisce** vivere in campagna
Di sera **preferiamo** andare a letto presto.
Preferite andare al cinema o in discoteca?
Molti giovani **preferiscono** lavorare poco e avere molto tempo libero.

Osserva tre diversi usi di *preferire*:

- Preferisci il vino **o** la birra?
- Preferisco il calcio **alla** pallacanestro.
- Preferite **andare** in vacanza in estate **o** in inverno?

Fra i verbi che conosci seguono **sentire:** dormire, offrire, seguire, servire; **finire:** capire, costruire, favorire, pulire, suggerire. Uscire e venire sono irregolari.

Verbo *conoscere* – indicativo presente
Conosco tuo fratello.
Conosci Roma?
Maria **conosce** i tuoi genitori?
Noi non **conosciamo** bene l'Italia.
Conoscete Silvia?
Sally e Kim **conoscono** studenti stranieri.

Verbo *dare* – indicativo presente
Do
Dai
Dà
Diamo
Date
Danno

4 Completa le frasi con un verbo del riquadro.

1 - Cosa ....stai........... facendo?
- Ho fame .... mangiando un panino.

2 - Claudio, ...Michela? E' la ragazza di Stefano.

3 - Ho sete, mi .... un po' d'acqua, per favore?

4 - Quando .... venire a casa mia a cena? Lunedì o martedì?

5 - Non .... bene i vini italiani, però .... i rossi.

6 - Cosa fate questa sera?
- Fabio ed io .... rimanere a casa a studiare, ma Salvatore vuole uscire.

7 - A Natale l'impiegato della banca mi .... sempre un'agenda e un calendario.

8 - Il meccanico mi .... riparando la macchina. Vado a prenderla stasera.

conoscere, dare, stare, preferire, dovere

5 Guarda i promemoria e scrivi cosa deve fare Mattia.

SABATO 4-12
ORE 10.30 Dentista

Domenica 5 dicembre
Pizza a casa di Maddalena.
Portare birra

Esame finale inglese!!
Lunedì 6 ore 11

MERCOLEDÌ POMERIGGIO:
REGALO PER COMPLEANNO MAMMA. PIANTA? LIBRO? BOH???
E TELEFONARLE!!!!

1 Sabato alle dieci e mezza deve andare dal dentista..........................

2 ....

3 ....

4 ....

I numeri da 100 a 1 000 000

6 Abbinate i numeri alle trascrizioni.

1	345	Seicentocinquantasette
2	6 784	Un milione
3	912 000	Trecentoquarantacinque
4	1 000 000	Novantamilacinquecento
5	90 500	Undicimilaottocento
6	657	Tremiladuecento
7	3 200	Novecentododicimila
8	11 800	Seimilasettecentoottantaquattro

7 Scrivete i numeri in lettere sugli assegni e i bollettini postali.

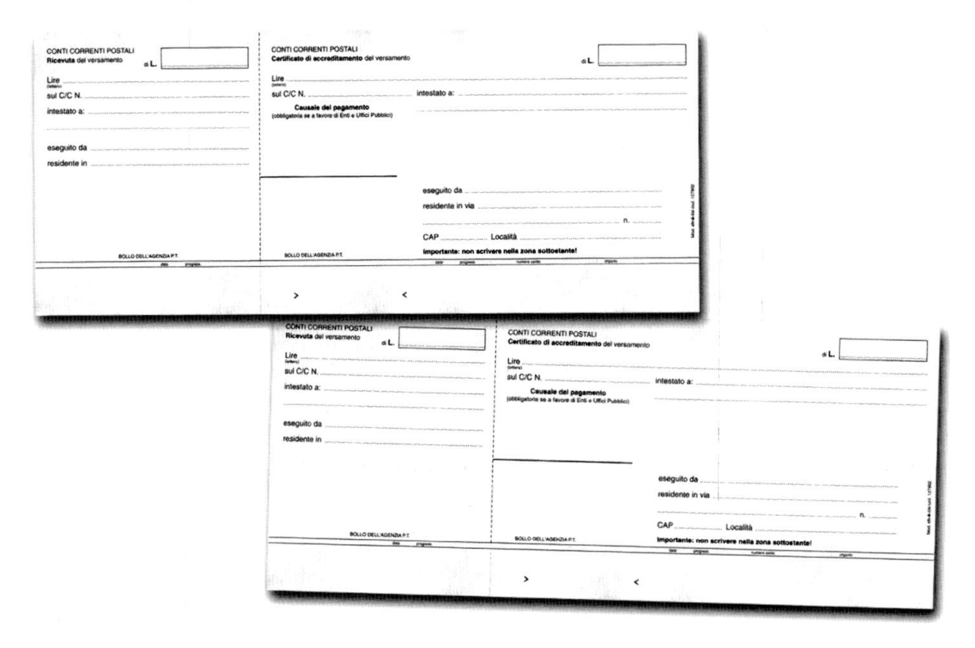

8 Formate due squadre e seguite le istruzioni dell'insegnante.

Poco, un po', molto/tanto, troppo, con nomi, avverbi e aggettivi	
Troppo	+++
Molto/tanto	++
Un po' di	+
Poco	–

Quando precedono un aggettivo (1), un verbo (2), un avverbio (3) non cambiano.

1 Questo libro è	tropp**o** molt**o** un po' poc**o**	difficile.

2 Di sera mangio sempre	tropp**o**. molt**o**. un po'. poc**o**.

3 Mi sveglio spesso	tropp**o** molt**o** un po'	tardi.
3 Oggi sto	poc**o**	bene.

Quando precedono un nome *troppo*, *molto/tanto*, *poco* cambiano.

Ho	tropp**i** molt**i** poch**i**	soldi.

Quando precede un nome *un po'* vuole la preposizione *di*.

Ho	**un po' di**	giornali italiani per te.

9 Abbina le frasi di sinistra a quelle di destra.

1 Quest'anno ho pochi soldi,
2 C'è un po' di farina in casa
3 E' troppo tardi
4 Oggi non sto molto bene, ma
5 Ci sono tanti libri interessanti
6 Mi alzo sempre molto tardi e

a devo andare a lavorare.
b per andare al cinema.
c per fare un regalo a Ivan.
d perdo spesso l'autobus.
e non posso andare in vacanza.
f per fare una pizza.

fonologia

• **I suoni** /f/ ***f***iore; /v/ ***v***ino; /s/ ***s***ale; [z] ***s***venire

1 Ascolta le parole e fa' un segno nella colonna corretta.

	/f/	/v/	/s/
1		x	
2			
3			
4			
5			
6			
7			
8			
9			

2 Ascolta e scrivi le parole dell'attività precedente.

/f/	/v/	/s/
	chiave	

Hai notato che il suono della /s/ ("esse" sorda) può essere pronunciato anche /z/ ("esse" sonora)?
Ad esempio ***francese*** può essere pronunciato /fran'tʃese/ o /fran'tʃeze/.
Tutte e due queste pronunce sono considerate accettabili.
La "esse" sonora è di solito necessaria quando è seguita da una consonante sonora come **b d g m n r v**
ad esempio sviluppo /zvi'luppo/.

3 Ascolta e sottolinea le parole che contengono la "esse" [z] sonora.

visione	aspetto	chiesa	corso	turismo	svedese
isola	testa	scarpe	esame	sveglia	affresco

civiltà Le spese degli italiani.

Guarda queste immagini, quanti soldi spendi per questi prodotti ogni mese? Quanti soldi spende la tua famiglia? Secondo te quali sono le spese più importanti che una famiglia deve affrontare ogni mese? Scegli tra: generi alimentari, spese per la casa, abbigliamento, tempo libero, salute, cultura, trasporti.

Guadagno, denaro a disposizione.

Il reddito mensile medio di una famiglia italiana è di circa 1 700 euro. Di questo denaro circa 350 euro sono spesi per i generi alimentari, mentre 1 300 euro circa sono le spese per altri consumi.

Provate a mettere in ordine, dalla spesa più grossa alla spesa più piccola, le varie spese per i prodotti alimentari.

PRODOTTI	CLASSIFICA
Latte, formaggi e uova	
Carne	1
Pane e cereali	
Frutta e verdura	
Tabacchi	
Bevande	
Zucchero, caffè, tè, cacao e altri generi alimentari	

Adesso leggi il brano poi completa la tabella che segue.

Per quanto riguarda le altre spese mensili della famiglia italiana al primo posto troviamo la casa (affitti, mutui, spese varie), Per i vestiti, le calzature, ecc. gli italiani spendono circa 110 euro al mese. Le spese per i trasporti (l'automobile, mezzi pubblici, trasporti in generale) sono invece di 280 euro circa. L'arredamento, mobili e altri articoli per la casa occupano un posto di rilievo con circa 100 euro mensili. Anche le spese per l'elettricità e il riscaldamento non sono da sottovalutare: l'italiano spende per l'energia circa 90 euro ogni mese. Per finire troviamo i soldi spesi per il tempo libero e la cultura: spettacoli, istruzione e libri, seguiti dalle spese per la salute (medici, medicinali e servizi vari).

PRODOTTI	CLASSIFICA
casa (affitti, mutui, ecc.)	1
	2
	3
	4
	5
	6
	7

Cosa sapete delle spese mensili di una famiglia del vostro paese? Ci sono grosse differenze con l'Italia? Quali sono le spese degli italiani che trovate troppo alte o troppo basse?

sommario

1 Abbina le frasi o espressioni alla descrizione sotto.

1 Devo andare a casa.
2 Vorrei un chilo di pane, per favore.
3 E' tutto grazie.
4 Sto studiando.
5 Quanto prosciutto desidera?
6 (Ne vorrei) 2 etti.
7 Ecco qua.
8 Allora...20 euro e 45 centesimi.
9 Quant'è?
10 Nient'altro?
11 (Costa) 3 euro.
12 Preferisco il vino rosso.
13 Cosa stai facendo?
14 Sono 10 euro.
15 Vorrei un po' di formaggio.
16 Quanto costa?

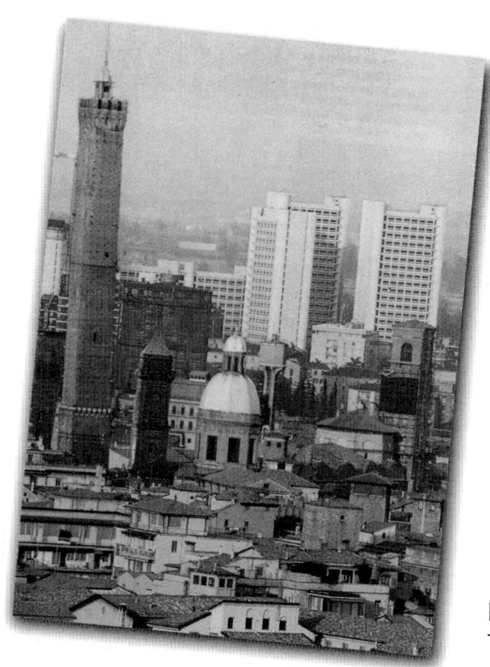

Bologna,
Torre degli Asinelli.

In questa unità abbiamo imparato a:

[16] **a** chiedere il prezzo ....
[ ] **b** dire il prezzo ....
[ ] **c** dire cosa si desidera ....
[ ] **d** chiedere la quantità ....
[ ] **e** dire la quantità ....
[ ] **f** mostrare. Consegnare ....
[ ] **g** prendere tempo per riflettere ....
[ ] **h** chiedere quanto si spende ....
[ ] **i** dire quanto di spende ....
[ ] **l** chiedere se si vuol comprare ancora qualcosa ....
[ ] **m** dire che non si vuol comprare più niente ....
[ ] **n** esprimere preferenza ....
[ ] **o** esprimere dovere ....
[ ] **p** chiedere cosa si sta facendo ....
[ ] **q** dire cosa si sa facendo ....
[ ] **r** modificare aggettivi, verbi, sostantivi e avverbi ....

1 Completa le vignette con i verbi indicati. Osserva l'esempio.

1 Il signor Bassi sta ...camminando.... e ....parlando................ al telefonino.
2 Laura e Marco ....e .... la televisione.
3 Marta ....e .... la musica.
4 Anna.. e .... l'autobus.
5 Paola .... e... la radio.
6 Franco .... e .... la doccia.
7 Paola .... e.. una sigaretta.

mangiare, guardare, leggere, ascoltare, parlare, aspettare, cucinare, bere, cantare, fare la doccia, ballare, fumare

..... / 12

2 In questo diagramma ci sono le frasi per completare il testo delle vignette. Trovale e scrivile al giusto posto come nell'esempio. Le frasi possono essere in orizzontale e in verticale.

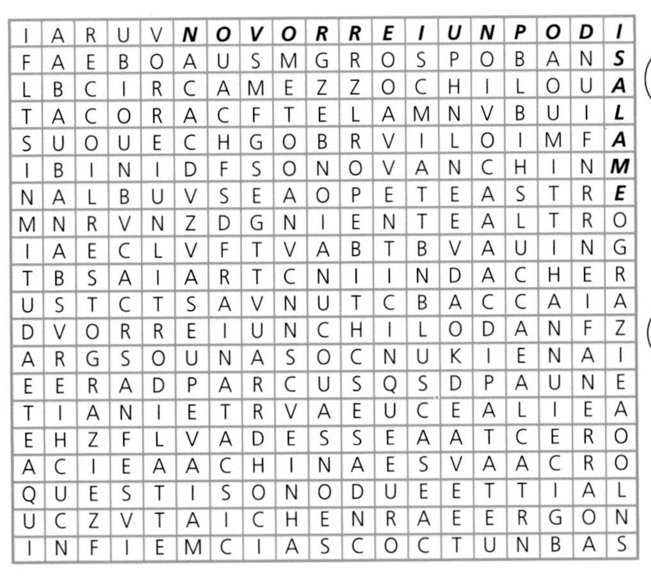

I	A	R	U	V	***N***	***O***	***V***	***O***	***R***	***R***	***E***	***I***	***U***	***N***	***P***	***O***	***D***	***I***
F	A	E	B	O	A	U	S	M	G	R	O	S	P	O	B	A	N	***S***
L	B	C	I	R	C	A	M	E	Z	Z	O	C	H	I	L	O	U	***A***
T	A	C	O	R	A	C	F	T	E	L	A	M	N	V	B	U	I	***L***
S	U	O	U	E	C	H	G	O	B	R	V	I	L	O	I	M	F	***A***
I	B	I	N	I	D	F	S	O	N	O	V	A	N	C	H	I	N	***M***
N	A	L	B	U	V	S	E	A	O	P	E	T	E	A	S	T	R	***E***
M	N	R	V	N	Z	D	G	N	I	E	N	T	E	A	L	T	R	O
I	A	E	C	L	V	F	T	V	A	B	T	B	V	A	U	I	N	G
T	B	S	A	I	A	R	T	C	N	I	I	N	D	A	C	H	E	R
U	S	T	C	T	S	A	V	N	U	T	C	B	A	C	C	A	I	A
D	V	O	R	R	E	I	U	N	C	H	I	L	O	D	A	N	F	Z
A	R	G	S	O	U	N	A	S	O	C	N	U	K	I	E	N	A	I
E	E	R	A	D	P	A	R	C	U	S	Q	S	D	P	A	U	N	E
T	I	A	N	I	E	T	R	V	A	E	U	C	E	A	L	I	E	A
E	H	Z	F	L	V	A	D	E	S	S	E	A	A	T	C	E	R	O
A	C	I	E	A	A	C	H	I	N	A	E	S	V	A	A	C	R	O
Q	U	E	S	T	I	S	O	N	O	D	U	E	E	T	T	I	A	L
U	C	Z	V	T	A	I	C	H	E	N	R	A	E	E	R	G	O	N
I	N	F	I	E	M	C	I	A	S	C	O	C	T	U	N	B	A	S

..... / 10

3 Metti in ordine le frasi.

1 molti – in – negozi – presto – Italia – troppo – chiudono

....

2 molta – sono – non – oggi – e – fame – molto – stanca – ho

....

3 po' – di – della – mangio – di – un – solito – prosciutto – sera – di – e – mozzarella

....

4 troppo – buono – po' – ma – ristorante – molto – un – questo – è – caro

....

..... / 4

4 Luisa e Paola non sono molto d'accordo. Paola preferisce fare la spesa al mercato o in piccoli negozi, Luisa invece preferisce andare al supermercato. Leggi il testo e scrivi quali sono gli aspetti positivi e quelli negativi.

Paola: - Ciao Luisa.
Luisa: - Ciao Paola come stai?
P:- Bene, dove stai andando?
L:- A fare la spesa, al supermercato qui vicino. Vieni con me?
P:- Grazie, ma a casa ho già tutto e poi non mi piacciono i supermercati, c'è troppa confusione, troppa gente. Io preferisco i negozi piccoli, il mio fruttivendolo, il mio macellaio…
L:- Sì, però così perdi molto tempo. Al supermercato trovi tutto, e anche i prezzi non sono troppo alti…
P:- Forse per i prezzi hai ragione, nei negozi si spende un po' di più, però dove metti la qualità? La carne del mio macellaio è insuperabile e il martedì al mercato c'è il pesce fresco che è una meraviglia. E poi senti, vai al supermercato ogni giorno e non conosci nessuno, invece nei negozi tutti mi conoscono, mi salutano…pensa che il droghiere mi porta la spesa a casa…
L:- Eh, cara mia, tu hai tempo perché sei casalinga, ma io lavoro e ho un'ora quando esco dall'ufficio per comprare quello che mi serve. E poi il supermercato apre anche la domenica e sotto c'è il parcheggio, così veniamo con Luigi in macchina e compriamo di tutto, cibo, prodotti per la casa.
P:- Però in questo modo finisce che spendi di più, io compro solo quello che mi serve.
L:- Forse hai ragione, comunque sai, ormai è un'abitudine.
P:- Lo so, comunque prima o poi vengo anch'io a fare la spesa con te. I piccoli negozi stanno tutti chiudendo…

MERCATO E PICCOLI NEGOZI		SUPERMERCATO	
Aspetti positivi	**Aspetti negativi**	**Aspetti positivi**	**Aspetti negativi**

..... / 10

5 Elimina la parola che non c'entra.

1 troppo - molto - di solito - tanto
2 spesso - raramente - di fronte - mai
3 alto - davanti - sotto - dietro
4 città - problema - frutta - gente

..... / 4

NOME:
DATA:
CLASSE:

totale ..... / 40

unità 9
a scuola

1 Guarda la figura e prova a immaginare il dialogo tra le due ragazze, poi scrivilo sul quaderno.

2 Lavora con un compagno. Confrontate i vostri dialoghi. Ci sono molte differenze?

3 Ascolta la conversazione e rispondi alle domande.

1 Cosa stanno facendo le due ragazze? ....

....

2 Come si sentono durante la lezione? ....

....

3 Tutt'e due hanno la stessa opinione sulla loro insegnante? ....

....

4 Cosa decidono di fare? ....

....

5 Cosa fa l'insegnante? ....

....

4 Ascolta nuovamente la conversazione e leggi il testo per controllare le tue risposte.

Ragazzo: - Accidenti! Io la Schiavi, non la capisco!
Ragazza: - Neanch'io! E soprattutto non la sopporto. Ha la capacità di farmi odiare la storia.
Ragazzo: - Tra due ore abbiamo inglese. Ci sono un sacco di compiti. Li facciamo adesso? Hai il quaderno?
Ragazza: - No, non ce l'ho; ce l'ha Piero.
Ragazzo: - Prendi un foglio del mio.
Ragazza: - Dove sono i miei occhiali?
Ragazzo: - E quelli cosa sono? Li hai in testa.
Insegnante: - Ehi, voi due! Cosa state facendo? Vi vedo... e vi sento, cosa credete? Smettete di chiacchierare!
Ragazzo: - Hai ragione. E' insopportabile!

5 ▶▶ Alla scoperta della lingua Guarda le parti evidenziate del testo. A cosa si riferiscono?

La ..La Prof. Schiavi..............................
la ....
li ....
l' ....
l' ....
li ....
vi ....
vi ....

I pronomi atoni si riferiscono sia a persone che a cose.

6 ▶▶ **Alla scoperta della lingua** **Ascolta e completa i dialoghi.**

1 - Dov'è la mia penna?
- E' lì, sul banco. Non .... vedi?

2 - Da quando porti gli occhiali?
- Da molti anni. Ma non .... metto quasi mai.

3 - Accidenti! Non ho il dizionario.
- Non ti preoccupare. Ce .... ho io.

4 - Voi due, là dietro! .... sento! Basta chiacchierare!
- Luca, adesso basta. .... sente!

5 - Come sei strano oggi! Non .... capisco. Cosa succede?

6 - Andiamo a casa a piedi?
- No, non ho voglia di camminare. Prendo l'autobus.
- E va bene! .... prendo anch'io.

7 - .... ascolti? Smetti di piangere. E' ora di dire al tuo ragazzo quello che pensi.

7 Perché studi l'italiano? Scrivi una lista delle ragioni della tua scelta.

8 Cerca nella classe persone con cui hai almeno tre ragioni in comune. Discutetene insieme.

9 Secondo te, quali sono gli aspetti principali nello studio di una lingua straniera? Metti in ordine d'importanza i seguenti punti. (1 = più importante)

1 .... **2** ....
3 .... **4** ....
5 .... **6** ....
7 .... **8** ....

grammatica · lessico · pronuncia · leggere · scrivere · ascoltare · parlare · cultura di un paese

10 Ora prova a confrontare la tua lista con quella di un compagno; discutete delle differenze. Riuscite ad arrivare a un compromesso? L'ordine che proponete è sempre valido?

11 Su quali aspetti dell'italiano hai bisogno di lavorare di più? Completa la tabella per te stesso e poi intervista tre compagni.

	TU	COMPAGNO 1	COMPAGNO 2	COMPAGNO 3
Grammatica				
Lessico				
Lettura				
Scrittura				
Ascoltare/capire				
Parlare/conversazione				
Fonetica				
Cultura				

12 Compila il modulo d'iscrizione a un corso di lingua italiana a Firenze.

FIRENZE

MODULO D'ISCRIZIONE

Ente Culturale
F. Petrarca

Rispondi a ogni domanda e invia il modulo con la ricevuta del pagamento del deposito all'indirizzo sotto riportato. Per favore scrivi in stampatello.

SCELTA DEL CORSO

1 Vorrei iscrivermi al seguente corso:

❑ Corso di gruppo ❑ Corso individuale
❑ 15 ore/settimana ❑ 20 ore/settimana
❑ 25 ore/settimana ❑ 30 ore/settimana

Data: dal .... al ....

Tipo di sistemazione:

❑ Famiglia ❑ Appartamento con altri studenti
❑ Albergo ❑ Non ho bisogno di assistenza.

2 Vorrei iscrivermi all'esame per il certificato di livello linguistico.

❑ Sì ❑ No

3 Se hai scelto la sistemazione in famiglia, desideri

3.1 ❑ essere l'unico studente in famiglia
❑ stare con un altro studente

3.2 avere una
❑ camera singola con bagno
❑ camera singola senza bagno
❑ camera doppia con un altro studente

3.3 con
❑ pernottamento e prima colazione
❑ mezza pensione (pernottamento, colazione e cena)
❑ pensione completa (pernottamento, colazione, pranzo e cena)

DATI PERSONALI

incollare una foto recente

Nome e Cognome: ....
....
❑ Maschio ❑ Femmina
Luogo e data di nascita: ....
Indirizzo: ....
....
Numero di telefono: ....
Numero di fax: ....
Indirizzo E-mail: ....
Hobby e interessi: ....
....

SALUTE

❑ Non ho problemi di salute rilevanti.
❑ Ho problemi di
❑ allergia a ....
❑ altro: ....

❑ Fumo
❑ Non fumo

❑ Mangio qualsiasi cibo
❑ Sono vegetariano
❑ Non mangio ....
....

Per uso interno
Risultato del test: **scritto** .... /100
orale .... /100

13 Ascolta la conversazione e indica se le affermazioni che seguono sono vere o false.

	Vero	Falso
1 Yoko vuole imparare l'italiano perché lavora in un ristorante italiano.	☐	☐
2 Le interessano la moda e la cucina italiana.	☐	☐
3 Gioca a calcio.	☐	☐
4 Vuole vivere in Italia per studiare all'università.	☐	☐
5 Per lei la grammatica italiana non è molto difficile.	☐	☐
6 Vorrebbe imparare meglio la pronuncia, il lessico e vorrebbe imparare a scrivere.	☐	☐

lessico

1 Guarda le immagini e abbina gli oggetti alle parole.

1 2 3 4 5 6 7 8 9 10 11 12 13 14 15 16

- ☐ banco
- ☐ gesso
- ☐ penna
- ☐ registratore
- ☐ sedia
- ☐ cartina geografica
- ☐ gomma
- ☐ lavagna luminosa
- ☐ cattedra
- ☐ libro
- ☐ matita
- ☐ televisore
- ☐ lavagna
- ☐ quaderno
- ☐ armadietto
- ☐ videregistratore

2 Insieme a un compagno, scrivi il nome di

1 quattro oggetti che gli studenti usano in classe;

2 quattro oggetti che l'insegnante usa in classe;

3 quattro azioni che gli studenti fanno in classe;

4 quattro azioni che l'insegnante fa in classe.

3 Ora, sempre con un compagno, prova a eliminare la parola che non va bene.

1 Spiegare una lezione, un significato, ~~una penna~~.
2 Completare una tabella, una frase, un insegnante.
3 Abbinare una parola e un disegno, due frasi, due pronunce.
4 Tradurre i compiti, una gomma, un articolo.
5 Discutere di un libro, di un quaderno, di un problema.
6 Aggiungere una lavagna, una frase, un esercizio.

4 Abbina le domande alle risposte.

Cosa significa "gomma"? = cosa vuol dire "gomma"?

1 - Come si dice "amico" in inglese?
2 - Come si pronuncia "rosa"?
3 - Come si scrive "scuola"?
4 - Cosa significa "coltello"?

a - S-c-u-o-l-a.
b - [*roza*].
c - E' un oggetto da cucina che serve per tagliare.
d - Si dice *friend*.

5 Insieme a un compagno, cerca sul dizionario la definizione dei seguenti termini e scrivi un esempio per ognuno.

1 Aggettivo ....
2 Avverbio ....
3 Complemento ....
4 Congiunzione ....
5 Nome ....
6 Preposizione ....
7 Pronome ....
8 Soggetto ....
9 Verbo ....

abilità

1 Ascolta Michele e completa la tabella.

Età	
Studi fatti	
Interessi	
Preparazione scolastica	
Piani futuri	

2 Leggi un esempio di piano di studio. E' simile nel tuo paese?

UNIVERSITA' DEGLI STUDI DI PARMA - FACOLTA' DI LETTERE E FILOSOFIA
CORSO DI LAUREA IN LINGUE E LETTERATURE STRANIERE

Il Corso di Laurea in lingue e letterature straniere è strutturato in quattro anni suddivisi in due bienni.
Il primo biennio è comune a tutti gli studenti. Nel secondo biennio lo studente deve scegliere uno dei seguenti indirizzi:

- *indirizzo filologico-letterario*
- *indirizzo linguistico-glottodidattico*
- *indirizzo storico-culturale*
- *indirizzo in processi comunicativi*

ORDINAMENTO DIDATTICO

I anno
1. Lingua e letteratura quadriennale;
2. Lingua e letteratura triennale;
3. Storia medievale, Storia moderna o Storia contemporanea;
4. Disciplina del settore L09A:
Linguistica generale, Glottologia;
5. Disciplina del settore L09H: Glottodidattica;

II anno
1. Lingua e letteratura quadriennale;
2. Lingua e letteratura triennale;
3. Disciplina del settore L12A: Letteratura italiana;
4. Filologia della lingua e letteratura quadriennale.

III anno
Indirizzo linguistico-glottodidattico
1. Lingua e letteratura quadriennale;
2. Lingua e letteratura triennale;
3. Disciplina a scelta libera;
4. Disciplina del settore L09H: Glottodidattica II;
5. Lingua o Storia della lingua relativa alla lingua e letteratura quadriennale (in mancanza di questi insegnamenti va scelta un'altra disciplina dell'area);
6. Lingua o Storia della lingua relativa alla lingua e letteratura triennale (in mancanza di questi insegnamenti va scelta un'altra disciplina dell'area)

IV anno
Indirizzo linguistico-glottodidattico
1. Lingua e letteratura quadriennale;
2. Insegnamento a scelta libera;
3. Disciplina del settore L11A: Dialettologia italiana, Linguistica italiana, Grammatica italiana, Stilistica e metrica italiana, Storia della lingua italiana o settore M07E Filosofia del linguaggio;
4. Disciplina dei settori L11A (diversa da quella precedente), L09F, M13X: Dialettologia italiana, Linguistica italiana;
5. Grammatica italiana, Stilistica e metrica italiana, Storia della lingua italiana, Filologia baltica, Bibliografia e biblioteconomia, Storia della stampa e dell'editoria, Storia delle biblioteche, Teoria e tecnica della catalogazione e classificazione, Organizzazione informatica delle biblioteche.

L'università italiana in questi anni sta cambiando.

Ricorda che in Italia alla fine dei 4, 5 o 6 anni d'università tutti gli studenti devono scrivere una tesi di laurea.
In facoltà come Lettere e Filosofia gli studenti ci mettono mediamente circa un anno di tempo.

3 Lavora con un compagno. Discutete di possibili differenze tra l'Italia e i vostri paesi.

4 Leggi i seguenti testi sull'università italiana e rispondi alle domande.

UNIVERSITÁ E LAVORO

L'Italia nel mondo.

Nel nostro paese si possono ascoltare opinioni molto diverse sul numero dei laureati. Secondo alcuni in Italia ci sono troppi laureati, secondo altri troppo pochi. Il primo punto di vista si basa su un dato reale: non sempre la laurea protegge dalla disoccupazione. Inoltre, anche quando alla fine si trova un lavoro, la ricerca del primo impiego richiede un periodo di tempo piuttosto lungo.
Il secondo punto di vista è confermato dal confronto con la situazione di altri paesi.
In realtà, a causa delle caratteristiche del sistema formativo italiano e della lentezza con cui si è diffusa la formazione universitaria, l'Italia ha una situazione più negativa di quella di altri paesi.
Il numero di laureati tra i 25 e i 34 anni in Italia è significativamente inferiore a quello degli altri principali paesi. Il ritardo nell'introduzione delle cosiddette lauree brevi è un altro problema per l'Italia. All'estero, tranne rarissime eccezioni, i giovani possono scegliere tra corsi universitari di diversa durata. E così, a differenza del nostro paese, all'estero sono molto più numerose le persone che hanno finito un corso universitario breve. Inoltre gli studi pre-universitari da noi durano di solito un anno di più rispetto a molti altri paesi.
Dall'anno accademico 1992 - 93 molte università italiane hanno attivato corsi di diploma universitario, le cosiddette "lauree brevi". I diplomi del gruppo di ingegneria, del gruppo medico e del gruppo economico hanno richiamato il maggior numero di studenti.

I laureati e il lavoro.

Nonostante l'opinione di molti italiani, l'investimento nella formazione permette di solito un maggior successo sul mercato del lavoro: il livello di disoccupazione è fortemente legato al titolo di studio.
Più è alto il titolo di studio e migliore è il tasso di occupazione.
Ma il possesso di un titolo di studio universitario non sempre basta a garantire dal rischio di disoccupazione.
In periodi di trasformazione economica e tecnologica, la possibilità di non riuscire a trovare un'occupazione è alta per tutti i giovani che non hanno esperienza professionale.
La forte disoccupazione tra i giovani laureati, però, deriva essenzialmente da difficoltà iniziali di inserimento nel mercato del lavoro.
Infatti, in Italia come in tutti i paesi sviluppati, con il crescere del livello di istruzione cresce la possibilità di trovare un lavoro e di mantenerlo.

Adattato da Università e lavoro: statistiche per orientarsi. A cura dell'Istat.

1 Quali sono i due punti di vista degli italiani sul numero dei laureati?
2 Quali sono le differenze tra il numero di laureati in Italia e in altri paesi sviluppati?
3 Cosa sono le lauree brevi?
4 A quanti anni un giovane generalmente finisce la scuola superiore in Italia?
5 Quali problemi ha un laureato che cerca per la prima volta un lavoro?

5 Lavorate a piccoli gruppi. Quale consiglio potete dare a Michele?

6 Indovinare il significato di parole sconosciute

Quando trovi una parola che non conosci devi prima di tutto capire se è una parola fondamentale o se puoi "saltarla". Ecco alcune possibili strategie per indovinare il significato di una parola. Puoi applicarle tutte se necessario. Proviamoci insieme:

a cerca nel testo una parola che non conosci;
b poi:
1 pensa alla tua lingua. C'è una parola che le assomiglia?
2 Cerca di capire la funzione della parola nella frase. E' un nome, un aggettivo, un verbo, ecc.?
3 Qual è la parola originaria? La conosci?
4 La parola vista nel contesto continua a essere incomprensibile? O il contesto ti aiuta a capirla? Leggi la frase precedente e la successiva.

7 Cerca nel testo altre tre parole che non conosci e metti in pratica queste strategie per capirle. Se conosci altri modi per indovinare i significati delle parole, comunicali alla classe.

grammatica

Pronomi dimostrativi: *questo* e *quello*

Osserva l'esempio. Qual è l'aggettivo e quale il pronome dimostrativo?

Quel = ...

Quello = ...

Aggettivo dimostrativo: quel/quello/quella/ecc., vedi Unità 6.

	SINGOLARE	PLURALE
MASCHILE	**Questo** **Quello**	**Questi** **Quelli**
FEMMINILE	**Questa** **Quella**	**Queste** **Quelle**

1 Completa le frasi con un aggettivo o un pronome dimostrativo.

1 ....Quella.... ragazza vicino alla fermata dell'autobus è la mia fidanzata.
2 Mi scusi, posso vedere .... maglione in vetrina?
3 .... libro è mio, ... là è il tuo.
4 Sono nel corso intermedio, non in .... avanzato.
5 Signor Franchi, ... è mia sorella Luisa.
6 Guarda .... ragazzi là nel campo, come giocano bene a calcio!
7 - Mi scusi è libero .... tavolo?
- .... è occupato. .... là vicino alla finestra è libero.
8 - Quali stivali desidera provare?
- .... neri con il tacco alto.

Pronomi personali diretti (atoni)

Osserva gli esempi:

- Rino non **mi** conosce bene: non sa che sono brasiliano.

- Vedo spesso tua madre; **la** incontro al supermercato.

- In questi giorni siamo sempre a casa. **Ci** vieni a trovare?

		Singolare	Plurale
Prima persona		**Mi**	**Ci**
Seconda persona		**Ti**	**Vi**
Terza persona	maschile	**Lo**	**Li**
	femminile	**La**	**Le**
	riflessiva	**Si**	**Si**

Il complemento oggetto (diretto) risponde alla domanda: Chi? Che cosa?
- Se vedi Tommy, **lo** riconosci subito.
(**Lo** = chi riconosci subito? Tommy.)

Nella forma negativa la sequenza è sempre:
non + pronome personale + verbo

2 Rispondi alle domande.

1 - Capisci l'arabo? - No, non lo capisco molto bene.
2 - Conosci i miei genitori? - Sì, ... da tanti anni.
3 - Sai a che ora inizia la partita stasera? - No, ..., non mi interessa il calcio.
4 - Leggi spesso il giornale? - Sì, ... tutti i giorni.
5 - Vedi spesso le tue amiche? - Sì, ... tutte le settimane.
6 - Ascolti spesso la radio? - Sì, ... tutti i giorni.

3 Rispondi alle domande.

1 - Hai i libri d'inglese con te? - Sì, ce li ho
2 - Avete qui le foto delle vostre vacanze? - No, ...
3 - Hai l'indirizzo di Tom? - No, ...
4 - Hai 5 euro da prestarmi? - Sì, ...
5 - Avete la macchina? - Sì, ...
6 - Avete la patente? - Sì, ...

Davanti al verbo avere spesso si usa **ci**, soprattutto nelle risposte brevi con **sì** e **no**.

4 Completa con i pronomi.

1 Cosa fate stasera? Vi invitiamo a cena da noi, venite?
2 Parla, ... sto ascoltando!
3 Siamo noi, siamo qui, non .... vedi?
4 Questa sera ho la prima! Se vieni a teatro, ... vedi recitare.
5 Aspetta, non andare a casa da sola, ... accompagno.
6 Stiamo finendo gli esercizi. .... aspettate cinque minuti?

Al plurale non si può apostrofare li e le.

Da... a...

ore 8 • ——— • **ore 12**

- Oggi ho lezione **dalle** 8 **alle** 12.

settembre • ——— • **maggio**

- Il corso dura **da** settembre **a** maggio.

5 Di' le stesse cose in un modo diverso.

1 Oggi le lezioni iniziano alle 8 e finiscono alle 12.

Oggi ho lezione dalle 8 alle 12 .... (avere)

2 Il Giro d'Italia inizia in maggio e finisce in giugno.

.... (durare)

3 Le vacanze scolastiche in Italia iniziano in giugno e finiscono in settembre.

.... (essere in vacanza)

4 La mia pausa pranzo inizia alle 12 e finisce all'1.

.... (riposarsi)

5 In Italia solitamente i giorni lavorativi sono il lunedì, il martedì, il mercoledì, il giovedì e il venerdì.

.... (lavorare)

6 Il sabato e la domenica sono i giorni del fine settimana.

.... (durare)

Per

- Mamma, mi dai 10 euro **per** andare a mangiare una pizza?

6 Abbina le frasi di sinistra a quelle di destra.

1 Vorrei vivere a Verona
2 Vorrei vincere al Totocalcio
3 Potresti prestarmi il tuo walkman
4 Ho bisogno di 100 euro
5 Potresti prestarmi la tua macchina fotografica
6 Secondo me hai bisogno di un po' di tempo

a per ascoltare il disco che ho comprato?
b per comprare una bicicletta.
c per andare a vivere alle Maldive.
d per poter vedere molte opere all'Arena.
e per decidere cosa fare.
f per fotografare i miei compagni di corso?

Anche, neanche

Osserva le figure.

7 Rispondi con *anche* o *neanche*.

1 Stasera andiamo al cinema e voi?

....

2 Tom e John sono americani. E i tuoi amici?

....

3 La mia ragazza è italiana e la tua?

....

4 Non so l'inglese e tu?

....

5 Non andiamo mai a teatro e voi?

....

6 Esco spesso con i miei amici e tu?

....

civiltà Tutti a scuola!

1 Osserva le foto e abbina a ogni tipo di scuola la definizione giusta.

1 Scuola Elementare, 2 Università, 3 Scuola Superiore, 4 Scuola Materna, 5 Scuola Media

2 Adesso abbina le fasce di età all'istituzione scolastica, indica la durata e indica quale tipo di istruzione è secondo te, obbligatorio.

Tipo di suola	Età	Durata	Obbligo SI/NO
Scuola materna	da a anni	anni	
Scuola elementare	da a anni	anni	
Scuola media	da a anni	anni	
Scuola superiore	da a anni	anni	
Università	da a anni	anni	

11-13 anni, 18-21 anni (e oltre), 3-5 anni, 14-18 anni, 6-10 anni

3 Confronta la struttura del sistema scolastico Italiano con quello del tuo paese. Ci sono grosse differenze? Quali? Discuti con due tuoi compagni e prova a confrontare i vari sistemi scolastici.

Le scuole gestite dallo Stato (sono chiamate anche "scuole pubbliche").
Le altre scuole (ma anche alcune Università) sono chiamate "scuole private" e sono gestite da enti religiosi o da qualsiasi tipo di istituzione non dello Stato.

Istruzione universitaria:
si articola in tre livelli:

diploma universitario (corsi di 2-3 anni)
diploma di laurea (corsi di 4-6 anni)
diploma post-laurea (2-5 anni)
rilasciato da scuole di specializzazione
e da corsi di dottorato di ricerca (3-4 anni)

ISCRITTI FUORI CORSO PER 100 ISCRITTI	
1993-94	30,6
1994-95	32,9
1995-96	34,3
1996-97	34,8
1997-98	36,3

I dati si riferiscono agli iscritti ai soli corsi di laurea.

Fonte: L'Italia in cifre, ISTAT, 2000

TITOLI DI STUDIO DEGLI ITALIANI (1997)

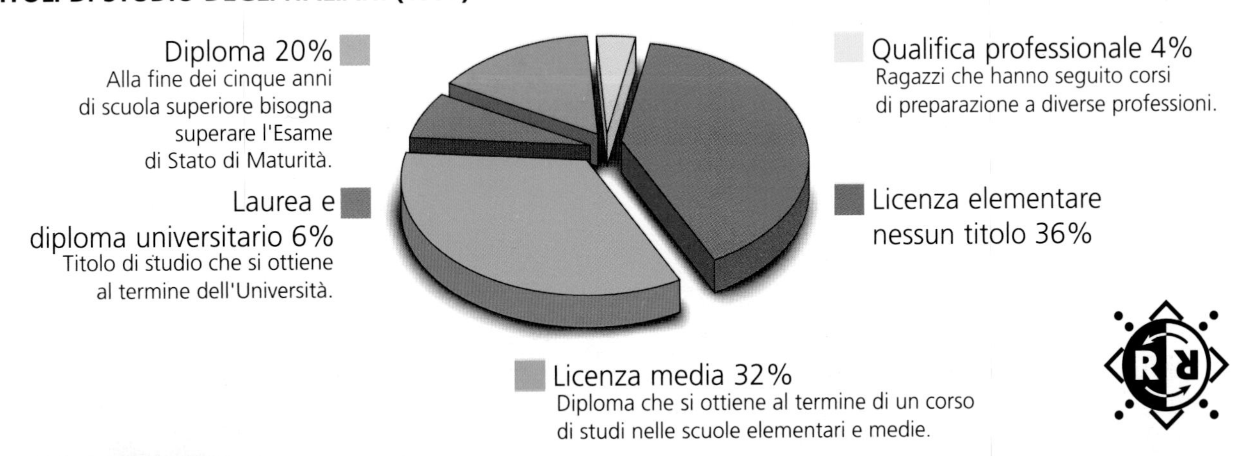

- **I suoni** /ts/ ***z***io; /dz/ ***z***an***z***ara
- Intonazione per esprimere stati d'animo: *rabbia*

1 Ascolta le parole.

lezione	pranzo	negozio	zona	calze
mezzo	zio	azzurro	zucchero	melanzana

Come nel caso di /s/ /z/ («esse» sorda/sonora)
anche per /ts/ /dz/ («zeta» sorda/sonora)
ti può succedere di ascoltare pronunce diverse per la stessa parola, ad es. /'tsukkero/ o /'dzukkero/.
Tutte e due le pronunce della lettera "z" sono considerate accettabili. Se non sei sicuro della pronuncia di una parola puoi controllare sul dizionario.

2 Ascolta di nuovo le parole e sottolinea quelle che contengono il suono /dz/,«zeta sonora».

3 Ascolta la frase evidenziata, è pronunciata in quattro modi diversi che corrispondono a diversi stati d'animo. Ordina queste intonazioni dalla più neutra a quella che esprime più rabbia.

La Schiavi, io non la sopporto!

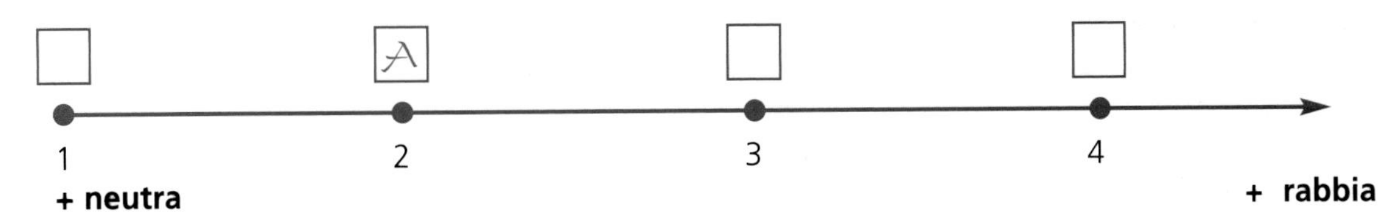

sommario

 **1 Abbina le frasi o espressioni alla descrizione sotto.**

1 Accidenti!
2 La tua penna è lì, sul banco.
3 Studio l'italiano per trovare un lavoro in Italia.
4 Neanch'io.
5 Anch'io.
6 Come si dice amico in inglese?
7 Si dice *friend*.
8 Come si scrive *scuola*.
9 S-C-U-O-L-A.
10 Come si pronuncia *rosa*?
11 [roza].
12 Lo spettacolo dura dalle 20 alle 22.30.
13 Cosa significa *coltello*?
14 E' un oggetto da cucina che serve per tagliare.

Parma, Battistero.

In questa unità abbiamo imparato a:

- [ ] **a** indicare gli oggetti ....
- [ ] **b** chiedere come si dice una parola o espressione ....
- [ ] **c** dire come si dice una parola o espressione ....
- [ ] **d** chiedere come si scrive una parola o espressione ....
- [ ] **e** dire come si scrive una parola o espressione ....
- [ ] **f** chiedere cosa significa una parola o espressione ....
- [ ] **g** dire cosa significa una parola o espressione ....
- [ ] **h** esprimere accordo in frasi affermative ....
- [ ] **i** esprimere accordo in frasi negative ....
- [ ] **l** esprimere la durata ....
- [ ] **m** esprimere il fine ....
- [ ] **n** esprimere disappunto o sorpresa ....
- [ ] **o** chiedere come si pronuncia una parola o espressione ....
- [ ] **p** dire come si pronuncia una parola o espressione ....

Parma, Duomo.

1 **Nel diagramma sono nascoste otto definizioni di parti della frase. Trovale e scrivile dando un esempio.**

A	C	O	N	G	I	U	N	Z	I	O	N	E	A	S	S	A
R	F	D	A	R	T	I	C	O	L	O	G	V	S	A	N	T
F	V	S	F	U	N	A	I	M	I	C	A	C	D	S	A	A
G	E	A	E	J	O	U	S	B	B	U	D	A	L	O	E	T
T	R	B	D	M	L	O	R	V	C	I	O	G	G	G	A	I
A	B	N	T	A	N	E	R	A	B	E	O	C	V	G	A	D
G	O	B	U	M	V	R	T	A	E	R	E	G	G	E	A	V
G	C	N	U	V	A	S	E	I	U	M	C	A	B	T	E	E
E	T	I	A	H	A	T	R	I	O	H	G	A	B	T	A	A
T	I	U	I	C	T	U	N	N	A	L	L	A	E	O	U	I
T	O	T	N	A	S	R	O	T	C	D	A	U	E	A	U	I
I	L	A	M	M	A	R	M	S	C	H	E	A	T	E	G	L
V	S	L	A	A	P	R	E	P	O	S	I	Z	I	O	N	E
O	**P**	**O**	**S**	**S**	**E**	**S**	**S**	**I**	**V**	**O**	S	I	U	R	A	S

Mio							
Agg. pos.							

..... / 7

2 **Osserva le vignette e completale come nell'esempio.**

1 - Quali preferisce? - Prendo .questi.....

2 - Va bene ....? - No, preferisco ....

3 - Quali ti piacciono? - Io sarei per ....

4 - Scusi è .... l'autobus per piazza Cavour? - No, signora, le conviene prendere ...., il 47.

5 - Chi è Francesca? - È .... in piedi sulla destra.

6 - Conosci .... ragazzi? - Certo, sono .... che lavorano al bar della scuola.

7 - Chi sono Robert e Margit? - Non ti ricordi? Sono .... amici di Amburgo che studiano a Perugia.

..... / 9

3 **Elimina la parola che non c'entra.**

1 di - mi - per - su
2 i - vi - suoi - lo
3 do - va - è - di
4 sopra - sulla - sotto - dentro

..... / 4

4 Leggi il seguente dialogo e completa la griglia come nell'esempio.

Elena: - Ciao Franco, allora come va il tuo corso di lingua?
Franco: - Ciao Elena, insomma, faccio un po' fatica, la grammatica non mi piace molto...
E: - Però senza grammatica come fai?
F: - Bah! Io vorrei solo fare conversazione, gli errori magari li correggi con il tempo, intanto però parli, comunichi e stai insieme agli altri...
E: - Io non sarei capace di fare come te. Io se non conosco tutte le regole di grammatica ci penso cento volte prima di dire due parole.
F: - E allora come fai? Ripeti tutte le forme dei verbi e dei pronomi fino a quando non le sai a memoria? Mi sembra un sistema così noioso! E poi se fai così quando cominci a parlare?
E: - Non so cosa dirti. Io prima ho bisogno di seguire la spiegazione alla lavagna e leggere gli schemi sul libro.
F: - E magari poi li ripeti a voce alta.
E: - Sì, proprio così!
F: - Io no. Di solito cerco subito di leggere un testo.
E: - Ma se non capisci tutte le parole come fai?
F: - Non è tanto importante capire tutto subito. All'inizio quello che conta è comprendere il significato in generale, quello che il nostro professore chiama il "contesto". Magari cerchi una parola chiave per capire di cosa si sta parlando e poi cominci a leggere più attentamente, facendo attenzione alle parole che non conosci.
E: - Forse è come dici tu, però io devo guardare il dizionario ogni secondo, altrimenti ho l'impressione che non capisco un accidenti!
F: - Ti consiglio di fare come faccio io. Ascolta bene e cerca di ripetere quando parli con gli altri quello che senti a lezione, io di solito ascoltando mi ricordo abbastanza.
E: - Figurati, io se non scrivo e non mi faccio delle schede non ricordo proprio nulla!
F: - Beh! Sembra proprio che abbiamo due metodi di studio molto diversi!

	Pratica/o	Creativa/o	Riflessiva/o	Ha paura di sbagliare	Prende appunti	Preferisce ascoltare	Preferisce vedere	Presta attenzione globale o selettiva	Cerca di memorizzare tutto
Elena	×								
Franco									
E tu come sei?									

..... / 10

5 Un istituto di lingua italiana per stranieri sta cercando di conoscere i bisogni e le necessità degli studenti per migliorare il proprio servizio. Ricevi una scheda da compilare. Scrivi quali sono le tue opinioni.

Aule e gruppi di studio	Metodo di insegnamento	Insegnanti	Testi, metodi, tecnologie	Attività extra-scolastiche

..... / 10

NOME:
DATA:
CLASSE:

totale ..... / 40

1 Ti ricordi i colori?

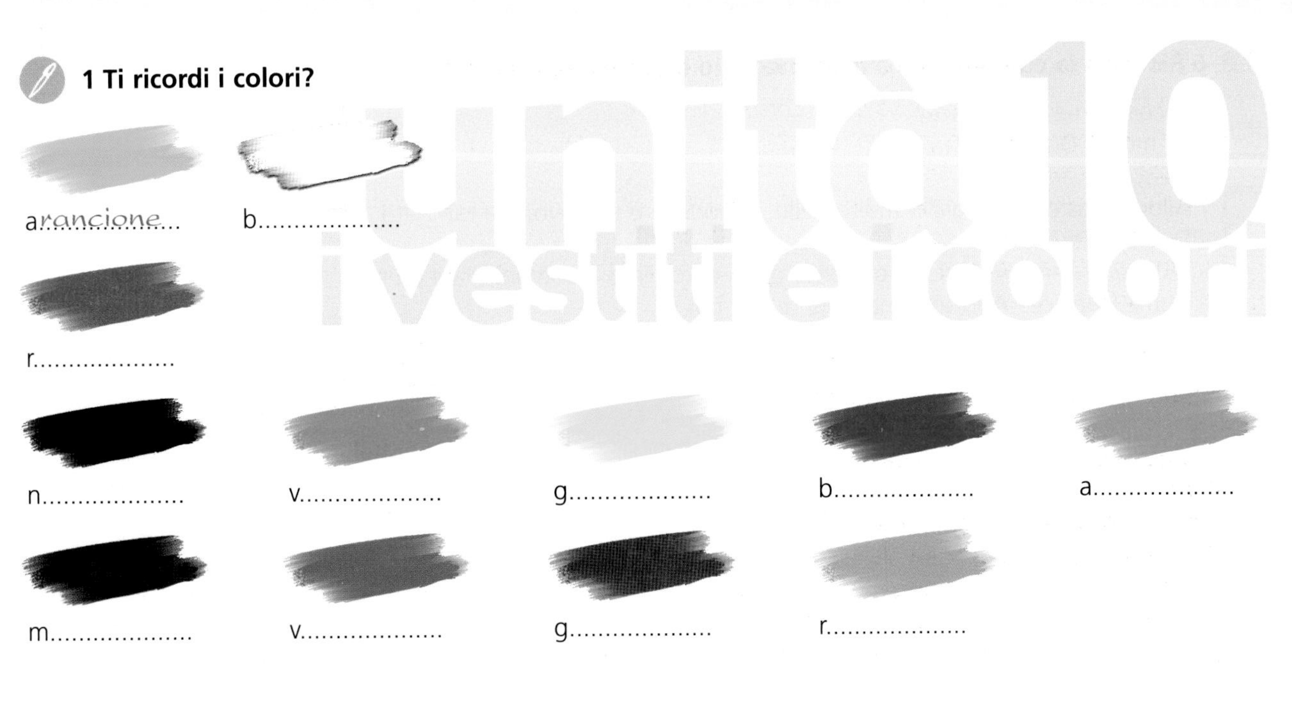

2 Ascolta e controlla se i colori che hai scritto vanno bene.

3 E con i nomi dei vestiti come te la cavi? Trova i vestiti nella figura.

pantaloni, gonna, camicia, maglione, giacca, cappotto, vestito da uomo, cravatta, calze, scarpe, stivali, maglietta, impermeabile, jeans, cappello

4 Ascolta le descrizioni e trova le persone.

5 Insieme a un compagno, a turno uno descrive una persona della figura e l'altro cerca d'indovinare chi è.

Esempio: Questa persona porta/indossa…

6 Riordina la conversazione in un negozio d'abbigliamento.

☐ - Secondo me sì. Le piace?
☐ - Sì, molto. Quanto costa?
☐ - Posso provarlo?
☐ - Allora questo. E' un giallo molto bello, il modello è sportivo, ma raffinato allo stesso tempo.
☐ - Sì, è per Lei?
☐ - 75 euro... Però Le faccio uno sconto di 15 euro. Fino a domani ci sono i saldi.
☐ - Come Le piace? Abbiamo maglioni di vari tipi.
☐ - Le faccio provare questo che mi sembra adatto per Lei. Che taglia porta?
☐ - Porto una M solitamente. Però quello non mi piace, vorrei un colore forte, caldo.
☐ - Buonasera Signora. Desidera?
☐ - Certamente.
☐ - Mi sta bene?
☐ - Dunque, vorrei un maglione a tinta unita, di colore non scuro anzi abbastanza chiaro, con un disegno un po' moderno.....
☐ - Va bene, lo prendo.
☐ - Sto cercando un maglione.
☐ - Sì è per me.

Alla scoperta della lingua

Osserva la costruzione del verbo **piacere**. Come funziona? Qual è il soggetto? La persona, in questo caso **mi** è il soggetto?

Alla scoperta della lingua

Quale parola si usa in italiano per prendere tempo, per riflettere un momento prima di cominciare a parlare?
Cerca nel dialogo la risposta e poi scegli fra le parole seguenti:
dunque, se, ma, forse.

7 Ascolta la conversazione e controlla il tuo ordine.

8 Ascolta le registrazioni e completa la tabella.

Giovanni	**GLI PIACE**	**NON GLI PIACE**

Valeria	**LE PIACE**	**NON LE PIACE**

9 Scrivi delle frasi con i dati della tabella.

Esempio: A Giovanni non piace vestirsi elegante e non gli piacciono i colori forti.

10 A coppie, parlate di cosa vi piace mettere in queste occasioni:

a teatro; per l'ultimo dell'anno; al ristorante; in discoteca;
al lavoro; a scuola; a un matrimonio; per una gita in campagna.

11 Scrivi il dialogo seguendo le istruzioni nello schema.

In un negozio d'abbigliamento.

Saluta la cliente e offre assistenza.
→ Vuole comprare un vestito da sera.

Chiede che tipo di vestito desidera.
→ Spiega come lo vuole.

Le chiede la taglia e le mostra un vestito che ha le caratteristiche richieste.
→ Chiede di provarlo.

Le mostra il camerino.
→ Chiede se le sta bene.

Le spiega che il vestito le sta molto bene e che il colore è molto bello e elegante.
→ Chiede il prezzo.

Le dice il prezzo e propone uno sconto perché ci sono i saldi.
→ Chiede di poter pagare con carta di credito.

Accetta il pagamento con carta di credito. Ringrazia e saluta.
→ Saluta.

12 Sei un bravo commesso o un ottimo cliente, o nessuno dei due?

A coppie, create oralmente dei dialoghi simili a quello dell'esercizio 11.

lessico

1 Fa' una lista dei vestiti che conosci completando la tabella.

Sopra la vita	Sotto la vita
maglietta	gonna

2 Completa la tabella con i colori.

Nero/a/i/e	Verde/i	Viola

3 In italiano si usano molte parole straniere per definire i vestiti, ma non solo. A piccoli gruppi, a turno spiegate le parole del riquadro che conoscete.

Esempio: collant. Sono calze lunghe da donna trasparenti, solitamente velate. Possono essere di vari colori.

collant, body, jeans, t-shirt, foulard, shopping, boutique, tailleur, trench, boxer, slip, pullover, pile

abilità

inferire

Per cercare di dedurre informazioni, ad esempio dal titolo di un articolo di giornale, prima di leggere l'articolo, è importante utilizzare le proprie conoscenze non solo linguistiche, ma spesso anche culturali. Questo può facilitare la comprensione della lingua.

1 Quali informazioni vi danno i titoli? A piccoli gruppi rispondete alla domanda.

Fidel, 73 anni di solitudine?

Fiere di Parma
Modernariato nel nome del kitsch e del liberty.

PIÙ IVA SULLE SUPERMACCHINE.

Il Quirinale ricambia gli auguri del capo dell'Eliseo.

WALL STREET IN CALO, CROLLA PIAZZA AFFARI.

Valentino e Armani nella Treccani.

2 Ora, andate a pag. IX e controllate alcune informazioni.

3 A coppie, leggete il titolo dell'articolo. Secondo voi di cosa parla?

Biondo morbido, rosso grintoso e nero sensuale: per la primavera vincono i colori, purché siano naturalissimi, luminosi e in perfetta armonia con lo stile di una donna.

SUPER COLOR

Da insegnante in seminari di acconciature a titolare di un salone nel centro di Verona. L'attività di Mario Bellamolli si divide così, con tanto entusiasmo, professionalità ed esperienza. "Faccio questo mestiere da più di trent'anni, mi piace, mi appassiona e lo considero una storia infinita: quando sembra che non ci sia più niente da inventare ecco che tutto ricomincia. Il segreto. Non avere idee fisse e possedere curiosità e creatività". Doti che a Bellamolli non mancano, come non mancano alla sua équipe, valida e disponibile. "Nel mio salone sono affiancato da mia moglie Stella, esperta di make-up, così possiamo dare a una donna una consulenza globale: i tagli, le nuove pettinature, ma anche il trucco. Oppure qual'è il trattamento viso o corpo che meglio funziona per lei".
Così, oltre al reparto capelli, Bellamolli ha voluto aprire una profumeria e una bigiotteria all'interno del negozio. Fascino totale, quindi, dove ogni particolare è curato la massimo. Il taglio deve essere ineccepibile, colorazione e permanente devono rispettare i capelli ed essere assolutamente naturali.

Il colore, per esempio, è una mia grande passione peraltro condivisa dalla stragrande maggioranza delle donne. Con la primavera la voglia di cambiare si fa sentire molto di più e la colorazione può soddisfare questo desiderio. Quale colore consiglio? Non solo uno. Bisogna vedere a che donna è destinato. Può andare bene il biondo, morbido e delicato, il rosso pieno di grinta e di sorpresa, il nero, profondo e sensuale. E anche il castano quando è luminoso: lo consiglio a chi vuol cambiare, ma non troppo. Insomma, la mia collezione è multicolor, ma assolutamente sicura ed elegante.

da "AMICA" 8_04_1995

4 Adesso, da solo, leggi la prima parte dell'articolo e rispondi alle domande.

1 Che lavoro fa il Sig. Bellamoli? ....

2 Gli piace il suo lavoro? Perché? ....

3 Cosa c'è all'interno del negozio? ....

5 Quali aggettivi, nomi, azioni associ ai diversi colori? Parlane con un compagno.

Ad esempio in Italia si dice: verde = speranza.
E per voi?

6 Leggete la seconda parte dell'articolo. Siete d'accordo con il titolare del salone?

7 Ascolta l'intervista a una parrucchiera e rispondi alle domande.

1 Con chi lavora Deborah?

....

2 Perché le piace il suo lavoro?

....

3 Per i capelli, quale colore è di moda quest'anno?

....

4 Quale colore è sempre di moda per i capelli?

....

5 A cosa bisogna stare attenti quando si hanno i capelli molto colorati?

....

grammatica

Pronomi personali indiretti (atoni)

Osserva gli esempi:
- **Mi** dai per favore il tuo numero di telefono?
- Vedo spesso Lara e **le** parlo sempre di te.
- Da piccoli, il nonno **ci** raccontava sempre storie affascinanti.

		SINGOLARE	PLURALE
Prima persona		**Mi**	**Ci**
Seconda persona		**Ti**	**Vi**
Terza persona	*maschile*	**Gli**	**Loro/gli**
	femminile	**Le**	**Loro/gli**
	riflessiva	**Si**	**Si**

Il complemento di termine (indiretto) risponde alla domanda: a chi? A che cosa?
- Quando vedo Piero, **gli** devo dare il suo libro. (**Gli** = a chi devo dare il libro? A Piero.)

Queste forme si usano con il complemento indiretto **senza** preposizioni.

Tutti questi pronomi vanno prima del verbo (nel modo che conosci finora: l'indicativo), solamente **loro** va dopo.

- Se gli studenti non studiano abbastanza, molti professori danno **loro** più compiti.

Per la terza persona plurale nell'italiano moderno si utilizza molto spesso **gli** e non **loro** sia per il maschile che per il femminile.
- Se senti i tuoi genitori, **gli** puoi augurare buon anno da parte mia?

Nella forma negativa la sequenza è sempre: **non + pronome personale + verbo.** Tranne che con **loro.**
- Hai chiamato Luigi?
- No, sono molto arrabbiata con lui; **non gli parlo** da due settimane.

1 Sostituisci i nomi in corsivo con i pronomi.

1 Devo parlare *a Pietro* urgentemente.
Gli devo parlare urgentemente.

2 Ogni anno per Natale compro un regalo *a mia mamma e a mia nonna*.
....

3 Quest'anno regalo *a mia mamma* un telefono cellulare.
....

4 Prima di dormire do sempre un bacio *a mio figlio*.
....

5 Oggi telefono *a te e a Sara* per invitarvi a cena.
....

6 Quest'anno la ditta non dà *a me e ai miei colleghi* nessun aumento di stipendio.
....

Alcuni verbi che conosci vogliono la preposizione
A + nome di persona o cosa (1), spesso assieme a un complemento diretto (2):
- Per favore, puoi chiedere **a** Carlo (1) l'indirizzo (2) di Shariff?

chiedere, comunicare, dare, dedicare, dettare, dire, indicare, insegnare, inviare, lasciare, mandare, mostrare, offrire, ordinare, portare, presentare, prestare, promettere, proporre, raccontare, ripetere, rispondere, scrivere, spiegare, suggerire, vendere.

Altri verbi che conosci vogliono la preposizione
A + nome di persona o cosa ma non possono essere seguiti da un complemento diretto:
- Tutti i giorni penso **ai** miei amici lontani

assomigliare, credere, parlare, pensare, piacere, telefonare.

2 Correggi gli errori se necessario.

1 Oggi parlo con Luigi e le dico cosa penso di lui.
Oggi parlo con Luigi e gli dico cosa penso di lui.

2 Quando vedi Carla, gli dici per favore che la chiamo presto?
....

3 Ho promesso ai miei studenti che domani gli porto i risultati dell'esame.
....

4 Quando arriva Carlo, gli faccio vedere le foto delle vacanze.
....

5 Devo fare un regalo a mia cugina. Forse gli prendo un gatto.
....

6 Domani vado dai tuoi genitori a pranzo. Cosa ne dici se porto loro una bottiglia di vino?
....

3 Completa le frasi con un pronome.

1 Quando ho degli amici a casa, ...gli..... offro sempre qualcosa da bere.
Le *Ci* *Li* *Gli*

2 Se scrivi a tuo padre, ... potresti dire che sto bene?
Vi *Ci* *Gli* *Le*

3 Se veniamo da voi, ... fate vedere le diapositive del mare?
Lo *Ci* *Mi* *Vi*

4 ....presti il dizionario? Ne ho bisogno per dieci minuti.
Ci *Mi* *Gli* *Le*

5 Se .... scrivi il tuo indirizzo, ... mando una cartolina dal Senegal.
Vi/gli *Ti/le* *Ti/mi* *Mi/ti*

6 Leggo spesso sul giornale articoli su Marguerite Yourcenar, ma non .... conosco bene.
Lo *Le* *La* *Gli*

7 Ti ricordi Massimo? Sai, ... vedo sempre in piscina.
Gli *Loro* *Li* *Lo*

8 Sai che da Giordano fanno degli spaghetti buonissimi? .... mangio tutte le volte che ci vado.
Li *Lo* *Ci* *Gli*

4 Completa la conversazione con i pronomi necessari.

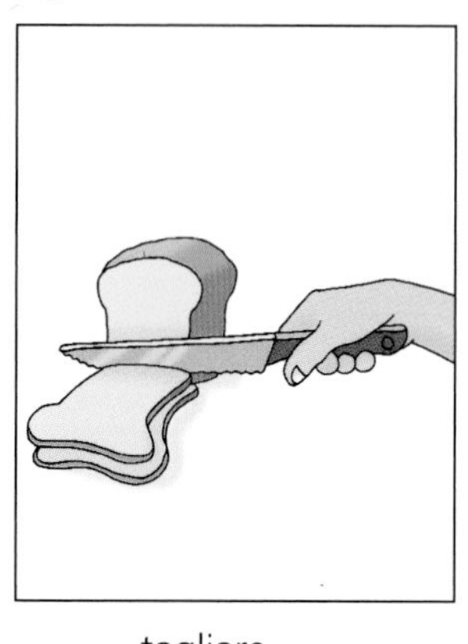
tagliare

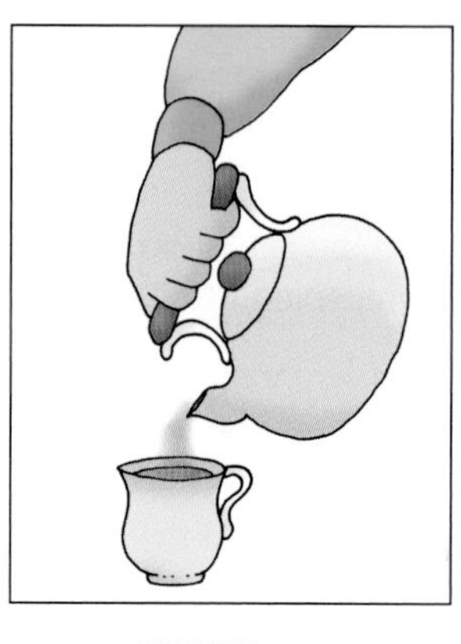
versare

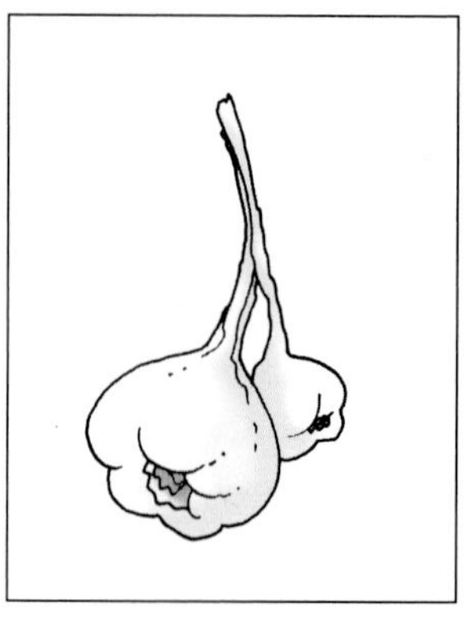
aglio

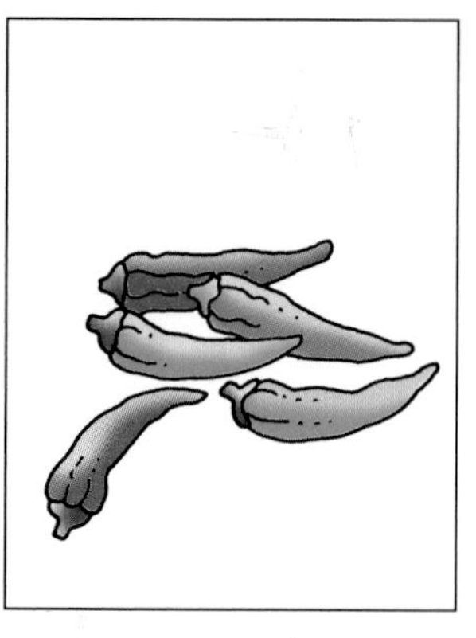
peperoncino

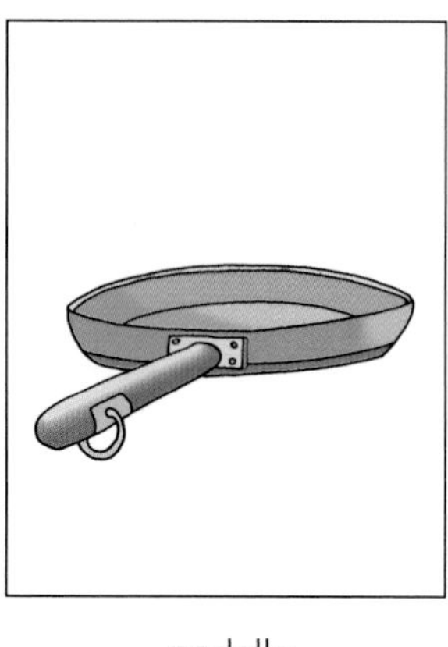
padella

pentola

cuocere

bollire

Renato: Ciao Lucia, cosa fai qui in cucina? ...Mi... trovi al lavoro. Sto preparando la cena per te e i tuoi amici. ...2... piacciono gli spaghetti aglio, olio e peperoncino?

Lucia: Penso di sì. Non ...3... so. Non ...4... ho mai mangiati.

Renato: Vieni ...5... insegno come si fanno.

Lucia: Dai, voglio vedere! ...6... interessa molto imparare qualche ricetta italiana.

Renato: Dunque, prima cosa: gli ingredienti. Abbiamo bisogno di aglio, olio, sale, peperoncino e... spaghetti naturalmente. Guarda lì se abbiamo tutte queste cose, per favore.

Lucia: Sì, ce...7...abbiamo tutte.

Renato: Siamo pronti?

Lucia: Aspetta, prendo un foglio e una penna e ...8... scrivo la ricetta.

Renato: La ricetta è semplice. Dunque, prima cosa: prendo l'aglio e ...9... taglio in fettine sottili, poi ...10... metto in una padella con un po' d'olio e ...11... faccio dorare. In una pentola faccio bollire molta acqua con il sale per gli spaghetti e quando bolle ...12... metto nella pentola. Dopo....

Lucia: Aspetta sto ancora scrivendo, se no poi non ...13...... ricordo più.

Renato: Dunque, ...14... stavo dicendo... Attenzione gli spaghetti devono essere al dente. Non ...15... devi fare cuocere troppo.

Lucia: E con l'aglio cosa faccio?

Renato: Aggiungi il peperoncino e ancora un po' d'olio e poi ...16... versi sugli spaghetti. ...17...... mescoli bene e poi sono pronti per essere mangiati.

Lucia: E' una ricetta che ...18... piace, sembra facile e veloce. Ma e Camilo? Non ...19... piacciono le cose piccanti!!!

Renato: Accidenti!! Beh, ...20...... facciamo gli spaghetti al burro. O ha anche il colesterolo alto?

Piacere

Osserva gli esempi: qual è il soggetto?

- Mi **piacciono** moltissimo i viaggi in paesi lontani.

- A mio fratello **piace** molto la cucina italiana.

Mi	
Ti	
Gli/le	**piace** la pizza
Ci	**piacciono** i libri gialli
Vi	
Loro/gli	

I pronomi tonici a me, a te, ecc.: Unità 13.

5 Fa' delle domande.

1 - ...Ti piace la birra?... (birra)?
- Abbastanza, ma preferisco la coca cola.

2 - .... (vacanze/mare)?
- Non molto, preferisco la montagna.

3 - .... (andare in discoteca)?
- A volte sì.

4 - .... (spaghetti)?
- Preferisco le lasagne.

5 - .... (ragazzi biondi)?
- Sì, anche se preferisco i mori.

6 - .... (programmi televisivi)?
- I film.

Fino a

6 Scegli l'espressione giusta.

1 Lavoro sempre ....fino alle...... 7 di sera.	*Dalle... alle*	*Per*	*Alle*	*Fino alle*
2 Stasera la nazionale italiana gioca ...... 8 ...... 9.45 circa.	*Fino alle*	*Alle*	*Dalle...alle*	*Dalle*
3 Sono in ferie .... venerdì.	*Fino a*	*Per*	*Da...a*	*Nel*
4 Compio gli anni .... ottobre.	*Da*	*In*	*Per*	*Fino a*
5 Oggi è .... 6 di gennaio, la festa della Befana.	*In*	*Fino a*	*Da*	*Il*
6 Studio italiano .... quando avevo 15 anni.	*Da*	*Fino a*	*Durante*	*In*
7 Sto facendo un corso di ceramica .... 4 mesi.	*Fra*	*Fino a*	*Da...a*	*Per*
8 Il nostro nuovo libro non esce .... anno prossimo.	*Fino all'*	*Dall'*	*Tra l'*	*All'*

fonologia

- dittonghi, trittonghi e loro ortografia (suoni /j/ + voc. ***i***eri; /w/ + voc. ling***u***a voc. +/i/ le***i***; voc. +/u/ pa***u***sa)
- Intonazione per esprimere stati d'animo: *sorpresa*

1 Ascolta le parole e ripeti.

2 Ora scrivi le parole dell'attività precedente nella casella corretta.

	/i/	/e/	/ɛ/	/a/	/ɔ/	/o/	/u/
/j/+ vocale		grazie					
/w/+ vocale			sequenza				
vocale + /i/							cui
vocale + /u/		Europa					

3 Ora ascolta le parole. Se non hai completato l'attività precedente puoi farlo ora.

4 Metti in ordine questi brevi dialoghi.

A

a - Ciao Pietro!
b - Questo è per te!
c - Cristina è incinta!
d - Sai che Tommaso si è rotto una gamba?
e - Ho vinto alla lotteria!

B

1 - Non lo sapevo! Che bello!
2 - Che fortuna!
3 - Che bello! Grazie!
4 - Ma come ha fatto?
5 - Marco, che piacere!

5 Ascolta i dialoghi dell'attività precedente e correggi gli errori.

civiltà L'Italia dei colori.

Culture a confronto **Cosa sai dei colori di mezzi pubblici, telefoni, ambulanze, autobus, documenti, ecc. in Italia? A coppie, guardate le foto. Di che colore sono in Italia queste cose? E nel vostro paese?**

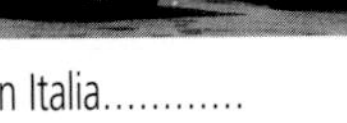

in Italia...........
nel vostro paese.................

in Italia...........
nel vostro paese.................

in Italia...........
nel vostro paese.................

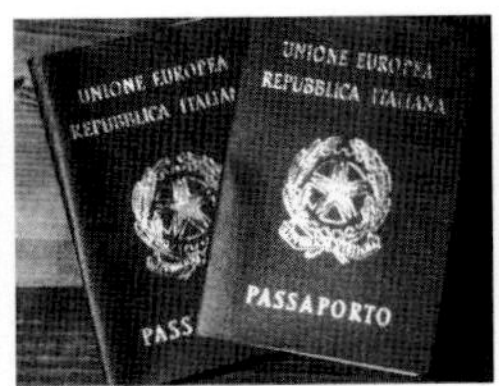

in Italia...........
nel vostro paese.................

in Italia...........
nel vostro paese.................

in Italia...........
nel vostro paese.................

in Italia...........
nel vostro paese.................

in Italia...........
nel vostro paese.................

in Italia...........
nel vostro paese.................

Telefonare.
Si possono comprare le carte telefoniche nelle tabaccherie, mentre solo pochi apparecchi funzionano ancora con le monete. Ogni città italiana ha un prefisso teleselettivo che è obbligatorio comporre sempre anche se si telefona a un numero della stessa città.

Numero che indica la città che si vuole chiamare.

Si possono comprare carte telefoniche che si trovano nelle tabaccherie, nelle edicole, presso gli uffici postali e nei distributori automatici nelle stazioni ferroviarie, negli aeroporti e negli ospedali.

E se non conosci il numero da chiamare?
Puoi chiamare il 12, è sufficiente dire nome e cognome e indirizzo della persona\ditta\istituzione e avrai il numero telefonico: se chiami da un telefono pubblico questa chiamata è gratis.

Tutti questi numeri sono gratuiti.

sommario

1 Abbina le frasi o espressioni alla descrizione sotto.

1 Che taglia porta?
2 Ti piace andare al mare?
3 Di solito porto la M.
4 Sì, ma preferisco la montagna.
5 Sì, mi piace molto.
6 Un maglione a tinta unita con un disegno moderno.
7 E' un giallo molto bello.
8 Il modello è sportivo, ma raffinato allo stesso tempo.
9 Questa persona porta sempre vestiti eleganti.
10 Devo studiare fino alle 10 di stasera.

In questa unità abbiamo imparato a:

[2] **a** chiedere ciò che piace ....
[ ] **b** dire ciò che piace ....
[ ] **c** esprimere preferenze ....
[ ] **d** descrivere l'abbigliamento di una persona ....
[ ] **e** parlare di vestiti ....
[ ] **f** parlare di colori ....
[ ] **g** parlare di forme e modelli per i vestiti ....
[ ] **h** chiedere la taglia ....
[ ] **i** dire la propria taglia ....
[ ] **l** esprimere il momento finale di un'azione che dura nel tempo ....

Fienze, Piazza della Signoria.

1 In questo dialogo, oltre all'esempio, ci sono altri dieci 10 errori. Trovali e scrivi la forma corretta nello spazio a fianco.

Commessa: - Buongiorno signora, ***ti*** posso aiutare? ....La..........

Cliente: - Grazie, sto cercando un vestito per mio marito. ....

Com: - Ha già qualche idea? ....

Cl: - Veramente no, sono molta incerta. ....

Com: - Di solito come ci veste suo marito? ....

Cl: - Non è un tipo troppo formale, però le piace vestirsi con una certa cura. ....

Com: - Abbiamo alcuni modelli sportivi che potrebbero andare bene. Ad esempio le piace questi? ....
La qualità della stoffa è molto buona e il taglio è molto moderno. ....

Cl: - Sì, non è male, però non mi piacciono il colore, mi sembra troppo chiaro
e poi lui non sopporta il marrone. ....

Com: - Non si preoccupi, ne abbiamo di vari colori. Le piace quei verde scuro? ....

Cl: - Ecco, questo non è male ....

Com: - Che taglia porta suo marito? ....

Cl: - Di pantaloni ha il 54 e per la giacca preferisce sempre una extra large, lo piace vestirsi
un po' largo. ....

Com: - Allora questo dovrebbe andare bene. Comunque conservi lo scontrino, così se non va
bene lo può sempre cambiare. ....

Cl: - D'accordo gli prendo. Quanto le devo? ....

Com: - Questo viene 200 euro. ....

Cl: - Mi sembra piuttosto caro. Mi fa un po' di sconto? ....

Com: - Mi dispiace signora, ma non può. Noi non facciamo sconti, i suoi prezzi sono fissi. ....

Cl: - Pazienza. Lo prendo lo stesso. ....

..... / 10

2 Completa il testo con le espressioni di tempo: *in - fino a - da - da... a... - dalla... alla - per.*

.... dicembre .... gennaio, ... le vacanze di Natale, molti negozi in Italia sono aperti tutti i giorni, anche la domenica, con orario continuato .... 9 .... 19.30, e tutti comprano di tutto per fare i regali a parenti e amici. La gente oggi cerca sempre di fare dei regali utili e spesso compra capi di abbigliamento. In verità sarebbe meglio aspettare, perché subito dopo le feste, di solito .... metà gennaio, iniziano i saldi, quando cioè i negozi vendono a prezzi più bassi; questo periodo dura normalmente un mese, ... metà febbraio. Ad ogni modo, ... inverno o .... estate, per rinnovare il proprio guardaroba sarebbe sempre meglio aspettare i saldi di fine stagione, facendo comunque attenzione a non confondere i saldi con le vendite promozionali, che possono esserci .... ogni periodo dell'anno.

..... / 10

3 Metti in ordine le frasi.

1 non – vestiti – Francesca – troppo – a – piacciono – stretti – i

....

2 la - Luisa - se - cucina - cava - in – bene – molto

....

3 la - pantaloni - camicia - le - i - neri - con - verde – piacciono

....

4 al - non - un - cappotto - verde- è – perché – compra – nuovo - Marta

....

..... / 4

4 a Le seguenti istruzioni sono mescolate. Riscrivile nella tabella sotto la vignetta corrispondente come nell'esempio. Fa' attenzione, tre non c'entrano.

- **a** Comporre il numero desiderato
- **b** Validità un'ora
- **c** Convalidare la corsa
- **d** *Introdurre la carta*
- **e** *Inserire la scheda*
- **f** Scegliere il contante desiderato
- **g** Riagganciare per ritirare il resto
- **h** Digitare il vostro codice
- **i** In caso di smarrimento contattare il numero verde
- **l** Attendere il segnale
- **m** Ritirare il denaro entro 30 secondi
- **n** Comporre il prefisso desiderato
- **o** Ritirare lo scontrino
- **p** Utilizzabile su tutta la rete urbana

d Introdurre la carta	**e** Inserire la scheda

4 b Le tre istruzioni che non c'entrano a che cosa si riferiscono?

....

..... / 13

5 Osserva queste vignette e descrivi i personaggi, come sono vestiti, che età potrebbero avere e cosa potrebbero fare nella vita.

Franco Neri

Gianna Ferri

Paolo Scarpa

Rita Zanni

..... / 12

NOME:	
DATA:	
CLASSE:	

totale ..... / 50

1 Lavora con un compagno. Immaginate una breve descrizione di Anna e scrivetela. Date informazioni sui seguenti punti:
età, lavoro, famiglia, interessi/hobby/attività del tempo libero.

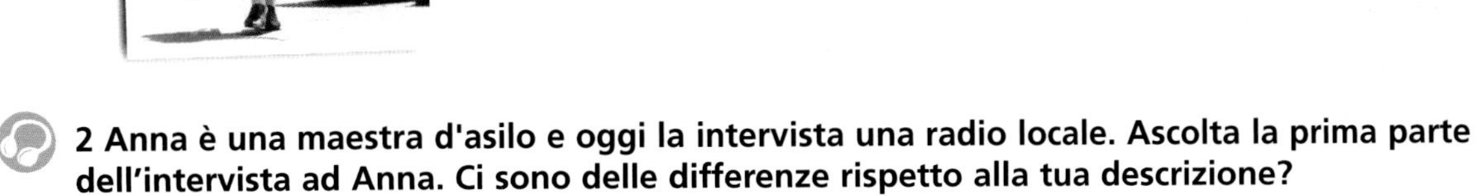

2 Anna è una maestra d'asilo e oggi la intervista una radio locale. Ascolta la prima parte dell'intervista ad Anna. Ci sono delle differenze rispetto alla tua descrizione?

3 Ascolta nuovamente l'intervista. Di quali attività del tempo libero parla Anna?

1 ....Sciare.................................... 2 ....
3 .... 4 ....
5 .... 6 ....
7 .... 8 ....

4 Come trascorrono il tempo libero le persone della tua età nel tuo paese? Cosa fai tu di solito, cosa fanno i tuoi amici? Confronta la tua esperienza con quella di un compagno. Usate alcuni degli aggettivi del riquadro per descrivere ciò che fate.

emozionante, interessante, noioso, facile, difficile, creativo, caro, a buon mercato, rilassante, divertente, pericoloso, intelligente

5 Molti trascorrono il loro tempo libero in centri dove possono stare tranquilli. Leggi il dépliant del *Centro Natura e Salute*. Sottolinea le attività che vorresti fare.

6 Ascolta la seconda parte dell'intervista ad Anna. Decidi se le affermazioni sono vere o false.

	Vero	Falso
1 La storia è accaduta 10 giorni fa.	☐	☐
2 Anna non ha telefonato al Centro Natura e Salute.	☐	☐
3 Anna ha scritto al Centro Natura e Salute.	☐	☐
4 Quando è arrivata là le hanno dato la chiave della sua stanza.	☐	☐
5 Nella sua stanza Anna ha scoperto che doveva pagare 45 euro al giorno.	☐	☐
6 Anna si è arrabbiata, ma non è ripartita.	☐	☐

7 ▶▶ Alla scoperta della lingua Ascolta nuovamente la seconda parte dell'intervista e completa il testo. Usa i verbi del riquadro.

Dieci giorni fa ......ho ricevuto...... una lettera con un biglietto con scritto: "Complimenti! Lei (2) .... un week-end di sport presso il Centro Natura e Salute"...Poi l'indirizzo e il numero di telefono. Così (3) .... e mi (4) .... tutto, ma non mi hanno voluto dire come mai hanno dato questo premio proprio a me. (5) ...., curiosa di saperne di più e quando (6) .... là, (7) .... molte altre persone che come me avevano vinto un week-end presso quel centro. La cosa si è fatta subito misteriosa: mi hanno dato una stanza e la chiave... (8) .... nella mia camera e curiosa come sempre, dietro la porta (9) .... un cartello con i prezzi: per la pensione completa il prezzo era di 60 euro al giorno comprese le attività sportive. Invece il prezzo della pensione completa della seconda possibilità dal nome abbastanza chiaro "prezzo week-end di sport gratuito" era di 45 euro, ma gli sport naturalmente erano gratuiti.

Ti puoi immaginare la mia rabbia e la velocità con cui me ne sono andata via....Ho ripreso i miei documenti e, urlando, (10) .... Gli altri "vincitori" probabilmente hanno fatto la stessa cosa....

ricevere, salire, ripartire, vincere, vedere, confermare, trovare, telefonare, arrivare, partire

8 ▶▶ Alla scoperta della lingua Completa la tabella. Riesci a dedurre la regola del passato prossimo?

Passato Prossimo	
***Essere* + participio passato**	***Avere* + participio passato**
	Ho ricevuto

9 Cerchia gli anni che senti.

1 1860	1870	1880	**2** 1953	1973	1993
3 1971	1981	1951	**4** 1417	1517	1617
5 2002	2003	2005	**6** 600 AC	700 AC	800 AC
7 30 DC	50 DC	70 DC			

10 **Scrivi in lettere gli anni che hai cerchiato.**

1 ....
2 ....
3 ....
4 ....
5 ....
6 ....
7 ....

11 Saper dire l'anno di nascita è fondamentale. Anche se chiederlo a volte può essere poco gentile! Lavora con un compagno. Fate domande e date risposte sull'anno di nascita di alcuni membri della vostra famiglia.

Esempio:- Quando è nato tuo padre?
- Nel 1947.

lessico

1 Abbina le figure alle parole del riquadro.

1 ....
2 ....
3 ....
4 ....
5 ....
6 ....
7 ....
8 ....
9 ....
10 ....
11 ....
12 ....
13 ....

fotografare, raccogliere monete, osservare le stelle, andare a pesca, andare a caccia, dipingere, fare teatro, suonare uno strumento, cantare, lavorare a maglia, andare in bicicletta, fare trekking, cucinare

2 Completa la tabella con le parole del riquadro.

Giardinaggio	Modellismo	Collezionismo	Altro
tagliare l'erba			

suonare, comprare schede telefoniche, scegliere cartoline, costruire modelli di aeroplani, fare ginnastica artistica, raccogliere francobolli, scambiare monete, innaffiare i fiori, dipingere, fare la maglia, tagliare l'erba

3 Abbina le stagioni ai disegni.

....

....

....

....

autunno, primavera, inverno, estate

4 Adesso sono le 18.00 di Sabato 13 gennaio 2001. Metti in ordine di tempo le seguenti espressioni:

due giorni fa — l'anno scorso — la settimana scorsa
stamattina — ieri — il 5 luglio 1996
l'inverno scorso — ieri pomeriggio — tre ore fa

1 ....
2 ....
3 ....
4 ....
5 ....
6 ....
7 ....
8 ....
9 ....
10 adesso, le 18.00 di Sabato 13 gennaio 2001

abilità

collegare le idee

Per collegare due o più frasi si usano parole che in parte hai già visto. Fa' gli esercizi 1, 2 e 3 per riordinare le tue conoscenze.

1 Completa le frasi con *perché, dove, quando.*

1 .... sono tornato dalle vacanze, ho trovato una lettera dello Zio Antonio.

2 Non mi ricordo .... ho messo le chiavi della macchina.

3 Vivo in una città .... non c'è molta criminalità.

4 In estate vado spesso in piscina .... amo nuotare.

2 Collega le frasi con *perché, dove, quando.* Elimina le parole che non servono.

1 Vado poco a ballare. Le discoteche non mi piacciono.
2 Ieri sono stato nella mia vecchia casa. In quella casa sono nato.
3 Ieri sera mia moglie è tornata a casa. Ho preparato la cena.

3 Completa le frasi con *e, ma/però, o/oppure.*

1 Stasera restiamo a casa .... andiamo al cinema.

2 Mi hanno detto che la cucina tailandese è molto buona, ... non l'ho mai provata.

3 Sto studiando molto .... non ho tempo per uscire con gli amici.

Puoi collegare le idee anche in senso temporale usando *prima, poi, e poi.*

4 Riscrivi le frasi usando *prima, poi, e poi.*

1 Ieri ho finito di lavorare. Sono andato a giocare a tennis.
2 Per fare la pizza "margherita" devi fare la pasta, con acqua, lievito, farina, olio e sale; mettere il pomodoro, l'origano e la mozzarella; cuocerla nel forno.
3 Quando arrivi in aeroporto devi fare il check-in, passare il controllo dei passaporti, andare all'uscita indicata per il tuo volo.
4 In Italia normalmente due persone si conoscono, si sposano, vanno a vivere insieme. Ti piace questo ordine?

SCRIVERE UNA STORIA.

5 Guarda le figure e scrivi la storia. Come finisce?

6 Ora a piccoli gruppi, a turno leggete le vostre storie.

7 Ascolta la storia raccontata da Piero. Come finisce la storia?

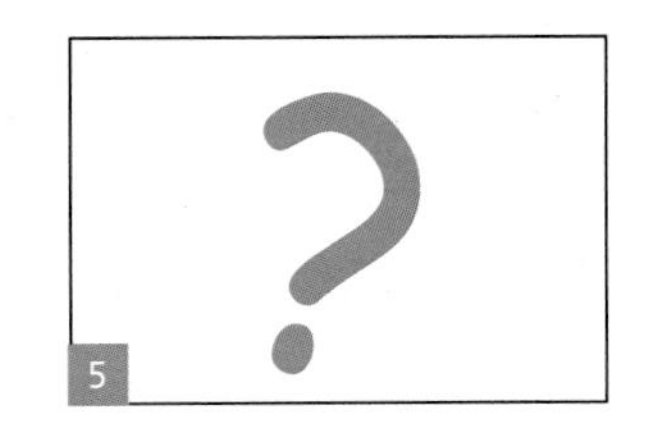

grammatica

Participio passato di verbi regolari e irregolari

Osserva i cartelli.

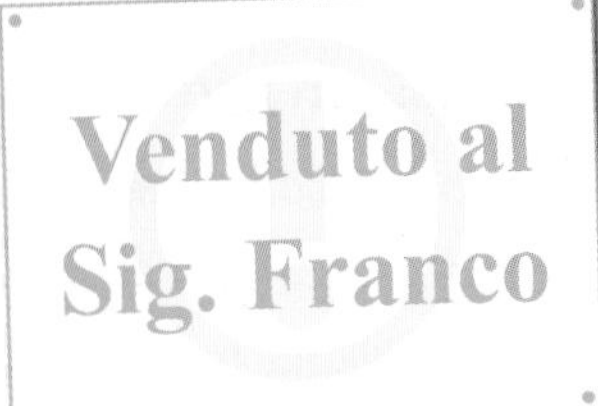

Il **participio passato** di molti verbi è regolare.

-ARE	Am**are**	Am**ato**
-ERE	Cred**ere**	Cred**uto**
-IRE	Part**ire**	Part**ito**

Ma altri verbi che già conosci sono irregolari.

Bere	*Bevuto*	Fare	*Fatto*	Rimanere	*Rimasto*
Chiedere	*Chiesto*	Leggere	*Letto*	Rispondere	*Risposto*
Chiudere	*Chiuso*	Mettere	*Messo*	Scegliere	*Scelto*
Correggere	*Corretto*	Nascere	*Nato*	Scrivere	*Scritto*
Correre	*Corso*	Offrire	*Offerto*	Succedere	*Successo*
Cuocere	*Cotto*	Perdere	*Perso (perduto)*	Tradurre	*Tradotto*
Decidere	*Deciso*	Piacere	*Piaciuto*	Vedere	*Visto (veduto)*
Dire	*Detto*	Piangere	*Pianto*	Venire	*Venuto*
Dividere	*Diviso*	(Pro)porre	*(Pro)posto*	Vincere	*Vinto*
Essere	*Stato*	Prendere	*Preso*	Vivere	*Vissuto*

Passato prossimo

Nella lingua scritta e nell'Italia del centro-sud si usa anche un altro tempo al posto del passato prossimo per esprimere un'azione finita e lontana nel tempo: il passato remoto; RETE!2 Unità 11.

Osserva l'esempio: - Ieri sera **ho** (1) **tradotto** (2) il testo di una canzone inglese molto bella e **sono** (1) **andato** (2) a letto tardi.

Il passato prossimo si forma con
l'indicativo presente (1) di *essere* o *avere* + il participio passato (2) del verbo principale.

Il passato prossimo indica
1 azioni avvenute da poco tempo e in relazione con il presente;
- Stamattina **ho** già **fumato** 10 sigarette.

2 azioni avvenute in un passato anche lontano.
- **Sono andato** a Parigi nel 1970.

Il passato prossimo vuole ***avere***
con i verbi transitivi, cioè quelli che dopo di sé hanno un complemento oggetto:
- Ieri **ho letto** un articolo su *Repubblica* molto interessante.

I verbi transitivi devono rispondere alla domanda. Che cosa? In questo caso: *un articolo*. Questa regola vale anche se l'oggetto non è espresso: Ieri sera ho letto.

Il passato prossimo vuole ***essere***
con i verbi intransitivi, cioè quelli che dopo di sé non hanno un complemento oggetto, nella maggior parte dei casi e soprattutto con i verbi di

- **moto** → *andare, arrivare, tornare, ecc.*
- **stato** → *stare, rimanere, ecc.*
- **cambiamento di stato** → *diventare, nascere, ecc.*
- La settimana scorsa **sono rimasta** a casa tutto il fine settimana a riposare.

Per l'uso di *essere* con i verbi riflessivi vedi Unità 12.

Anche con altri verbi si usa *essere*:
bastare, costare, dipendere, mancare, piacere, sembrare succedere;
- **Sono bastate** le prime due partite per capire che quest'anno la Juventus non può vincere il campionato.
- Ti è **piaciuta** la maglietta che ti ho regalato?

Accordo del participio passato

Osserva gli esempi: - Mia mamma **è** venut**a** a Parigi con me.
- Ieri a pranzo **siamo** andat**i** al ristorante cinese con i nostri amici.

Quando c'è il verbo **essere**, il participio passato si accorda con il soggetto, sia per il numero (singolare o plurale) che per il genere (maschile o femminile).

Osserva l'esempio: - **Ho** comprat**o** una macchina nuova che mi piace moltissimo.

Quando c'è il verbo **avere**, normalmente non c'è accordo.

Vedi Unità 12.

1 Scrivi il verbo all'infinito.

1 Cotto Cuocere..
2 Stato ....
3 Visto ....
4 Detto ....
5 Perso ....
6 Chiuso ....
7 Messo ....
8 Corso ....

2 Metti le frasi al passato prossimo, cambiando le espressioni in corsivo.

1 Mario e sua moglie vanno *sempre* a lavorare in autobus.
Ieri Mario e sua moglie sono andati a lavorare. ....

2 *In estate* rimango spesso in città.
....

3 *Ogni mattina* compro il giornale.
....

4 *Tutti i mesi* dobbiamo pagare molte bollette.
....

5 *A volte* vedo dei programmi interessanti alla tv.
....

6 Mi faccio la barba *tutti i giorni*.
....

3 Completa le frasi con il verbo essere o avere e fa' l'accordo del participio passato dove necessario.

1 Ieri sera Martin e Joe .....hanno..... mangiat.o.......... in un ottimo ristorante.
2 Quando mi .... dett.............. che arriva tua sorella?
3 Ieri sera Anna e Lucia .... tornat.............. a casa in taxi.
4 Alice .... nat.............. in agosto.
5 A che ora .... arrivat.............. a casa di vostra madre?
6 La settimana scorsa non ci .... stat.............. le lezioni all'università.

4 Fa' le domande.

1 - Cosa avete visitato ieri a Roma..........?
- Il Colosseo e poi siamo andati in Vaticano.
2 - ....?
- Io una pizza e una coca, Franco un piatto di spaghetti al tonno e un po' di vino.
3 - ....?
- In birreria con i miei amici.
4 - ....?
- Perché non avevo voglia di uscire.
5 - ....?
- In macchina fino alla stazione e poi hanno preso il treno per Rimini.
6 - ....?
- Un po' di pane e un litro di latte.

5 Cosa avete fatto ieri? A coppie scrivete 10 azioni che, secondo voi, il vostro compagno ha fatto ieri. Poi a turno fatevi le domande per scoprire se avete indovinato. Vince chi indovina più azioni.

....
....
....
....
....

In

- **In** inverno fa freddo in molte regioni italiane, **in** primavera comincia a fare caldo in tutta Italia, ma **nel** 1998 **in** febbraio ci sono state temperature molto alte.

Si usa **in** con mesi e stagioni;
nel con gli anni e i secoli.
Si usa **in** anche con i mezzi di trasporto.

- Viaggiare **in** treno non è molto caro, ma spesso è più comodo e veloce raggiungere certi posti **in** macchina.

A piedi.
- Vado sempre al lavoro **a** piedi.

6 Rispondi alle domande.

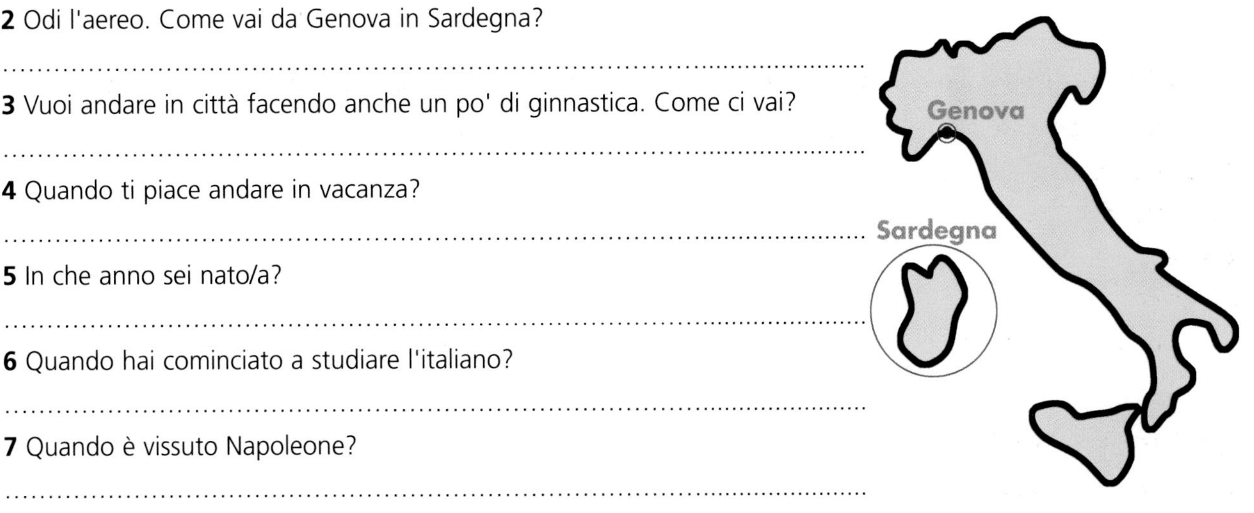

1 Quando nascono le rose?
In primavera

2 Odi l'aereo. Come vai da Genova in Sardegna?
....

3 Vuoi andare in città facendo anche un po' di ginnastica. Come ci vai?
....

4 Quando ti piace andare in vacanza?
....

5 In che anno sei nato/a?
....

6 Quando hai cominciato a studiare l'italiano?
....

7 Quando è vissuto Napoleone?
....

8 Quando viene Pasqua quest'anno?
....

fonologia

- I suoni /mm/ gra***mm***o; /nn/ a***nn***o; /rr/ fe***rr***o; /ll/ co***ll***o

1 Ascolta queste coppie di parole. Ti sembrano uguali o diverse?

	uguali	diverse
a		×
b		
c		
d		
e		
f		
g		
h		
i		
l		

Hai fatto caso che nella lingua italiana ci sono moltissime parole con consonanti *intense*? Ad esempio ga**tt**o, bi**rr**a, ba**ss**o, ecc. In questa unità e nelle successive, parleremo della loro pronuncia.

I suoni *intensi* /mm/ /nn/ /ll/ /rr/ sono più "lunghi" dei suoni *brevi* /m/ /n/ /l/ /r/. Per pronunciarli devi allungare il loro suono. Cioè devi fermarti su /mm/ /nn/ /ll/ /rr/ un po' più a lungo di quanto fai per /m/ /n/ /l/ /r/.

2 Ascolta le parole.

arrosto	grammatica	pollo	anno	errore	dello
penna	ferro	capelli	terra	annoia	gomma

3 Sottolinea le consonanti doppie nelle parole dell'esercizio precedente.

4 Con un compagno esercitati a pronunciare le parole dell'esercizio precedente, sostituendo alle consonanti doppie le corrispondenti consonanti semplici.

Esempio: arrosto ⟶ *arosto   grammatica ⟶ *gramatica

civiltà — L'Italia che cambia: gli italiani e il tempo libero.

"Vado con gli amici al bar...". Questa è stata forse una delle frasi più usate, dal dopoguerra in poi, dai mariti italiani, le loro mogli hanno sempre avuto meno tempo libero e comunque lo hanno sempre dedicato alla casa e ai figli. Il bar ha sempre rappresentato in Italia il ritrovo per eccellenza, soprattutto per gli uomini.

Immagini come questa (foto 1) sono state la norma per molti anni, ora è forse più difficile trovarle, soprattutto nelle grandi città. Il gioco delle carte tra amici, le infinite discussioni di calcio, ciclismo, politica e donne tra un bicchiere di vino e un altro hanno lasciato il posto all'ora di jogging, di palestra, alla spesa con le mogli, al bricolage, ai figli, ecc. Il maschio italiano, anche grazie all'emancipazione delle donne, è stato richiamato all'ordine, le lunghe serate al bar con gli amici sono diventate sempre più rare, ora ci si dedica con più impegno alla forma fisica, alla casa, ai figli.

Al bar ora, a parte la immancabile colazione con brioche e cappuccino e l'irrinunciabile caffè da soli o con i colleghi di lavoro, si va anche con mogli o fidanzate; vi si incontrano ancora gli amici, ma più spesso ci si va per "navigare" su Internet o per scatenarsi in modernissimi videogiochi. Le donne prendono un cappuccino o un tè con le amiche e i ragazzi ci vanno per incontrare i coetanei.

Anche il cinema, in questi ultimi 30 anni, si è trasformato.Gli spettatori, soprattutto a causa del grande successo della televisione, sono diminuiti e i cinema hanno dovuto adeguarsi e modernizzarsi. Sono passati i tempi in cui si andava al cinema solo per il gusto di vedere un film, ora c'è bisogno del grande spettacolo.

Come in quasi tutto il mondo, le piccole vecchie sale di campagna o di periferia sono sparite e hanno lasciato il posto a moderne multisale che offrono un'ampia scelta di film (di solito le grandi produzioni americane), e che sono fornite di impianti tecnici d'avanguardia. Spesso vi si trova un comodo bar dove si può bere qualcosa o fare uno spuntino prima o dopo lo spettacolo.

La pratica sportiva degli italiani è sempre stata piuttosto scarsa, gli italiani hanno sempre parlato molto di sport, ma lo hanno praticato poco.

Ora i ritmi stressanti, ma anche sedentari, della vita moderna stanno portando sempre più italiani verso la pratica sportiva. In questi ultimi anni nuove e moderne palestre sono nate numerose in tutta l'Italia.
Sono frequentate da tutti: giovani che vogliono essere sempre in forma, professionisti che cercano rimedio a una vita sedentaria, casalinghe e donne in genere che cercano la linea perfetta per indossare il bikini nelle prossime vacanze estive.

La "Piazza" della città o del paese è sempre stata uno dei luoghi di incontro più frequentati dagli italiani. In parte lo è ancora, anche se in misura sempre inferiore, ma solo nelle città di provincia e nei paesi. Non è difficile incontrare ancora nella piazza di alcune cittadine gruppetti di pensionati, soprattutto uomini, che discorrono animatamente di politica e sport. Ma è sempre più facile trovare le piazze, soprattutto nel tardo pomeriggio, affollate da giovani con l'immancabile moto o scooter che si ritrovano dopo lo studio o lo sport per chiacchierare con gli amici o semplicemente guardare ed essere guardati....

1 Guarda le foto, leggi i brani e con un compagno prova a fare un elenco delle diverse abitudini degli italiani nel tempo libero rispetto al passato.

	Nel passato	Ora
Uomini:		
Donne:		
Giovani:		

sommario

1 Abbina le frasi o espressioni alla descrizione sotto.

1 Come vai a scuola di solito?

2 Nel tempo libero gioco spesso a calcio.

3 Ci vado sempre in autobus.

4 Ieri sono andato in discoteca.

5 Le rose nascono in primavera.

6 Quando sei nato?

7 Tre giorni fa mi hanno regalato un gattino.

8 Mi piace leggere i giornali, perché mi interessa ciò che succede nel mondo.

In questa unità abbiamo imparato a:

4	**a** parlare di eventi passati	....
	b chiedere informazioni sul passato	....
	c parlare del tempo libero	....
	d collegare frasi	....
	e chiedere informazioni sul mezzo di trasporto	....
	f dare informazioni sul mezzo di trasporto	....
	g indicare i mesi, le stagioni, gli anni, i secoli	....
	h dire quando si è svolta un'azione nel passato	....

Siena, Piazza del Campo e Duomo.

1 Leggi gli appunti dell'agenda di Luisa e scrivi che cosa ha fatto la settimana scorsa come nell'esempio.

	lunedì	martedì	mercoledì	giovedì	venerdì	sabato	domenica
Mattina	Pagare telefono		Chiamare idraulico		Spese		Tennis
Pomeriggio			Riunione ufficio	Prendere appuntamento col dentista	Chiamare Paola		
Sera		Cinema		Viene Paola		Cena da Mario	

1 Lunedì mattina Luisa ha pagato il telefono.
2 ....
3 ....
4 ....
5 ....
6 ....
7 ....
8 ....
9 ....
10 ....

..... / 9

2 Le lettere del participio passato si sono mescolate. Scrivile correttamente e completa le frasi come nell'esempio.

1 Martina ha (R O S P E) ....perso.......... e chiavi di casa.
2 Isabelle non ha ancora (R O S T I P S O) .... alla lettera dei suoi genitori.
3 Marta e Gianni hanno (N I V O T) .... molti soldi al casinò.
4 A Marco non è (I C U T O P I A) .... il film di ieri sera.
5 Paola, hai (S O C H I T E).......... a che ora parte l'aereo?
6 Anna e Mario hanno (S T U V I S O).......... per due anni a Londra.
7 Michele non ha ancora (D I C S O E).......... dove andare in vacanza.
8 Ida è (A M I S T A R) .... due ore al telefono.

..... / 7

3 Metti in ordine le seguenti frasi.

1 è – l' - primavera – a – Londra – stata - scorso - Maria – in – anno

....

2 ha – giorni – mi – di - Paola – due – fa – telefonato – sera

....

3 tempo - la – ho – scorsa – molto - libero – non – settimana – avuto

....

4 amiche - a – cena – Michela – è – con – la – piaciuta – le – molto

....

..... / 4

4 **Osserva le vignette e racconta che cosa è successo ieri a Elena.**

Come ogni giorno ieri Elena è tornata a casa dal lavoro verso le sei di sera, ma quando ....

....

....

....

....

....

..... / 10

5 **Nel diagramma sono nascosti 10 participi passati irregolari. Trovali e scrivili con vicino il loro infinito. Osserva l'esempio.**

A	***C***	***O***	***R***	***S***	***O***	U	D	S	A	T	V	O
S	I	O	F	D	S	A	B	N	V	R	O	R
I	N	C	S	F	N	E	C	H	I	A	A	O
U	L	R	D	A	A	V	C	S	S	D	L	P
M	U	N	R	D	T	O	A	R	B	O	T	O
U	N	I	R	S	O	F	F	E	R	T	O	A
O	N	D	E	S	T	A	R	R	E	T	N	U
B	R	A	S	T	I	N	A	T	O	O	S	E
N	O	E	U	S	S	A	R	I	E	N	N	A
O	M	S	C	T	I	S	S	C	E	L	T	O
N	A	I	C	F	I	O	B	O	S	D	T	R
L	A	V	E	C	R	A	M	T	U	T	C	A
C	A	R	S	T	C	H	I	T	U	N	O	R
P	R	I	S	P	O	S	T	O	A	C	T	E
U	N	S	O	A	N	E	I	L	R	A	T	O
P	O	T	S	A	C	C	T	L	E	T	T	O

	participio	infinito
1	corso	correre
2		
3		
4		
5		
6		
7		
8		
9		
10		

..... / 9

6 **Come passano queste persone il loro tempo libero? Associa a ogni frase un nome corrispondente come nell'esempio. Fa' attenzione: due nomi non c'entrano.**

1 Mario ama la natura.
2 Laura ha la passione per i gialli.
3 Francesco si interessa di oggetti antichi.
4 Elena non può stare lontano dall'acqua.
5 A Paola piace conservare ricordi di bei momenti passati.
6 Bianca vuole sempre provare cibi diversi.
7 Ida e Gianni hanno la passione del ballo.

a ristorante
b giardinaggio
c discoteca
d lettura
e piscina
f palestra
g fotografia
h museo
i teatro

b						
1	**2**	**3**	**4**	**5**	**6**	**7**

..... / 6

NOME:
DATA:
CLASSE:

totale ..... / 45

1 Riconosci questa città? Ascolta il dialogo e cerca di capire dove sono Sandro e Maria.

2 Ora ascolta nuovamente il dialogo e leggi il testo.

- Ti piace?
- Sì, è bellissima!
- E' la prima volta che vieni ad Assisi?
- Sì, non ci sono mai stata prima. E' una città molto affascinante!
- Dove hai passato le vacanze l'estate scorsa?
- Le ho passate a casa. Ho dovuto lavorare per poter venire in Italia. E tu?
- Sono stato negli Stati Uniti. Ti ho detto che ho fatto un corso... e poi è venuta mia cugina Ilaria e l'ho portata in California.
- Vi siete divertiti?
- Un sacco!

3 ▶▶ Alla scoperta della lingua Osserva i participi passati segnati in giallo. Riesci a trovare la regola dell'accordo del participio passato? Completa la tabella.

Il participio passato nel passato prossimo	
si accorda	non si accorda

4 Leggi e completa la lettera di Maria da Assisi con i verbi del riquadro.

Cara Rita,
ti scrivo da Assisi, una città meravigliosa. Sono ..arrivata..... ieri, ma domani devo già ripartire. Oggi ho (2)........................ monumenti e opere d'arte splendidi, soprattutto chiese. Assisi è così bella e famosa perché qui è (3)................ San Francesco. La chiesa che mi è (4)........................ di più è proprio quella dedicata a San Francesco: ce ne sono due nella basilica. Quella inferiore mi ha veramente (5)............................... : è così semplice e severa...
Sono (6)........................ più di un'ora a guardare gli affreschi di Giotto e Cimabue, sono fantastici, Sandro me li ha un po' (7)........................, ma poi secondo me si è (8).............................., perché io sono (9)........................ senza parole. Non ho più detto niente. Ti ho già (10).................. chi è Sandro, ricordi?
Ora devo andare mi ha (11).......................... per andare a cena.
Continuo la lettera domani

vedere, stare, nascere, scrivere, rimanere, piacere, spiegare, chiamare, annoiare, impressionare

5 Sei mai stato in vacanza in uno di questi posti? Scrivi 5 domande da fare a un tuo compagno su una vacanza trascorsa in uno di questi posti.

Esempio: Dove sei stato/a?

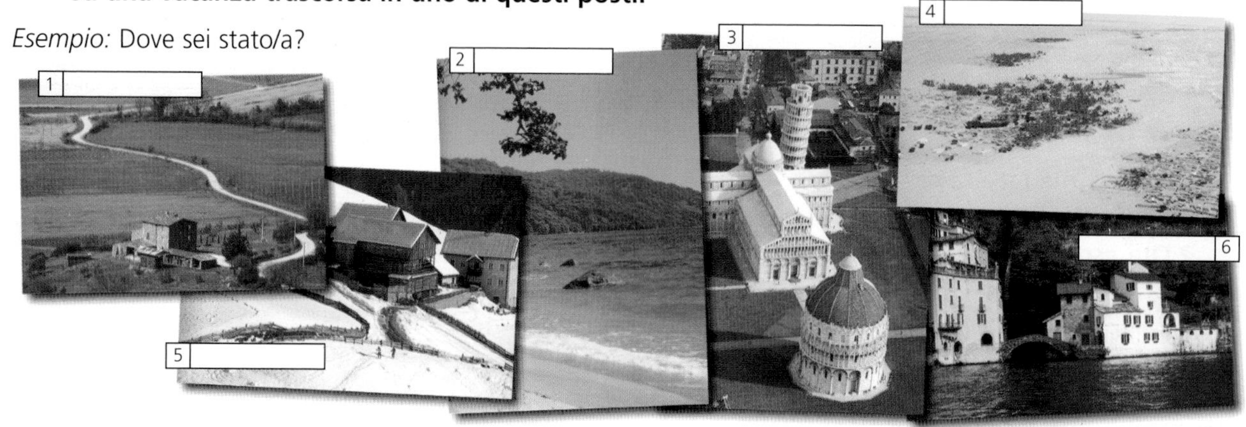

6 Insieme a un compagno, a turno uno fa domande e l'altro racconta una vacanza.

7 Racconta alla classe delle vacanze del tuo compagno.

8 Guarda le foto. Dove sono questi posti?

9 Prima di ascoltare il racconto di Carlo, scrivi una lista di attività che secondo te Carlo ha fatto in questi posti.

10 A piccoli gruppi, leggete le vostre liste e discutete sulle eventuali differenze.

11 Ascolta il racconto di Carlo e controlla se la tua lista è giusta.

12 Ascolta nuovamente la registrazione e rispondi alle domande.

1 Secondo Carlo a cosa assomiglia questo paese su una carta geografica?

....

2 Come hanno viaggiato Carlo e i suoi amici?

....

3 Quanto tempo ci sono rimasti?

....

4 Cos'è successo con un elefante?

....

5 Com'era il cibo?

....

6 Hanno solamente visitato dei posti?

....

13 Scrivi una lettera a un amico che non vedi da anni e raccontagli di una tua vacanza.

Caro ....,
È tanto tempo che non ci vediamo! Come va?
Ho tante cose da dirti, non ti ho ancora raccontato di quando ....

abilità

inferire

Proseguiamo in questa unità il lavoro sull'inferenza. Si tratta di una strategia di cui avrai sempre bisogno e quindi vale la pena lavorarci sopra con attenzione.

1 Leggi il titolo di giornale, che cosa capisci? Spiega ogni elemento.

21 Aprile 1996 = ...
Ulivo = ...
Polo = ...

21 Aprile 1996: vince l'Ulivo.
Polo sconfitto.

Per capire questo titolo dobbiamo riflettere e fare delle domande

Ad esempio. Che cos'è l'Ulivo? Che cos'è il Polo? Sono nomi propri perché hanno la lettera maiuscola. Che cos'è un ulivo e un polo? Che cos'è successo il 21 aprile 1996? In che campi si parla di vittoria e sconfitta oltre che nello sport?

Lo stesso titolo solo cinque anni prima poteva essere:

Democrazia Cristiana,
Partito Socialista
e alleati vincono le elezioni.

Questo è un esempio che presuppone conoscenze molto attuali sull'Italia. Spesso però la stessa cosa avviene con concetti meno complicati.

 **2 Lavora con un compagno. Quali domande vi potete porre e quali concetti potete individuare nelle seguenti frasi?**

1 Le cifre, i simboli chimici, gli altri linguaggi a segni articolati di numero infinito conservano intatta una proprietà dei linguaggi più semplici. Sono ancora linguaggi della certezza.
[Tullio De Mauro, Guida all'uso delle parole, Editori Riuniti, p 59]

2 La città come ogni altro elemento particolare della superficie terrestre, presenta due aspetti combinati: il primo consiste nella sua ubicazione e il secondo nella sua forma e nella sua struttura interna.
[Cencini, Corbetta, Popolazione, ambiente, territorio, Cappelli Editore, p.235.]

3 Stop all'esodo d'agosto. Finalmente gli italiani scelgono le vacanze intelligenti.

 **3 Confronta quello che hai scritto con altri due compagni.**

 **4 Leggi velocemente l'articolo e abbina i paragrafi con i riassunti.**

Ferragosto: il deserto metropolitano ormai è solo un ricordo

Ferragosto: ultima grande fuga d'estate e città semivuote per ferie. Ma non deserte. Secondo le statistiche il deserto metropolitano è solo un ricordo del passato. Nell'estate '96 per la prima volta nella storia delle vacanze all'italiana, oltre la metà dei residenti in dieci città -Milano, Torino, Genova, Venezia, Bologna, Firenze, Roma, Napoli, Bari e Palermo- pari a quasi cinque milioni di persone su un totale di 8 milioni e 800 mila, trascorrerà il Ferragosto tra le mura di casa. E' colpa della crisi che ha costretto un po' tutti a risparmiare sulle ferie, e in questi ultimi giorni anche del maltempo che certo non invoglia a mettersi in viaggio al mare o in montagna. Il fatto è che sono sempre meno gli italiani che vanno in vacanza. E la forbice si allarga sempre più tra due Italie, del nord e del sud, anche su questo elementare diritto. Strano paese il nostro: sempre più ricco, parrebbe, almeno se si considera il numero dei miliardari (trentamila) e paese sempre più povero con oltre sei milioni di italiani sulla soglia della miseria, vale a dire costretti a dover fare i conti con il problema, ancora ieri impensabile, di una decorosa sopravvivenza.
E questo spiega, se non altro, perché le città non siano svuotate, che alla chiusura dei negozi non abbia fatto seguito l'esodo della gente, che i luoghi di villeggiatura non siano stracolmi. Un esercito di turisti (80.500) affiancheranno nelle dieci città gli italiani rimasti a casa, con aumenti dal 2 al 10 per cento.
Secondo una indagine della FIPE, la federazione dei pubblici esercizi, la maggioranza di coloro che si concederanno una vacanza sono giovani tra i 25 e i 34 anni (61 per cento), contro un 38 per cento di persone di età superiore ai 54 anni; il 50 per cento dei single parte alla ricerca dell'anima gemella contando sulla complicità del clima vacanziero.
Per quanto poi riguarda la posizione sociale, per la maggior parte di dirigenti e liberi professionisti (7 su 10) la vacanza non si discute, mentre per gli operai rappresenta una sicurezza in quattro casi su dieci. I quartieri dove scatta il coprifuoco di Ferragosto sono quelli dove abita la popolazione di ceto medio alto. Vacanze a casa per chi abita nei quartieri periferici e nelle aree più degradate.

- ☐ Le differenze tra ricchi e poveri in Italia stanno aumentando.
- ☐ Meno della metà degli operai vanno in vacanza.
- ☐ Meno italiani vanno in vacanza a causa di problemi economici.
- ☐ Quest'anno le città italiane non sono deserte per Ferragosto.
- ☐ La maggior parte dei vacanzieri è formata da giovani.
- ☐ Oltre agli italiani nelle città italiane ci sono molti turisti.

Gazzetta di Parma
giovedì 15 Agosto 1996

 **5 Rispondi alle domande sull'articolo.**

1 Perché le vacanze di quest'anno sono diverse dal solito?
....

2 Quali sono le cause principali di diversità delle vacanze di quest'anno?
....

3 Perché l'articolo dice che l'Italia è uno strano paese?
....

4 Quante persone anziane vanno in vacanze?
....

6 Ascolta l'intervista a un agente di viaggio e rispondi alle domande.

1 Agli italiani dove piace andare in vacanza?

....

2 In che periodo dell'anno viaggiano di più?

....

3 Quante vacanze all'anno fa l'italiano medio?

....

4 Quali posti preferiscono gli italiani per i viaggi di nozze?

....

fonologia

• **I suoni** /ff/ caffè; /vv/ ovvio; /ss/ classe

1 Ascolta le coppie di parole. Fa' attenzione, le parole con * (asterisco) non esistono.

caffè	*cafè	dove	*dovve	lessico	*lesico
affare	*afare	davvero	*davero	isola	*issola
difficile	*dificile	tavolo	*tavvolo	tassa	*tasa

I suoni intensi /ff/ /vv/ /ss/ si pronunciano più lunghi dei suoni brevi /f/ /v/ /s/.
Attenzione: ti ricordi della esse «**sonora**» [z] dell'unità 8 (ad esempio: *rosa* /'rɔza/)?
Non esistono parole con esse sonora doppia!

2 Leggi le parole dell'attività precedente con un compagno.

3 Ascolta le parole e scrivile nella colonna corretta.

/f/ /v/ /s/	/ff/ /vv/ /ss/
	offrire

4 Insieme a un compagno leggi le parole che hai scritto.

lessico

1 Abbina le foto alle parole del riquadro.

1 tenda da campeggio, 2 pensione, 3 hotel, 4 bungalow, 5 camper, 6 appartamenti

2 Completa gli schemi con le parole del riquadro. Conosci altre parole?

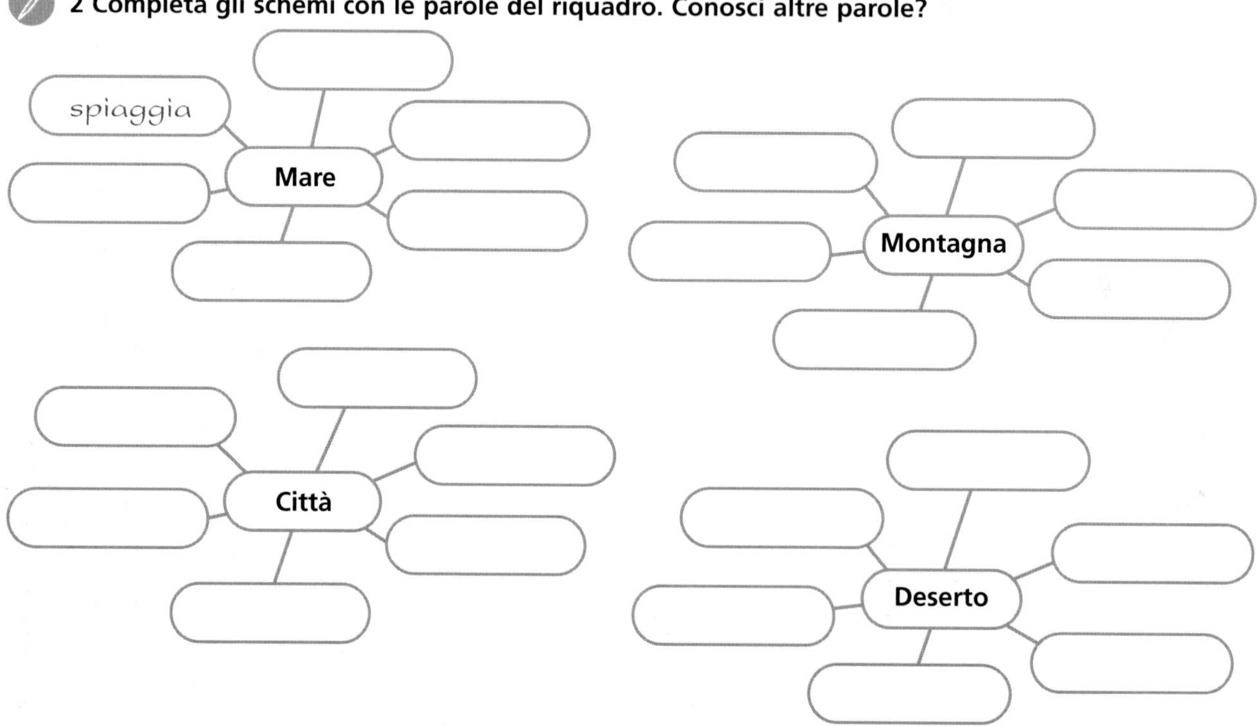

sabbia, spiaggia, barca, ombrellone, duna, palma, albero, neve, cielo, roccia, monumento, chiese, opere d'arte, fiume, sole, fiori, animali, pesci, acqua

3 Nel dialogo Maria dice che Assisi è bellissima e affascinante. Conosci altri aggettivi, positivi e negativi, per descrivere luoghi di vacanza?

+ affascinante
bellissimo

+ / -

−

civiltà Gli italiani in vacanza.

L'Italia è il paese delle vacanze per molti cittadini europei e del mondo. Il nostro paese offre tantissime possibilità di vacanza. Con i suoi 8.600 chilometri di coste balneabili, le sue numerosissime città d'arte, le tante località di montagna, di collina e con i suoi laghi l'Italia è in grado di soddisfare ogni tipo di richiesta turistica.

Dove è possibile fare il bagno.

Ma dove e quando gli italiani vanno in vacanza?

I mesi di luglio e agosto rappresentano ancora il periodo preferito per le vacanze lunghe anche se in questi ultimi anni si nota un certo aumento del numero degli italiani che preferiscono settembre e in particolare stanno aumentando le "vacanze brevi" distribuite durante tutto l'anno. Circa l'80% degli italiani rimane nel proprio paese durante le vacanze, mentre il restante 20% sceglie destinazioni all'estero di cui un 10% sceglie l'Europa.

Guarda queste immagini e scopri i luoghi di vacanza preferiti dagli italiani.

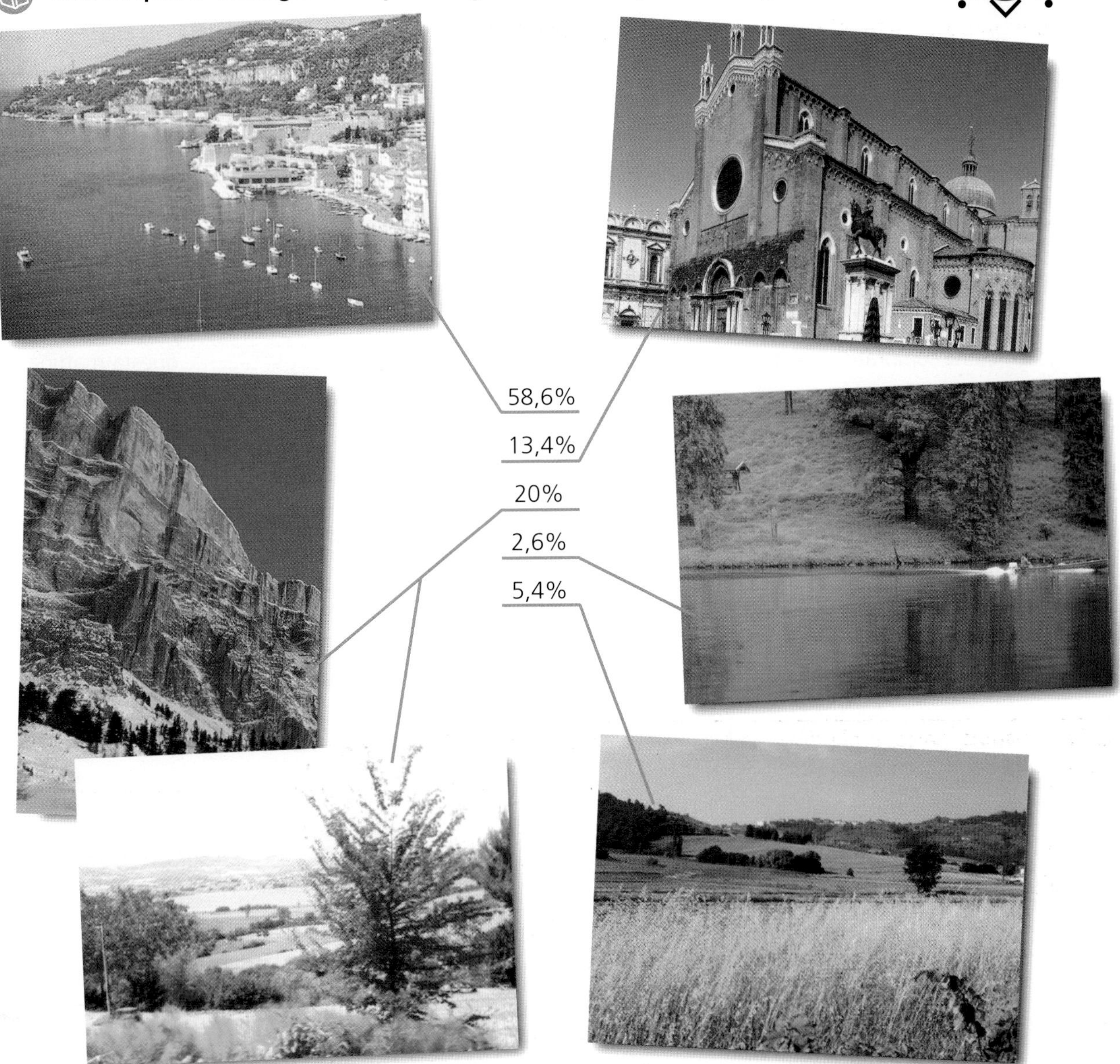

Molti italiani scelgono di affittare una casa o un appartamento in una località turistica, tuttavia la maggioranza preferisce ancora una comoda vacanza in un albergo o in un villaggio turistico, ma anche in campeggio, in camper o con la roulotte. Un numero sempre crescente di italiani, il 17%, trascorre le vacanze nella cosiddetta "seconda casa" di loro proprietà al mare, in montagna o in campagna.

grammatica

PASSATO PROSSIMO

Verbi riflessivi

Con i riflessivi si usa **essere**.

- **Mi sono** appena **lavato** le mani.

Ci sono alcuni verbi che a volte usiamo come riflessivi per sottolineare l'azione e che quindi vogliono ***essere***.
- Ieri **ci siamo comprati** un bel disco! (Le persone che parlano sono felici e soddisfatte di aver comprato il disco).

1 Completa le frasi con un verbo del riquadro. Attenzione: i verbi sono all'infinito.

1 Sta suonando il telefono! Che rabbia! Mi ....sono......... appena ...seduta..........
2 Siete andate alla festa di Sandro, vero? Come è stata?..molto?
3 Come ....i tuoi genitori?
4 Ieri ....una pizza enorme.
5 Ieri la mia squadra favorita ha perso e io ....molto.
6 Ero così nervoso prima dell'esame che ....un pacchetto di sigarette intero.
7 Bambini, è ora di mangiare! ....le mani?
8 Sabato pomeriggio Claudia e sua madre sono uscite insieme e .... due vestiti carissimi.
9 Ragazzi, come sembrate stanchi! A che ora ....questa mattina?
10 Che bella coppia! Quando ....?
11 Tre giorni fa ho rivisto un mio caro amico. .... in stazione.
12 Gloria ha passato l'esame e ieri sera ....tre birre!
13 Ho accompagnato la mia ragazza all'aeroporto; ...., poi .... e abbiamo cominciato a piangere.

chiamarsi, arrabbiarsi, sedersi, baciarsi, alzarsi, svegliarsi, lavarsi, comparsi, mangiarsi, fumarsi, incontrarsi, bersi, divertirsi, conoscersi, salutarsi

Accordo del participio passato

Osserva:

Quando prima del verbo al passato prossimo c'è un pronome complemento oggetto diverso da lo, la, l', li, le l'accordo non è obbligatorio.
- **Vi** ho vist**o/i** in piazza mercoledì pomeriggio.

Con il verbo **avere**, quando ci sono i pronomi **lo**, **la**, **l'**, **li**, **le**, l'accordo è obbligatorio.

2 Completa le frasi con il verbo e il pronome.

1 Ho letto il tuo messaggio, ma non ....l'ho capito.......... (capire).
2 Non trovo le mie scarpe. Mamma, dove .... (mettere)?
3 Ho visto la camicia di cui mi hai parlato e .... (comprare).
4 Mia nonna non è stata molto bene e .... (portare) dal dottore.
5 Non c'è più salame in frigo. Chi .... (finire)?
6 Ieri ho visitato alcune isole della laguna di Venezia. .... (trovare) stupende.

3 Rispondi alle domande. Usa i pronomi *lo/la/l'/li/le*.

1 Quando hai visto Sergio per l'ultima volta?
..........L'ho visto...(ieri sera).
2 A chi hai prestato la tua bici?
.... (a Peter).
3 Hai chiamato i tuoi nonni?
.... (domenica scorsa).
4 Chi ha accompagnato Luisa in stazione?
.... (Franco).
5 Dove hai messo le mie sigarette?
.... (sul tavolo).
6 Hai mai visitato i paesi scandinavi?
.... (tutti).

4 Lavora con un compagno. A turno A sceglie uno dei verbi del riquadro e fa una frase. Al posto del verbo che ha scelto dice biip. B deve dire il verbo.

Esempio:
A: Ieri mi *biip* alle 7.
B: sono svegliato.

bere, avere, chiedere, chiudere, essere, alzarsi, svegliarsi, lavarsi, scegliere, rispondere, andare, nascere, tradurre, leggere, vincere, piangere, arrivare, tornare, venire, piacere, dire, mettere, fare, rimanere

5 Scrivi alcune frasi su te stesso.

1 L'estate scorsa..
2 Tre giorni fa..
3 Domenica scorsa..
4 Il Natale passato..
5 Il giorno del mio ultimo compleanno..
6 Due ore fa..
7 Per colazione questa mattina..
8 Ieri sera..

sommario

1 Abbina le frasi o espressioni alla descrizione sotto.

1 Dove sei stato in vacanza?
2 Assisi è bellissima.
3 L'estate scorsa sono stato nello Yemen in vacanza.
4 Non ti ho ancora raccontato di quando sono entrato nel miglior hotel di Miami e…

In questa unità abbiamo ripassato e imparato a:

4	**a** parlare delle vacanze	....
	b narrare eventi al passato	....
	c chiedere informazioni sulle vacanze trascorse	....
	d esprimere ammirazione	....

Affresco di Giotto rappresentante San Francesco.

Assisi, Basilica di San Francesco.

1 Associa gli elementi delle due colonne come nell'esempio.

Prima di un lungo viaggio è bene...

1 informarsi
2 imparare
3 possedere
4 controllare
5 chiedere
6 cambiare
7 preparare
8 comprare
9 prenotare

a le valigie con calma;
b il visto;
c una carta di credito internazionale;
d il volo;
e il denaro;
f qualche parola della lingua;
g sul paese (clima, temperatura, malattie);
h se il passaporto è scaduto;
l una guida.

	f							
1	2	3	4	5	6	7	8	9

..... / 8

2 Leggi questa e-mail di Maria e Francesco e completa il testo con i verbi riflessivi del riquadro. Osserva l'esempio.

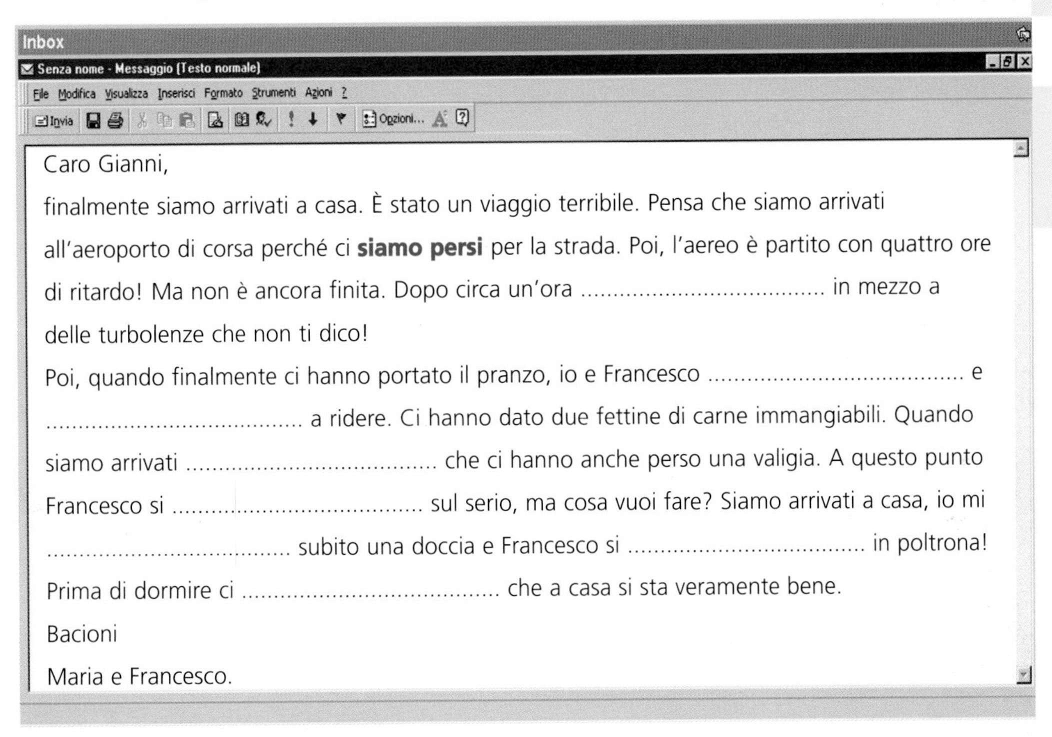

Caro Gianni,

finalmente siamo arrivati a casa. È stato un viaggio terribile. Pensa che siamo arrivati all'aeroporto di corsa perché ci **siamo persi** per la strada. Poi, l'aereo è partito con quattro ore di ritardo! Ma non è ancora finita. Dopo circa un'ora .... in mezzo a delle turbolenze che non ti dico!

Poi, quando finalmente ci hanno portato il pranzo, io e Francesco .... e .... a ridere. Ci hanno dato due fettine di carne immangiabili. Quando siamo arrivati .... che ci hanno anche perso una valigia. A questo punto Francesco si .... sul serio, ma cosa vuoi fare? Siamo arrivati a casa, io mi .... subito una doccia e Francesco si .... in poltrona!

Prima di dormire ci .... che a casa si sta veramente bene.

Bacioni

Maria e Francesco.

perdersi, trovarsi, accorgersi, addormentarsi, dirsi, farsi, guardarsi, arrabbiarsi, mettersi

..... / 8

3 Associa domanda e risposta.

1 - Michele, hai trovato il mio messaggio in segreteria?
2 - Ragazzi, avete notizie di Marta?
3 - Hai preso la guida di Firenze?
4 - Sai se Maria è tornata da Cuba?
5 - Hanno telefonato Marco e Fabrizio?
6 - Laura è partita?

a - No, l'ho dimenticata.
b - Sì, l'ho sentita proprio ieri al telefono.
c - Sì, ieri. L'ho salutata anche da parte tua.
d - Sì, l'abbiamo incontrata ieri.
e - No, ma li ho incontrati questa mattina.
f - Sì, l'ho ascoltato ieri sera.

1	2	3	4	5	6

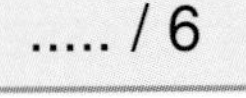
..... / 6

4 Completa il testo delle vignette con i verbi contenuti nel riquadro come nell'esempio.

1 - Viene a cena anche Anna stasera?
- Certo, ...l'ho invitata.. ancora una settimana fa.

2 - Ci facciamo il caffè?
- Grazie ma .... dieci minuti fa.

3 - Come hai avuto tutte queste informazioni su Cuba?
- .... in Internet.

4 - Non trovo più i miei occhiali.
.... un'altra volta?

5 - Mi offri una sigaretta?
- Mi dispiace, ...

6 - Sara, hai proprio una bella gonna!
- Grazie, ... la settimana scorsa in un negozio del centro.

7 - Come avete conosciuto Laura e Guido?
- .... per caso in vacanza l'estate scorsa.

8 - Come sai che c'è uno sciopero dei treni?
- .... questa mattina sul giornale.

9 - Bellissimo, di chi è questo?
- .... io.

incontrarsi, finire, leggere, fare, comprare, perdere, bere, invitare, trovare

..... / 8

5 Osservando le immagini scrivi dei brevi messaggi di posta elettronica che questi personaggi potrebbero scrivere ad alcuni amici dopo essere tornati dalle vacanze.

Caro Mario,
....
....
....
.... Laura e Pino

Ciao Michela,
....
....
....
.... Maurice

Eccomi di ritorno,
....
....
....
.... Anna

..... / 10

NOME:
DATA:
CLASSE:

totale ..... / 40

SECONDO TE L'ITALIA È IL PAESE DEL SOLE?
IN QUESTA UNITÀ LO PUOI SCOPRIRE!

1 Abbina i disegni alle parole del riquadro.

1 2 3 4 5 6 7 8

1 .... 2 ....
3 .... 4 ....
5 .... 6 ....
7 .... 8 ....

nebbia, pioggia, sereno, coperto, nuvoloso, variabile, vento, neve

2 Ascolta e leggi il dialogo. Scegli la parola che senti.

Sandro: Mi presti il giornale?
Maria: Sì, volentieri.
Sandro: Che guaio!
Maria: Cos'è successo?
Sandro: Niente... sto leggendo le previsioni del tempo per domani. Guarda qua!
Maria: "Da domani freddo e **a** pioggia **b** nebbia **c** neve **d** vento su Centro e Nord Italia. Temperature attorno allo zero." Bene! Per me è meglio se piove. Devo stare a casa a studiare.
Sandro: Per me no, invece. E' un bel problema! Devo andare al Nord, in Lombardia... in macchina. E se poi nevica...
Maria: Prevedono anche tempo **a** nuvoloso **b** sereno **c** variabile **d** coperto?
Sandro: Sì, in Sicilia... al Sud. Lì il tempo è quasi sempre **a** bello **b** brutto **c** freddo **d** caldo.
Maria: Dai! A me sembra che esageri. Per due gocce d'acqua...

Alla scoperta della lingua

Quando si usa **volentieri**? Scegli tra le due possibilità.
a) Si usa per rifiutare con forza un'offerta.
b) Si usa per sottolineare che una richiesta o un'offerta è ben accetta.
- Vuoi un bicchiere di vino? - (Sì,) **volentieri**!
- Mi aiuti a portare queste valigie? - (Sì,) **volentieri**!

3 Ascolta le frasi registrate e scrivi le parole che mancano.

1 - Speriamo che oggi ci sia il sole... Aspetta che guardo!... Oh, no! Non si vede niente, di nuovo la ....
2 - Attento in macchina! Si scivola moltissimo. Non hanno ancora pulito le strade, c'è .... dappertutto.
3 - Per domani hanno messo .... Andiamo al mare?
4 - Finalmente un giorno di bel tempo; anche se è un po' ....
5 - Mettiamo in casa i vasi dei fiori. Il .... sta rompendo tutto.

4 ▶▶ Alla scoperta della lingua Ora, completa la tabella, usando le espressioni che hai visto.

C'è	(il tempo) è	Verbi
	bello	

5 Completa le frasi in modo personale.

1 Se c'è nebbia, vado a lavorare in autobus..
2 Se fa molto caldo in estate ....
3 Se nevica in inverno ....
4 Se piove quando sono al mare ....
5 Se fa molto freddo in inverno ....
6 Se c'è vento al mattino quando mi sveglio ....
7 Se il tempo è nuvoloso prima di andare a lavorare ....
8 Se si prevede freddo e pioggia prima di un viaggio ....

▶▶ Alla scoperta della lingua

Che tempo c'è dopo **se**?

Se **c'è** nebbia, **vado** a lavorare in autobus.

Se + presente indicativo + presente indicativo.

6 Insieme a un compagno, a turno cerca di indovinare come l'altro ha completato le frasi.

Esempio: Se piove quando sei al mare, resti a casa?

7 Adesso parlate del tempo nel vostro paese, facendovi domande.

8 Su un foglio scrivi una breve composizione (circa 70 parole) sul tempo che preferisci e perché.

9 Ascolta l'insegnante e indovina chi ha scritto la composizione.

10 Ti piace quando nevica? Insieme a due compagni, a turno uno dice che tipo di tempo gli piace, non gli piace e perché. Gli altri due dicono se sono d'accordo o no.

Esempio:

a: A me piace la nebbia, perché...
b: Anche a me.
c: A me no.

a: A me non piace la nebbia, perché...
b: Neanche a me.
c: A me sì.

lessico

 **Completa la tabella.**

N = nord	S =
NE =	SO =
E =	O =
SE =	NO =

 **2 Quanto conosci dell'Italia? Rispondi alle domande.**

1 Dov'è il Piemonte? E' nel nord-ovest d'Italia.
2 Dov'è la Sicilia? ....
3 Dov'è Firenze? ....
4 Dov'è Venezia? ....
5 Dov'è Trento? ....
6 Dov'è Brindisi? ....

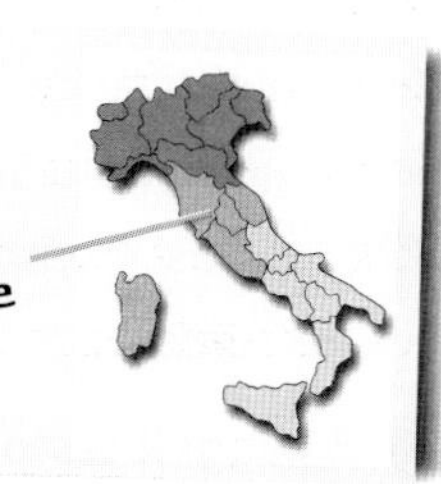

 **3 Scrivi le temperature.**

Temperature:

Milano: ....
Roma: ....
Palermo: ....

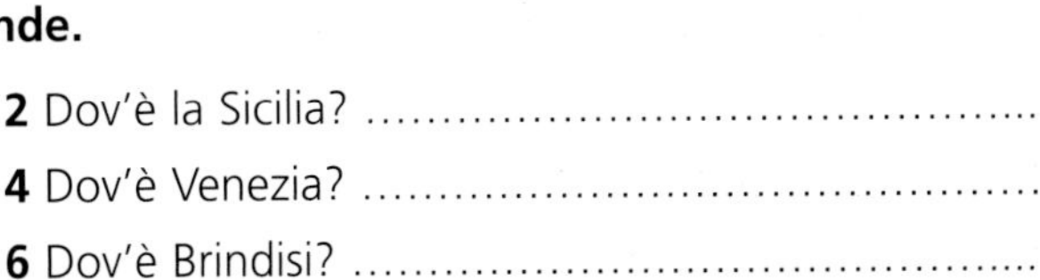

4 Abbina le domande alle risposte.

1 Che tempo fa in Italia in agosto?
2 Che tempo fa nel tuo paese?
3 Che tempo prevedono per domani?
4 Quanti gradi ci sono oggi?
5 Che temperatura c'è a Roma in inverno?

a Prevedono bel tempo.
b Più di 30°.
c Solitamente fa molto caldo
d Di solito attorno ai +10°.
e Dipende dalle stagioni.

 **5 Lavora con un compagno. Uno di voi è A e l'altro è B. A va a pag. V e B a pag. VII. Fatevi domande per completare le cartine dei paesi con i dati che vi mancano.**

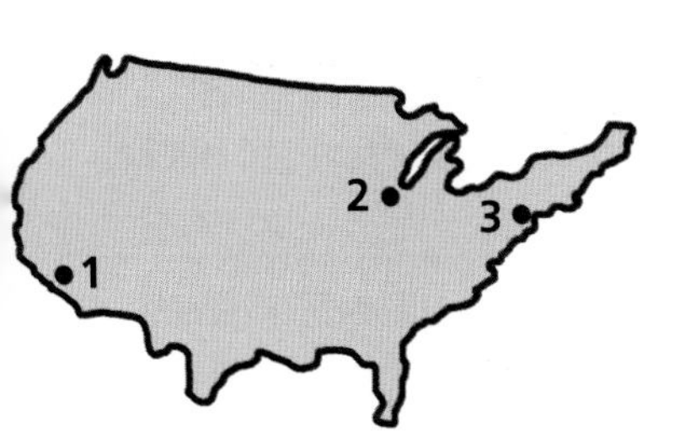

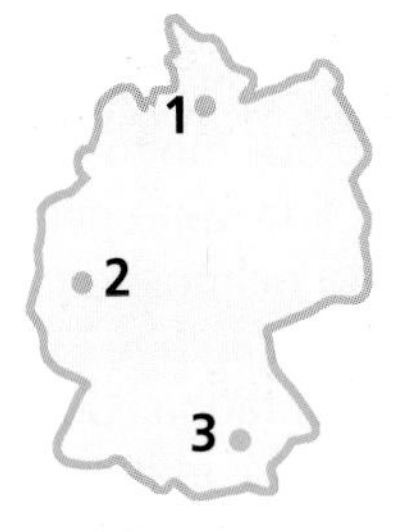

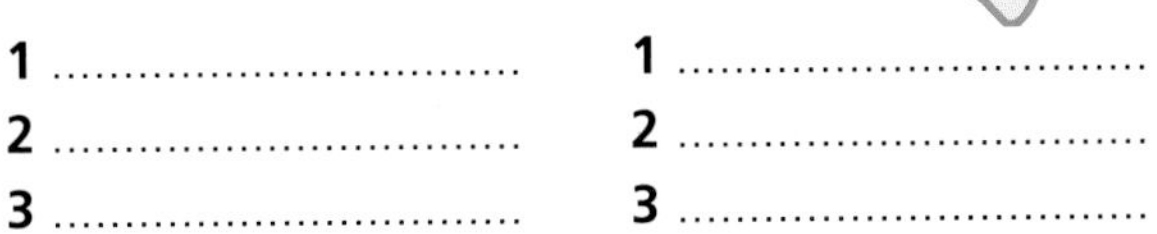

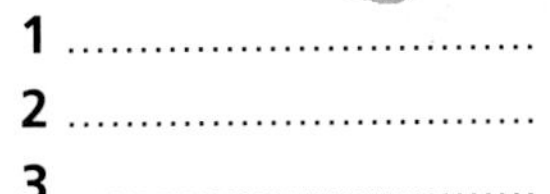

1 ....
2 ....
3 ....

1 ....
2 ....
3 ....

1 ....
2 ....
3 ....

1 ....
2 ....
3 ....

abilità

la coesione del testo

Per capire un testo è importante saper interpretare le parole che rimandano a parti già incontrate.

1 A cosa si riferiscono le parole sottolineate?

1 Ora vivo a Napoli. Il clima, qui, è gradevole e temperato anche in inverno.
Qui, dove? ....

2 Della cucina italiana mi piacciono soprattutto i dolci e i primi piatti. Questi ultimi sono i miei preferiti.
Questi ultimi, cosa? ....

3 L'Italia è un paese ricco di storia e cultura. Su tutto il suo territorio è possibile trovare tracce di epoche passate.
Suo, di chi? ....

4 Ieri sera ho telefonato ai miei cugini, ma non li ho trovati.
Li, a chi si riferisce? ....

5 Ieri ho incontrato Sara che mi ha detto che ha finito gli esami.
Che, a chi si riferisce? ....

2 Leggi il testo e completa la tabella.

Il clima della penisola italiana.

La penisola italiana, che si estende per più di mille chilometri nel mezzo del Mar Mediterraneo, fa parte, complessivamente, delle zone a clima temperato.
Il suo clima, però, è molto variabile e questo dipende da tre cause:
1 la sua notevole estensione in latitudine;
2 la presenza e la distribuzione su tutto il suo territorio delle montagne;
3 la presenza del mare che la circonda in buona parte.
Le differenze di temperatura durante l'anno dipendono dalla latitudine.
L'estensione in latitudine fa sì che le regioni settentrionali abbiano un clima rigido tipicamente continentale europeo, mentre quelle meridionali sono vicine al continente africano che ha invece un clima tropicale.
Anche le montagne influenzano in modo determinante la temperatura. Sulle montagne italiane, al di sopra dei 3500 metri, ci sono condizioni simili a quelle polari, con ghiaccio perenne e temperature quasi sempre sotto lo zero. Inoltre le Alpi, con la loro disposizione ad arco da est a ovest, riparano durante l'inverno la Pianura Padana e la costa ligure dai freddi venti del nord.
Il mare rende il clima delle regioni costiere meno freddo durante l'inverno e meno caldo durante l'estate.
Le piogge e la temperatura sono le cause che determinano il clima di un'area geografica. Attraverso la loro analisi possiamo capire meglio i diversi climi italiani.
Le piogge in Italia sono molto irregolari, sia in rapporto al tempo (alle stagioni dell'anno) sia in rapporto allo spazio (alle regioni). Le quantità più elevate cadono sulle Alpi orientali, mentre la regione meno piovosa è la Puglia. In primavera le piogge sono abbondanti su tutto il territorio, mentre durante l'estate tutta la penisola si presenta molto asciutta, salvo poche eccezioni.
In autunno piove abbastanza su tutto il territorio. Questa è certamente la stagione più piovosa. In inverno, mentre piove molto e più o meno allo stesso modo su tutte le regioni, quelle del nord, ad eccezione di quelle orientali si trovano nel periodo più asciutto.
In inverno nel nostro paese abbiamo un generale e sensibile aumento della temperatura da nord a sud. Durante la stagione estiva invece essa si mantiene più o meno uniforme in tutta la penisola e tende a diminuire solo in montagna. Quindi mentre l'inverno è più freddo al nord, l'estate è ugualmente calda in tutta Italia.
Concludendo, in Italia abbiamo un clima molto vario, ma complessivamente sempre moderato; qui la temperatura non scende mai a livelli molto bassi e il caldo non diventa mai soffocante, perché la presenza del mare e la difesa naturale delle sue montagne ne limitano gli eccessi.

(Adattato da AA.VV., Una finestra aperta sul mondo, Paravia, pp. 275-279.)

Suo della penisola italiana	Che	Quelle
Questo	Quelle	Nostro
Sua	Loro	Essa
Suo	Loro	Qui
La	Questa	Sue
Quelle	Quelle	

3 Leggi nuovamente il testo e indica se le seguenti affermazioni sono vere o false.

	Vero	Falso
1 L'Italia si affaccia sul Mar Mediterraneo.	☐	☐
2 Il suo clima è sempre uguale.	☐	☐
3 Ci sono montagne in tutta Italia.	☐	☐
4 In alta montagna fa molto freddo.	☐	☐
5 Il mare rende il clima sulla costa più freddo in inverno.	☐	☐
6 Sulle montagne dell'Italia nord-orientale piove poco.	☐	☐
7 Sul Nord Italia piove poco in inverno.	☐	☐
8 Complessivamente in Italia non fa mai né troppo caldo, né troppo freddo.	☐	☐

4 Immagina di essere in Italia in estate.
Che parole relative al tempo ti aspetti di sentire nelle previsioni?

5 Ascolta le previsioni e rispondi alle domande.

	Sì	No
1 Al Nord si prevede bel tempo su tutte le regioni?	☐	☐
2 Al Centro sono previste temperature più alte?	☐	☐
3 Al Sud il tempo migliora nella notte?	☐	☐
4 In Sardegna la temperatura massima è in aumento?	☐	☐

Scrivere una lettera, un fax, un messaggio di posta elettronica in modo formale

6 Leggi il fax.

FAX

MITTENTE: Angelo Santillo
Via Corsica 112
Reggio Calabria

DESTINATARIO: Hotel Stendhal
Via Bodoni 3
43100 Parma

DATA: Reggio Calabria, 31 gennaio 2001
OGGETTO: Disdetta della prenotazione.

Spett. Hotel,

sono spiacente di comunicarVi che a causa delle condizioni del tempo che non mi permettono di raggiungere Parma, devo disdire la prenotazione di una camera singola per i giorni 1 e 2 febbraio.
Nella speranza di poter essere presto Vostro ospite, porgo

Distinti saluti

Dott. Angelo Santillo

Spett. (= spettabile) + ditta o nome della ditta. Se c'è il nome di una persona si usa **Gent.** (= gentile) + Sig.a Fabbri, per le donne; **Gent.** oppure **Egr.** (= egregio) + Sig. Salvo per gli uomini.

Altra formula di chiusura un po' meno formale è: **Cordiali saluti.**

grammatica

Pronomi personali tonici

	SINGOLARE	PLURALE
Prima persona	**me**	**noi**
Seconda persona	**te**	**voi**
Terza persona maschile	**lui, esso**	**essi, loro**
Terza persona femminile	**lei, essa**	**esse, loro**

Quando questi pronomi seguono parole come: **dentro, fuori, prima, dopo, sopra, sotto, senza** sono preceduti solitamente da **di**.
- I vicini che vivono **sotto di noi** hanno avuto un figlio.

Le **forme toniche** dei pronomi personali si usano: quando i pronomi sono preceduti da una preposizione:
- Sono andato dal direttore e ho parlato a lungo **con lui.**

per sottolineare, enfatizzare la persona, utilizzate come complemento oggetto:
- Scusi, ha chiamato **me** o il mio collega?

1 Sostituisci le parole sottolineate con un pronome.

1 Vado in vacanza con Carlo.
Vado in vacanza con lui.........

2 Ho comprato un regalo per Michela.
....

3 Siamo andati a casa con Luca e Simona.
....

4 Fra Ramona e Matteo c'è molto affetto, ma non c'è amore.
....

5 Monica non esce più con Andrea.
....

6 Venite al mare con Silvia e me?
....

2 Completa le frasi con un pronome.

1 Hai voglia di venire al cinema con ......me........ e Susanna?
2 Ieri sera alcuni amici sono venuti da .... a salutarci.
3 Chi sono quei due uomini dietro di .... ? Ci stanno seguendo.
4 Prima di ...., stavo con un'altra ragazza.
5 Non ho visto Paolo, ma ho parlato con .... ieri.
6 Vieni con .... al bar? Ti offriamo un caffè.
7 Mi piacerebbe passare un po' di tempo con ...., ma siete sempre così occupati!
8 Ho chiamato i miei genitori, vado da .... domani sera.

Beato te! Povero me!
Con queste esclamazioni si usano i pronomi tonici.
- Mario ha vinto molti soldi al Totocalcio.
- Beato lui!
- Povero me! Domani mattina devo andare all'ospedale per un esame molto fastidioso.

3 Completa le frasi con un pronome atono o tonico.

1 Ho visto Matteo e Andrea e ...li.... ho invitati a pranzo.
2 .... offri una birra? Ho sete.
3 Se aspettate un momento, posso accompagnare .... e tua madre alla stazione in macchina.
4 .... va di comprare un regalo a Sandra insieme, o preferite comprar......... qualcosa da soli?
5 Francesca ama Paolo, ma .... non ama ....
6 Non ho voglia di andare a lavorare! Oggi tocca a Silvio non a ....
7 Lavi tu i piatti o .... lavo io?
8 Mia zia è partita per gli Stati Uniti. Beata ....!
9 Povero Mattia! Sua moglie .... ha lasciato.
10 Ieri sera un gruppo di amici ha vinto 2 milioni di euro al lotto. Beati ....

Esprimere accordo e disaccordo. *Anche a me; a me no; neanche a me; a me sì*

 **4 Non sei mai d'accordo con Luigi. Rispondi seguendo l'esempio.**

Luigi

1 Ho sonno.
2 Sto leggendo un libro interessante.
3 Non ho fame.
4 Mi piacciono gli spinaci.
5 Mi ricordo sempre di te.
6 Non mi sveglio mai prima delle 7.

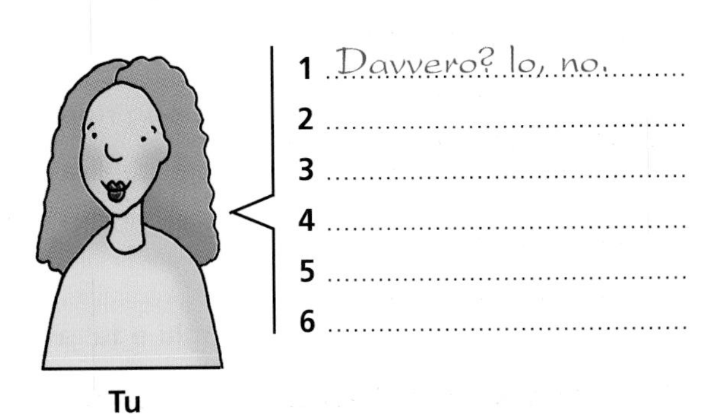

Tu

1 Davvero? Io, no.
2 ....
3 ....
4 ....
5 ....
6 ....

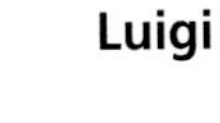 **5 Sei sempre d'accordo con Luigi. Rispondi seguendo l'esempio.**

Luigi

1 Ho sete.
2 Non mangio mai carne.
3 Ho sempre freddo.
4 Non sopporto i programmi di varietà.
5 Lavoro spesso fino alle 8 di sera.
6 Il nuovo film di Benigni mi sembra molto interessante.

Tu

1 Anch'io.
2 ....
3 ....
4 ....
5 ....
6 ....

6 E tu?

1 Vado spesso allo stadio.
Anch'io/io no

2 Mi piace molto la letteratura tedesca.
....

3 Ascolto musica classica tutti i giorni.
....

4 Non vado mai in discoteca.
....

5 Non so usare il computer.
....

6 Gioco spesso a tennis con i miei amici.
....

7 Mi piace la cucina cinese.
....

8 Mi sembra che l'italiano sia una lingua facile.
....

- **I suoni** /pp/ tro***pp***o; /bb/ ra***bb***ia; /tt/ le***tt***o
- Intonazione per esprimere stati d'animo: *preoccupazione*

1 Ascolta queste coppie di parole. Ti sembrano uguali o diverse?

	uguali	diverse
a	x	
b		
c		
d		
e		
f		
g		
h		
i		
l		

I suoni intensi /**pp**/ /**bb**/ /**tt**/ sono diversi da quelli che abbiamo visto nelle unità precedenti. Infatti, sono pronunciati con maggiore forza rispetto ai corrispondenti suoni brevi /**p**/ /**b**/ /**t**/. Fa' attenzione a questa caratteristica.

2 Ascolta le parole e ripeti. Dopo ripeti con un compagno.

nebbia etto gruppo repubblica oppure tutto giapponese
fabbrica bolletta sviluppare arrabbiarsi cappotto attuale sappia

3 Ascolta questi brevi dialoghi e fa' attenzione all'intonazione.

a a Il giornale dice che domani ci sarà brutto tempo!
b Oh no! io devo guidare e se poi nevica...

b a Andiamo al mare domenica?
b Mmh, lunedì ho un esame, se non studio...

c a Ieri sono uscito di nuovo con Anna!
b Ma dai! Se lo sa Caterina...

d a Andiamo a prendere un caffè?
b Io ne ho già presi tre stamattina! Se ne prendo un altro...

4 Leggi i dialoghi dell'esercizio precedente con un compagno. Fa' attenzione all'intonazione.

civiltà **Una questione di clima.**

1 Ascolta la canzone, chiudi gli occhi, e poi scrivi tutto quello che la musica ti suggerisce sull'Italia.

 **2 Leggi il testo e poi discutine con i tuoi compagni. Siete d'accordo?**

Nell'immaginario degli stranieri questa canzone rappresenta il ritratto dell'Italia come il paese del sole, del caldo, della musica e della gioia di vivere. Questi aspetti sono solo parzialmente veri ma hanno contribuito a dare un'immagine stereotipata e spesso falsa dell'Italia. Proviamo a giocare insieme e vedere come il caldo avrebbe influenzato, nel bene e nel male, il carattere e lo stile di vita degli italiani.

La gioia di vivere
Il sole, la luce, anche a detta degli esperti, hanno un effetto benefico sulle persone. Contribuiscono ad aumentare il buon umore, la gioia di vivere e l'allegria. La vita appare meno grigia e monotona, ci si sente più vicini alla natura ed è più facile superare i momenti tristi. Da qui l'immagine degli italiani che cantano sempre e per i quali ogni occasione è buona per far festa.

Il sangue caldo
L'italiano che urla e litiga, il *latin lover,* il *macho* sono dirette conseguenze del clima. Il caldo diventa sinonimo di sensualità, caduta delle inibizioni, libertà di costumi. Ecco allora l'immagine degli uomini italiani che vedono passare per strada le donne e gli fanno commenti, a volte simpatici, ma che più spesso non piacciono alle donne e soprattutto alle turiste straniere che non sono abituate e che reagiscono con stupore e imbarazzo.

La pigrizia
Con il caldo si lavora male, non si riesce a concentrarsi, si comincia a pensare alle vacanze e al riposo. Ed ecco allora lo stereotipo dell'italiano pigro, che non ha voglia di lavorare.

La cucina
Gli italiani sono i primi della classe in cucina. Il clima temperato favorisce la crescita di prodotti della terra che sono introvabili nei paesi del nord; è sufficiente un po' d'olio d'oliva, qualche pomodoro, una buona mozzarella e una foglia di basilico per avere già pronto un pasto buonissimo.

Il carattere aperto
Grazie al clima temperato, gli italiani sono da sempre abituati a vivere all'aria aperta e questo aumenta le occasioni di incontro. La vita di tutti i giorni diventa spettacolo, la *privacy* viene ridotta al minimo e ognuno diventa partecipe dei piccoli avvenimenti quotidiani del vicino di casa e del collega di lavoro. Anche se oggi i ritmi di lavoro e lo stile di vita stanno cambiando un po' il carattere degli italiani.

sommario

Perugia, estate.

1 Abbina le frasi o espressioni alla descrizione sotto.

1 Sì, volentieri.
2 Beato te!
3 Povero me!
4 Che guaio!
5 Se piove resto a casa.
6 C'è freddo e nevica.
7 Anch'io.
8 Neanch'io.
9 Quanti gradi ci sono oggi?
10 Ci sono 3 gradi.
11 Che tempo prevedono per domani?
12 Prevedono tempo sereno, ma temperature basse.
13 Che tempo fa nel tuo paese?
14 Il Piemonte è nel nord-ovest d'Italia.

Perugia, inverno.

In questa unità abbiamo imparato a:

[6] **a** descrivere il tempo meteorologico ....
[ ] **b** chiedere del tempo meteorologico ....
[ ] **c** esprimere accordo ....
[ ] **d** esprimere disaccordo ....
[ ] **e** fare ipotesi ....
[ ] **f** accettare o esprimere accordo enfatizzando ....
[ ] **g** esprimere preoccupazione ....
[ ] **h** esprimere ammirazione e invidia ....
[ ] **i** esprimere commiserazione ....
[ ] **l** chiedere la temperatura ....
[ ] **m** dire la temperatura ....
[ ] **n** chiedere le previsioni del tempo ....
[ ] **o** dire le previsioni del tempo ....
[ ] **p** parlare dei punti cardinali ....

1 Leggi le definizioni nel riquadro e scrivile nella colonna corrispondente.

Il mare	La pioggia	Il cielo	Il clima

agitato, fresco, calmo, coperto, freddo, glaciale, in tempesta, leggera, nuvoloso, sereno, variabile, caldo

..... / 12

2 Associa le battute delle due colonne.

1 - Io non sopporto il caldo afoso.
2 - Mi piace sempre andare in montagna.
3 - Io al mare mi annoio.
4 - Non mi piacciono gli spaghetti troppo cotti.
5 - Ti piace viaggiare?

a - Anch'io.
b - Neanch'io.
c - A me sì, certo.
d - Neanche a me.
e - Anche a me.

1	2	3	4	5

..... / 5

3 Leggi le seguenti previsioni del tempo e scrivi il numero accanto alla lettera della vignetta corrispondente.

1 Tempo previsto: al nord sereno o poco nuvoloso, con aumento della nuvolosità. Foschie e nebbie possono interessare la Pianura Padana nelle prime ore della giornata. Al centro nuvolosità variabile con piogge sul versante orientale, al sud e sulle isole cielo prevalentemente sereno.

2 Tempo previsto: al settentrione cielo prevalentemente sereno con annuvolamenti sul versante orientale. Al centro cielo coperto, mentre al meridione torna finalmente il sereno. Cielo ancora nuvoloso invece sulla Sardegna e sulla Sicilia.

3 Tempo previsto: al nord nuvoloso, in particolare nel settore occidentale dove sono possibili piogge. Poco nuvoloso al centro. Al sud e sulle isole invece cielo molto coperto con precipitazioni sparse, anche a carattere temporalesco, su Calabria e Sicilia.

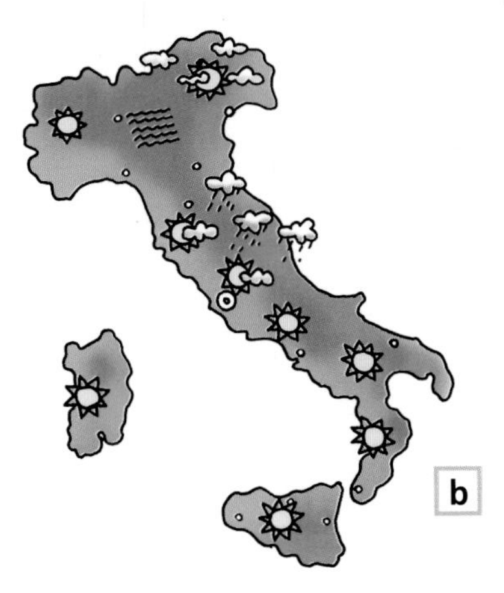

1	2	3

..... / 3

4 Rimetti in ordine le frasi del seguente dialogo.

Laura: - Ciao Isa, come va? [1]
Isa: - Bah, con questo caldo non riesco a fare niente! [2]
Isa: - Anch'io, però quest'anno un po' di mare non me lo toglie nessuno. [ ]
Laura: - Neanch'io. Non vedo l'ora di andare in vacanza, qui in città non si respira. [ ]
Isa: - Anche a me, però, non mi piace andare dove c'è troppa gente. [ ]
Isa: - Senti, visto che anche tu non hai ancora deciso niente, ti andrebbe di passare le vacanze insieme? [ ]
Laura: - A me sì, però devo sentire Francesco, lui ha sempre il problema del lavoro... [ ]
Isa: - Hai già deciso dove andare? [ ]
Laura: - Nemmeno a me, figurati. Se vedo folla scappo. [ ]
Laura: - Veramente no, però vorrei andare in un posto al mare, mi piace troppo stare al sole. [ ]

..... / 8

5 Metti in ordine le frasi.

1 la uscire anche lei non con piace pioggia a ....
2 a cambia casa giorno se tutto il non tempo il resto ....
3 fa se necessario caldo bere molto molto è ....
4 te questa po' se ho un da passo di sera tempo ....

..... / 4

6 Immagina di essere Gianni e di raccontare in poche parole a Lella il contenuto di alcuni messaggi che hai trovato nella segreteria telefonica. Osserva l'esempio.

1 Lella sono la mamma, ciao. Sono tornata dalla montagna. Magari vi passo a salutare più tardi ciao.
Ha telefonato tua mamma. Ha detto che è tornata e ci viene a salutare (ci passa a salutare) più tardi.

2 Lella e Gianni, sono Piero. Vi telefono per sapere se sabato siete liberi per una pizza con degli amici miei di Parigi. Poi magari facciamo un salto da me a bere qualcosa. Datemi conferma, ciao.
....
....

3 Ciao, sono Laura, non ci siete mai... Allora d'accordo veniamo da voi verso le otto, avvisa Lella che il dolce lo portiamo noi. Ciao ciao.
....
....

4 Signora buongiorno, sono la sarta. Guardi che il suo vestito è pronto, lo può passare a prendere quando vuole. Grazie.
....
....

5 Ciao vecchio mio, sono Pippo. Senti, domenica c'è l'Inter che gioca. Ho trovato due biglietti. Chiedi alla Lella se ti lascia venire con me, cosi ci vediamo la partita insieme. Ciao.
....
....

..... / 8

NOME:
DATA:
CLASSE:

totale ..... / 40

unità 14 sulla strada!

1 Trova il posto.

1 Si va in questo posto per pranzare o cenare. ....ristorante....

2 Qui si può cambiare del denaro straniero. ....

3 Qui si dorme, si fa colazione, ecc. ....

4 Qui si può vedere un buon film. ....

5 Qui si può assistere a spettacoli di prosa, lirica, balletto, ecc. ....

6 Si va in questo luogo per comprare ciò di cui si ha bisogno per vivere: cibo, detersivi, ecc. ....

7 E' un luogo sacro, dove si prega. ....

8 E' un luogo dove si può vedere una mostra di quadri oppure sculture e altre cose di interesse artistico, storico, culturale. ....

9 Qui si può nuotare. ....

10 Ci sono molti libri e spesso si può chiedere di prendere in prestito alcuni di essi. ....

11 Qui arrivano e partono i treni. ....

12 Qui si aspetta l'autobus. ....

13 In questo luogo si può lasciare la macchina. ....

hotel, fermata dell'autobus, cinema, banca, teatro, chiesa, museo piscina, biblioteca, ristorante, stazione, parcheggio, supermercato

2 Ascolta e cerchia le parole che senti.

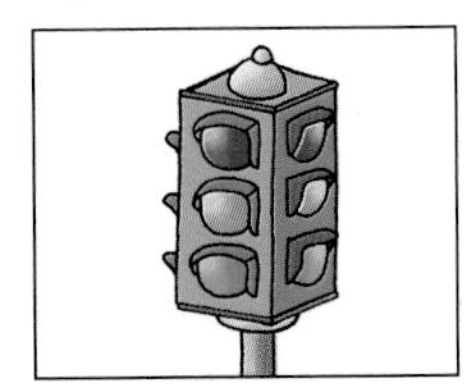

semaforo

incrocio

curva

piazza

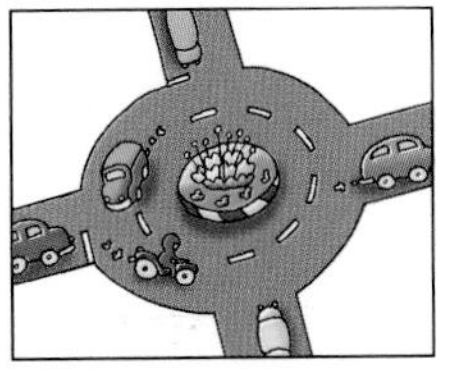

rotonda

ponte

strada

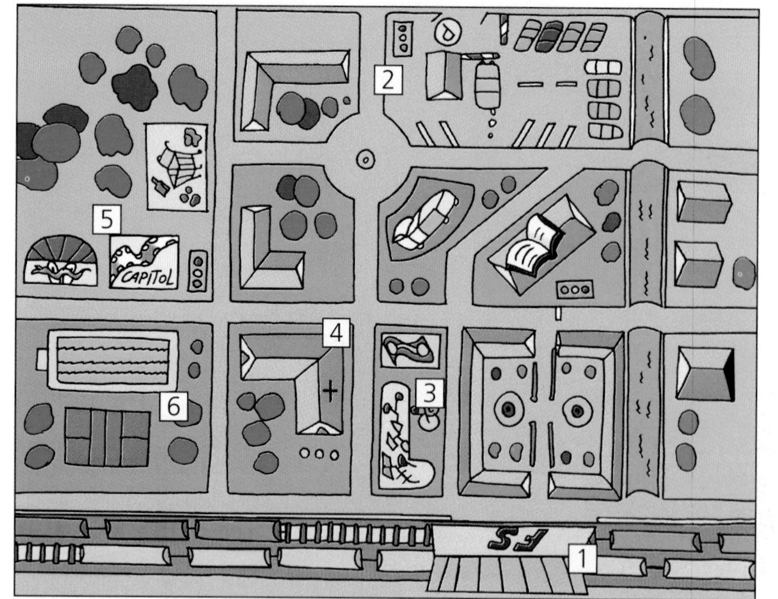

▸▸ **Alla scoperta della lingua**

Nell'esercizio 1
hai visto molte volte
la parola **si**.
Quando si usa?

1 ....
2 ....
3 ....
4 ....
5 ....
6 ....

3 Ascolta nuovamente e scrivi il nome dei luoghi segnati con il numero.

4 Tu e il tuo compagno siete in stazione. Fate dei dialoghi chiedendo informazioni stradali.

Esempio: - Senta, scusi, mi sa dire dov'è...?
- Scusi, c'è un... qui vicino, per favore?
- Scusi, per andare...?

5 Ascolta il dialogo e cerchia la parola che senti.

Sandro: - Senta, scusi, mi sa dire dov'è un **a** hotel, **b** ristorante, **c** parcheggio, **d** teatro?
Passante 1: - Mi dispiace, non lo so.
Sandro: - Mi scusi, c'è un parcheggio qui vicino?
Passante 2: - Allora, mi lasci pensare... Sì, ce n'è uno.
Sandro: - Quanti chilometri ci sono da qui?
Passante 2: - No, non si preoccupi, non è lontano da qui...
Sandro: - Ci si arriva in macchina?
Passante 2: - Sì, ci può andare in macchina senza problemi... non ci sono isole pedonali...
Sandro: - Quanto tempo ci vuole per arrivarci?
Passante 2: - Ci vogliono meno di 5 minuti.
Dunque, vede quella **a** rotonda, **b** curva, **c** piazza, **d** fermata dell'autobus, là in fondo?
Sandro: - Sì, la vedo.
Passante 2: - Subito dopo c'è un **a** ponte, **b** incrocio, **c** semaforo, **d** bar. Deve passare il ponte, andare **a** a sinistra, **b** a destra, **c** di fianco, **d** avanti, alla prima laterale e poi **a** avanti, **b** a sinistra, **c** a destra, **d** dritto per circa... 300 metri fino al semaforo.
Quando arriva al semaforo, deve **a** voltare, **b** girare, **c** prendere, **d** andare a sinistra e lì vedrà l'entrata del parcheggio proprio **a** di fronte, **b** davanti, **c** di fianco, **d** dietro a un supermercato.
Sandro: - Ah, grazie mille. Spero di trovarlo. Arrivederci.
Passante 2: - Arrivederci.

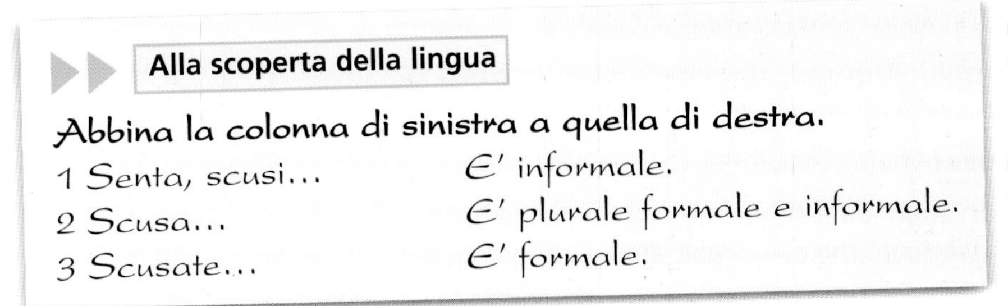

Alla scoperta della lingua

Abbina la colonna di sinistra a quella di destra.

1 Senta, scusi...	E' informale.
2 Scusa...	E' plurale formale e informale.
3 Scusate...	E' formale.

6 Insieme a un compagno, a turno uno guarda la cartina e spiega come si arriva dalla stazione a un luogo che ha scelto. L'altro deve indovinare che luogo è.

7 Un tuo compagno non sa dov'è la farmacia più vicina. Scrivi un messaggio in cui gli dai le indicazioni per arrivarci.

lessico

1 Scrivi il nome sotto le figure.

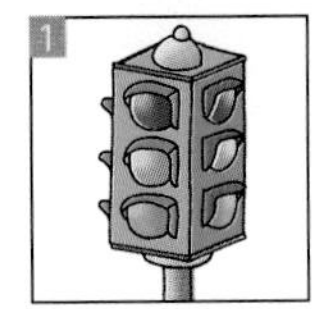   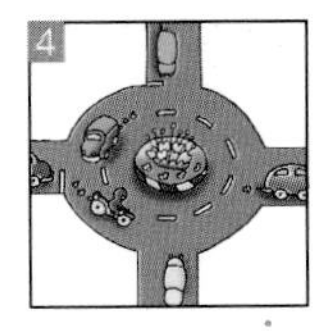 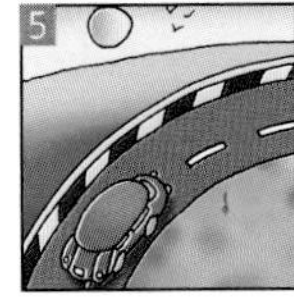   

....

2 Guarda la figura e scrivi le indicazioni di luogo che possono andare bene con le frecce.

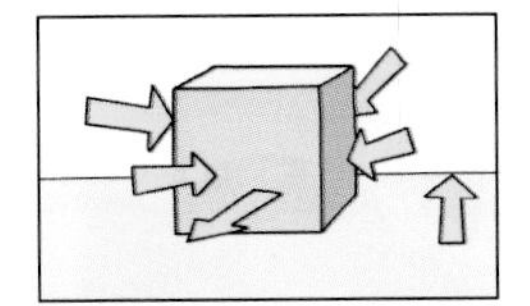

dietro — di fianco a — davanti a — di fronte a — all'angolo di — in fondo a

3 Scrivi una lista dei verbi che si usano nelle indicazioni stradali.

1	andare	2	....
3	....	4	....
5	....	6	....
7	....	8	....

4 Scrivi la definizione di tre luoghi pubblici.

5 Insieme a un compagno, a turno leggete le definizioni e cercate di indovinare i luoghi.

abilità

Imparare parole nuove

Ti presentiamo un testo un po' difficile, perché ci sono parole per te sicuramente nuove. Ma non preoccuparti! Esistono tecniche, che qui cominciamo a insegnarti, per farti capire testi "difficili" senza dover conoscere ogni parola.

1 Leggi il testo e metti in ordine i paragrafi.

VENEZIA: UNA CITTÀ UNICA.

1 Venezia è decisamente particolare: è costruita su 118 isole divise da 160 canali, di cui il più importante è il Canal Grande, collegati fra loro da ben 400 ponti.

2 Nel Medioevo era una città fiorente di traffici commerciali soprattutto con i popoli dell'Oriente. Difesa dal mare, Venezia ben presto fu la più potente delle repubbliche marinare. Il suo splendore durò fino al Seicento, poi cominciò una lunga decadenza legata alla perdita dell'egemonia nel bacino del Mediterraneo.

3 I problemi che la città deve affrontare sono numerosi: dal lento, ma costante processo di sprofondamento, al grave inquinamento delle acque lagunari, all'invecchiamento della popolazione e delle strutture edilizie.

4 Importante centro culturale, Venezia ospita un'università, numerosi musei e gallerie d'arte e promuove molte iniziative culturali, come mostre, la Biennale, il Festival del cinema, e folcloristiche come il famoso Carnevale.

5 Sorge sulla laguna che porta lo stesso nome. Anticamente era un piccolo villaggio di palafitte costruite dagli abitanti della zona per difendersi dalle invasioni dei barbari provenienti dal nord.

6 L'economia cittadina è essenzialmente basata sul turismo e il commercio, sull'artigianato e sul pubblico impiego.

Adattato da AA.VV., *Una finestra sul mondo*, Paravia, p.267

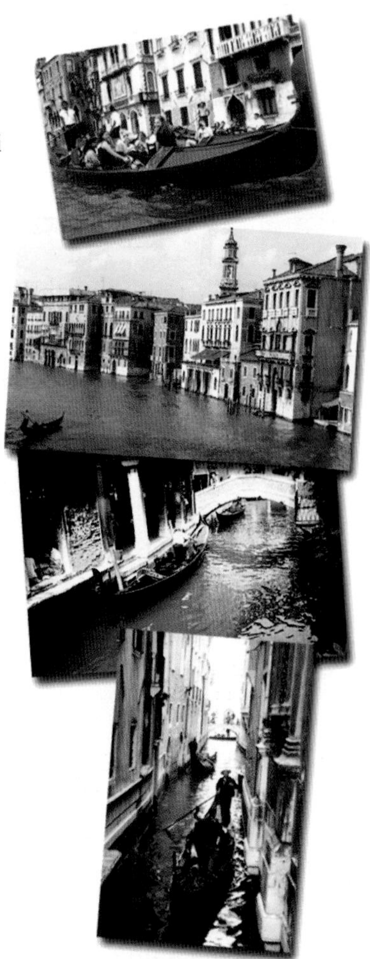

1	2	3	4	5	6

2 Leggi nuovamente il testo e cerca sul dizionario le parole che ti sembrano indispensabili per capirne il senso.

3 Ascolta l'intervista e rispondi alle domande.

1 Com'è la vita del gondoliere?
Bella - Eccitante - Difficile

2 Qual è il problema principale?
Il trasporto - L'umidità - La mancanza di turisti

3 Cos'è la cosa più difficile?
Parcheggiare - Girare sotto i ponti - Partire

4 Perché sono pericolosi i turisti?
Perché vogliono salire in tanti sulla stessa gondola - Perché si muovono per fotografare - Perché non sanno nuotare

5 Quanto costa il vaporetto per i veneziani?
0.50 - 2.75 - 0.75

4 Per ricordare delle parole nuove ci sono diverse tecniche. Anche tu ne utilizzi. A coppie, parlate di cosa fate per ricordare il lessico.

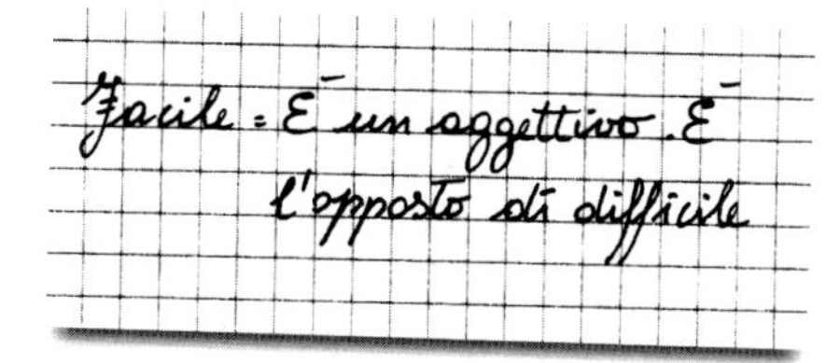

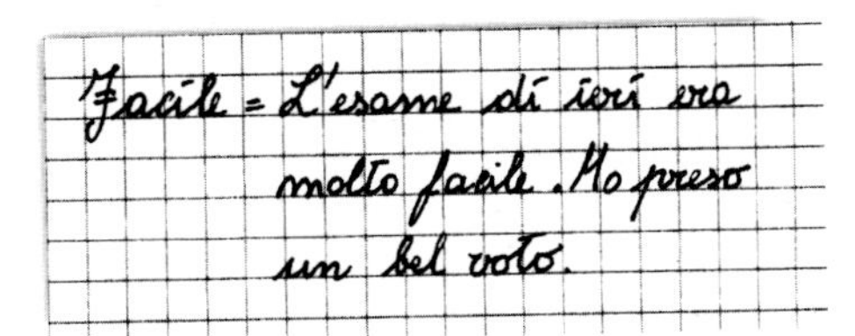

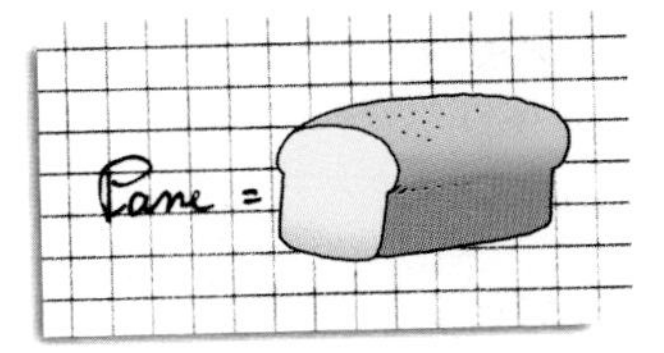

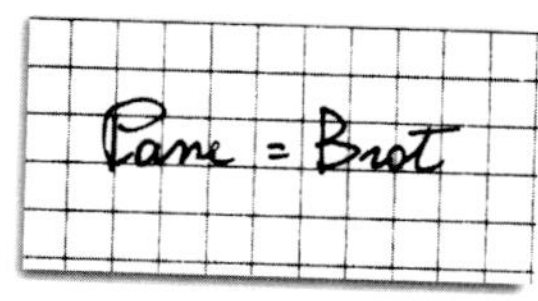

5 Quali di queste tecniche utilizzi? Lavora con un compagno. Secondo voi queste tecniche vanno sempre bene? Alla fine, discutete le vostre idee con la classe.

1 Traduzione dall'italiano alla tua lingua.

2 Scrivere la spiegazione della parola nella tua lingua.

3 Scrivere la spiegazione della parola in italiano.

4 Scrivere una frase d'esempio in italiano.

5 Fare un disegno che rappresenta la parola.

6 Registrare le parole e la loro traduzione con un registratore e riascoltarle spesso, mentre si fanno altre cose.

7 Attaccare foglietti con le parole nuove nelle stanze della casa.

8 Fare cartelli, poster, ecc. in classe.

grammatica

La forma impersonale

Ci sono vari modi per non esprimere in modo determinato la persona che compie l'azione.

Osserva gli esempi:

- Di sera **si deve** andare a letto presto se **si vuole** star bene il giorno dopo.
- Di sera (tu) **devi** andare a letto presto se (tu) **vuoi** star bene il giorno dopo.

Nelle frasi impersonali con il **si**, la particella **si** del riflessivo si trasforma in **ci**.
- **Ci si veste** eleganti quando si va ai matrimoni.

Due di questi modi sono **tu** e più frequentemente **si**.
Il **si impersonale** richiede il verbo sempre alla **terza persona singolare**.

- In Italia **si mangia** molta pasta

Nei tempi composti l'ausiliare è sempre **essere**, ma l'accordo con il participio passato si fa solamente con i verbi che nella forma attiva hanno l'ausiliare *essere*.

- In Italia non **si è** ancora finito di pagare molte tasse.
- In Italia **si è arrivati** da pochi decenni ad avere un livello piuttosto alto di benessere.

Il **si impersonale** con il verbo essere + aggettivo.
Nelle frasi con il verbo essere + si, l'aggettivo ha sempre la forma del plurale maschile.
- Quando **si è tristi**, è bello avere degli amici.

Nella forma negativa la sequenza è sempre:
non + si + verbo.

1 Riscrivi le frasi usando il *si* impersonale.

1 In Italia quando guidi devi fare molta attenzione ai motorini.
In Italia quando si guida si deve fare molta attenzione ai motorini.

2 Se guidi troppo velocemente in città prendi facilmente una multa.
....

3 In Italia devi lavorare per almeno 35 anni per poter andare in pensione.
....

4 In Italia in caso di emergenza hai sempre diritto all'assistenza sanitaria.
....

5 In Italia se vuoi entrare nei musei più importanti devi spesso fare una lunga coda.
....

6 Quando sei al mare ti devi mettere molta crema per proteggerti dal sole.
....

2 Trasforma le frasi usando la forma impersonale.

1 Gli italiani mangiano spesso la pasta.
In Italia si mangia spesso la pasta.

2 Gli italiani bevono molto vino.
In Italia ....

3 Gli italiani lavorano molto, al contrario di quanto a volte si pensi.
In Italia ....

4 Gli italiani non fanno sciopero spesso.
In Italia ....

5 Gli italiani non parlano bene l'inglese.
In Italia ....

6 Gli italiani risparmiano molto.
In Italia ....

7 Gli italiani fanno spesso colazione al bar.
In Italia ....

8 Gli italiani giocano spesso al totocalcio.
In Italia ....

Ci di luogo

Ci si usa per sostituire un'indicazione di luogo:

- Vai spesso *in Germania?*

- Sì, *ci* vado almeno una volta all'anno.

3 Rispondi alle domande usando *ci*.

1 Ti piacerebbe andare in Brasile?
Sì, mi piacerebbe molto andarci.
(molto)

2 Sei mai stato a Rio?
No, ...

3 Vai spesso in discoteca?
No, ...
(una o due volte all'anno)

4 Come stai nella tua nuova casa?
....
(molto bene)

5 Quanti chilometri ci sono da Torino a Palermo?
....
(circa 1500 chilometri)

6 Sei mai andato agli Uffizi?
Sì, ...
(due volte)

Volerci - quanto tempo ci vuole ?

Osserva gli esempi:

- Quanto (tempo) ci **vuole** (1) per arrivare a Roma da Napoli?
- Ci **vogliono** (2) circa 2 ore.

- Da Piacenza a Torino ci **vuole** (3) circa un'ora e mezza.

I soggetti di *vuole* (1 e 3) sono *il tempo* e *un'ora e mezza*, quindi il verbo è al singolare. Il soggetto di *vogliono* (2) è *due ore*, quindi il verbo è al plurale.

Ci vuole/ci vogliono significa in generale *occorrere, essere necessario*.

Osserva gli esempi:

- Cosa ci vuole per fare questa torta?
- Allora, ci vogliono 3 etti di burro e molto zucchero, due uova e...non mi ricordo!

- Quanto ci vuole per comprare quello scooter?
- Mi hanno detto che ci vogliono più o meno 3000 euro.

4 Rispondi alle domande.

1 Quanti chilometri ci sono da Parma a Bologna? ... Ci sono 90 chilometri. ...
2 Quanto tempo ci vuole? ...
3 Quanti chilometri ci sono da Parma a Milano? ...
4 Quanto tempo ci vuole? ...
5 Quanti chilometri ci sono da Parma a Venezia? ...
6 Quanto tempo ci vuole? ...
7 Quanti chilometri ci sono da Parma a Roma? ...
8 Quanto tempo ci vuole? ...

Dispiacersi

Si coniuga e si costruisce come il verbo piacere, ma non è la sua forma negativa.

Osserva gli esempi e trova la differenza:

- Mi scusi, mi sa dire dov'è la biblioteca comunale?
- Mi dispiace, non lo so.

- Vuoi un pezzo di torta?
- No, grazie, non mi piacciono i dolci.

5 Abbina le frasi di destra a quelle di sinistra.

a - Mi scusi dov'è Borgo Cattaneo?
b - Domingo è partito?
c - Vi dispiace dirmi perché non avete studiato?
d - Venite al mare con noi questo fine settimana?
e - Ti dispiace battermi questa lettera?
f - Mi presti la tua penna, per favore?
g - Le dispiace se mi siedo qui?

1 - No, lo faccio subito.
2 - Mi dispiace, ma la sto usando.
3 - Sì, gli è dispiaciuto molto lasciare l'Italia.
4 - Mi dispiace, non lo so.
5 - Siamo andati allo stadio.
6 - Ci dispiace molto, ma siamo in montagna fino a domenica.
7 - No. Prego, è libero.

fonologia

- I suoni /kk/ a**cc**ordo, acqua; /gg/ a**gg**ressivo; /dd/ a**dd**io
- Intonazione per esprimere: *accordo/disaccordo*.

1 Ascolta le coppie di parole. Fa' attenzione, le parole con * non esistono.

accordo	*acordo	ecco	eco	ricco	*rico
aggredire	*agredire	agganciare	*aganciare	raggruppare	*ragruppare
soddisfare	*sodisfare	freddo	*fredo	addirittura	*adirittura

Anche **/kk/ /gg/ /dd/** come i suoni dell'unità precedente, devono essere pronunciati con maggiore intensità rispetto ai corrispondenti suoni brevi **/k/ /g/ /d/**. Fa' attenzione: anche la sequenza - **cqu** - (per esempio a**cqu**a) è pronunciata /kkw/.

2 Ascolta le parole e scrivile nelle colonne corrispondenti.

/k/ /g/ /d/	/kk/ /gg/ /dd/
	sogghigno

3 Leggi con un compagno le parole che hai scritto.

4 Nell'unità precedente abbiamo visto come si può esprimere accordo/disaccordo enfatizzando. Ascolta i dialoghi e fa' attenzione all'intonazione per esprimere accordo/disaccordo.

1 [a] - Io sono di Roma.
[b] - Anch'io!

2 [a] - Non ho fame!
[b] - Davvero? Io invece ho una fame... !

3 [a] - Gli spinaci mi piacciono molto!
[b] - Anche a me!

4 [a] - Io mangio la carne molto spesso.
[b] - Io no! Sono vegetariano!

5 Leggi i dialoghi con un compagno.

civiltà **Italiani di oggi.**

 **1 Sei un esperto conoscitore dell'Italia? Chi sono i personaggi italiani di oggi famosi nel mondo? Fa' il quiz. Ogni risposta giusta vale 10 punti.**

1 Il suo mestiere non è solo quello di scrittore, è un semiologo, studioso di estetica e insegna all'Università di Bologna. E' diventato famoso al grande pubblico in tutto il mondo con il romanzo *Il nome della rosa* tradotto in tantissime lingue.
Il suo nome è: ....

2 E' un cantante lirico, un grande tenore che insieme a Plácido Domingo e José Carreras organizza lo spettacolo internazionale *I tre tenori*. Canta spesso con i più famosi cantanti di musica pop e rock. Molto conosciute sono anche le sue interpretazioni delle canzoni napoletane.
Il suo nome è:..

3 Non tutti sanno che questo regista cinematografico è il figlio di uno dei più bravi poeti italiani del 900 (Attilio) e che è nato a Parma. Tra i suoi film più famosi troviamo: *Ultimo tango a Parigi, Novecento, L'ultimo imperatore, Il piccolo Budda, Il tè nel deserto,* ecc.
Il suo nome è: ....

4 Architetto genovese che è tra gli autori del *Beaubourg* di Parigi, ha realizzato il museo *Menil* di Houston nel Texas e l'aeroporto di Kansai a Osaka in Giappone.
Il suo nome è: ....

5 Attrice romana vive da anni negli Stati Uniti dove sono famosi i suoi libri di cucina italiana. Ha vinto due Oscar, nel 1961 per l'interpretazione nel film di Vittorio De Sica *La ciociara* e nel 1991 l'oscar alla carriera.
Il suo nome è: ....

6 Autore e attore di teatro ha vinto il premio Nobel per la letteratura nel 1997. Ha cominciato la sua carriera ispirandosi alla comica popolare. Ha messo in scena opere satirico-politiche come *Mistero Buffo* (1969) e *Morte accidentale di un anarchico* (1970).
Il suo nome è: ....

7 E' toscano, attore comico e regista cinematografico. Il suo film *La vita è bella* ha vinto l'Oscar per il miglior film straniero nel 1999. Altri film da lui interpretati sono *Il piccolo diavolo* (1988) *Johnny stecchino* (1991), *Il mostro* (1994).
Il suo nome è: ....

1 Umberto Eco, 2 Luciano Pavarotti, 3 Bernardo Bertolucci, 4 Renzo Piano, 5 Sophia Loren, 6 Dario Fo, 7 Roberto Benigni

70-60 punti	Grande esperto, ami e conosci l'Italia più degli stessi italiani.
60-50 punti	Bravissimo! Segui con grande interesse tutto ciò che è italiano.
50-40 punti	Preparato e attento. C'è spazio per migliorare ancora.
40-30 punti	Non c'è male, il tuo problema è solo la distrazione.
30-20 punti	Sai che potresti fare meglio.
20-10 punti	Decisamente scarso, ma lo sai che in Italia non c'è solo la "pizza"?
10-0 punti	Malissimo! Hai perso un viaggio gratis di due settimane a Roma!

sommario

1 Abbina le frasi o espressioni alla descrizione sotto.

1 Allora, mi lasci pensare...
2 Senta, scusi, mi sa dire dov'è un hotel?
3 Mi scusi/Senta, scusi...
4 Deve arrivare fino al semaforo e poi voltare a destra.
5 Deve passare il ponte, andare a sinistra, e poi...
6 Mi scusi, c'è un parcheggio qui vicino?
7 Quanti chilometri ci sono da qui?
8 Mi dispiace, non lo so.
9 Ci vogliono meno di 5 minuti.
10 Quanto tempo ci vuole per arrivarci?
11 Ci sono circa due chilometri.
12 Ci vogliono 3 etti di burro e 3 di zucchero, due uova e poi...
13 Cosa ci vuole per fare quella torta?

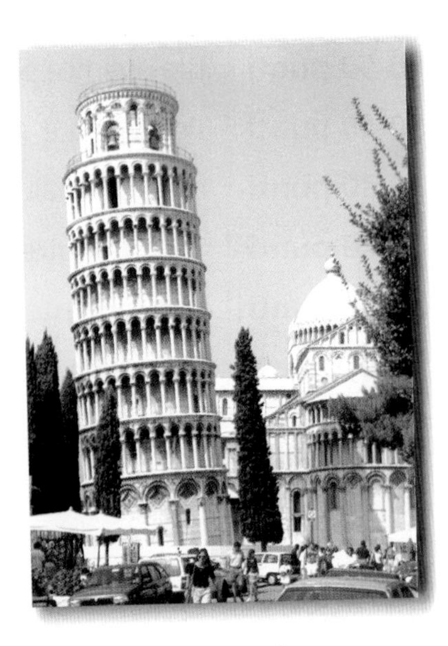

Pisa, La Torre

In questa unità abbiamo imparato a:

[2] **a** chiedere informazioni stradali ....
[ ] **b** dare informazioni stradali ....
[ ] **c** chiedere dove si trovano luoghi pubblici, ecc. ....
[ ] **d** dire dove si trovano luoghi pubblici, ecc. ....
[ ] **e** interpellare, richiamare l'attenzione ....
[ ] **f** esprimere dispiacere ....
[ ] **g** chiedere quanto tempo occorre ....
[ ] **h** dire quanto tempo occorre ....
[ ] **i** chiedere la distanza ....
[ ] **l** dire la distanza ....
[ ] **m** prendere tempo per riflettere ....
[ ] **n** chiedere cosa/quanto occorre per fare qualcosa ....
[ ] **o** dire cosa/quanto occorre per fare qualcosa ....

test 14

1 Leggi le seguenti frasi e riporta nella tabella le lettere corrispondenti al museo o alla biblioteca.

a È una struttura organizzata con ordine. Ci sono gli scaffali che ospitano i volumi, c'è lo spazio riservato ai quotidiani, la zona per il prestito e così via.

b Di solito è presente una libreria dove si può trovare il catalogo, alcune pubblicazioni e altro materiale.

c Prima di decidere una visita si consiglia di verificare, anche solo con una semplice telefonata, giorni e orari di apertura e se si può usare il computer portatile.

d A volte ci sono possibilità di sconti e abbonamenti. Spesso è sufficiente una semplice telefonata per poter informarsi in anticipo e poter usufruire di questa possibilità.

e Normalmente si permette la consultazione o il prestito solo se si presenta un documento d'identità.

f Appena entrati è bene procurarsi una pianta con indicato il percorso da seguire, l'ordine da rispettare visitando le sale.

g Si devono depositare borse e cartelle prima di accedere alle sale. Fate in modo di avere con voi un blocco e una penna per eventuali appunti sulle opere.

h Quando si ha la possibilità di tornare più volte non si deve pretendere di visitare tutto in una sola volta.

i Se conoscete il nome dell'autore e dell'opera che state cercando, potete consultare il catalogo per autori o per soggetto.

	1	2	3	4	5	6	7	8	9
Museo									
Biblioteca									

..... / 9

2 Riscrivi le frasi utilizzando il *si* impersonale.

1 Se sei stanco è meglio non guidare.

....

2 Se guidi non devi bere troppo.

....

3 Anche se hai fretta è meglio rispettare i limiti di velocità.

....

4 Se fai un viaggio lungo è meglio controllare la macchina.

....

5 Non ti devi dimenticare di allacciare la cintura di sicurezza.

....

6 Se sei nervoso puoi guidare ascoltando musica classica per rilassarti.

....

..... / 6

3a **Osserva la piantina della città e sulla base delle indicazioni trova i numeri corrispondenti. Osserva l'esempio.**

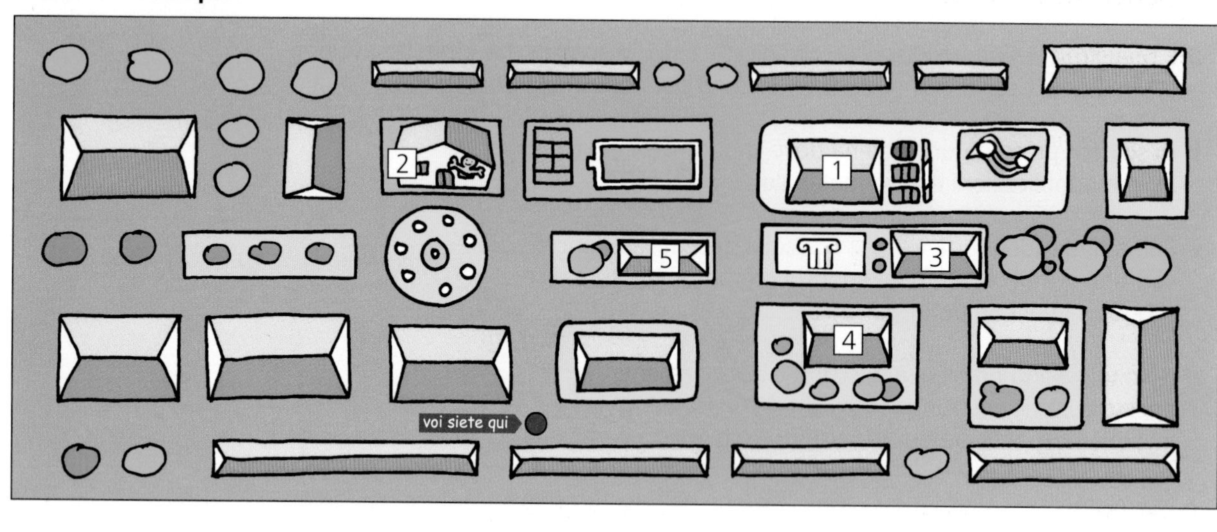

[3] Prendi sulla destra e poi il viale sulla sinistra. All'incrocio giri a destra e continui sempre dritto. Quasi alla fine della strada, sulla sinistra, trovi la biblioteca.

[ ] Vai avanti dritto verso la piazza, passi il primo incrocio, al secondo giri a destra. Verso la fine della strada, ancora sulla destra trovi la pizzeria.

[ ] Prendi sulla destra e continui sempre dritto. Ad un certo punto, quasi alla fine della strada, sulla sinistra, c'è un viale abbastanza largo. Lo prendi e lo fai tutto. Poi non attraversi la strada e giri subito a sinistra. A cento metri c'è l'ufficio postale.

[ ] Vai dritto fino al secondo incrocio, poi fai la curva a sinistra e tieni la piazza sulla sinistra. Continui per un po', poi attraversi la strada. Marco abita proprio lì.

[ ] Prendi sulla destra, poi subito a sinistra e segui la strada principale, che fa una curva a destra, circa a metà del viale, trovi una strada abbastanza stretta. Dopo cento metri, sulla sinistra, trovi il supermercato.

3b **Adesso da' le informazioni necessarie per raggiungere la piscina, il museo e la banca.**

1 ....

....

2 ....

....

3 ....

....

..... / 10

4 **Metti in ordine le frasi.**

1 ci molto teatro vado mi raramente ma il piace

....

2 nei incontra in si spesso bar amici Italia ci tra

....

3 le possono dal telefoniche comprare tabaccaio si schede

....

4 per dieci spaghetti ci vogliono circa gli minuti cuocere

....

..... / 4

NOME:
DATA:
CLASSE:

totale ..... / 30

unità 15 progetti futuri

1 Ascolta la conversazione e rispondi alle domande.

1 Perché Maria telefona a Sandro?

2 Cosa decidono di fare?

3 Quando si vedranno?

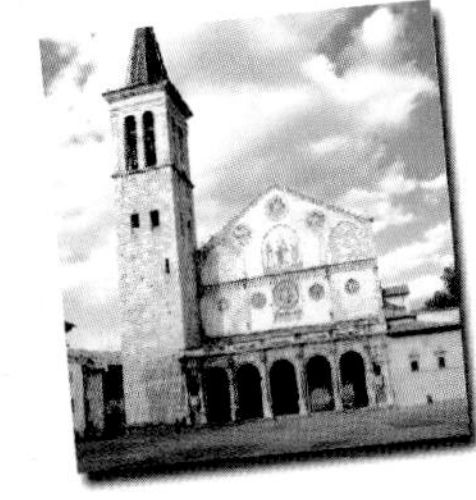

2 Ascolta nuovamente la conversazione e completa il testo.

Sandro: Pronto?
Maria: Pronto, (1)... parlare con Sandro per favore.
Sandro: Sono io; ciao Maria.
Maria: Ciao, come va?
Sandro: Bene e tu?
Maria: Sto bene, grazie. Sandro, (2)... di uscire una di queste sere?
Sandro: Volentieri. Dove vorresti andare?
Maria: (3)... di andare a mangiare una pizza?
Sandro: Per me va bene. Però (4)... andiamo a Spoleto?
Maria: Cosa c'è a Spoleto?
Sandro: In questo periodo c'è il Festival dei Due Mondi. Potremo mangiare lì e (5)... ci sarà qualcosa d'interessante.
Maria: Ok, quando (6)...? Domani sera?
Sandro: Domani sera?... (7)..., ma non posso. Sarò impegnato fino a tardi con il lavoro.
Maria: Allora perché non usciamo dopodomani?
Sandro: Dopodomani... Non so...
Maria: Dai Sandro, non fare il difficile!!
Sandro: (8)... Ti prometto che passerò a prenderti verso le 7.
Maria: Benissimo. Ti aspetto. Ciao.
Sandro: Ciao Maria e grazie dell'invito.

Magari ha diversi significati. In questa unità lo vediamo come sinonimo di forse.

Verso le 7 significa più o meno/circa alle 7. Si usa con espressioni di tempo soprattutto con le ore.

3 Quali altre cose si possono fare di sera con gli amici? Scrivi una lista di luoghi e attività possibili.

Luoghi	Attività
pizzeria	mangiare una pizza

4 Ora a coppie fate una conversazione simile, usate le pagine dell'agenda riprodotte sotto.

lun.	ore 20.30 teatro
mar.	riunione di condominio
mer.	
gio.	
ven.	festa da Lucia
sab.	mare
dom.	mare

lun.	ore 19 piscina
mar.	
mer.	ore 21 tennis
gio.	
ven.	Riunione con il direttore ore 18.30
sab.	
dom.	Da papà e mamma

5 Da molto tempo non vedi un tuo amico o una tua amica. Scrivi una conversazione simile. Invitalo/la a uscire con te.

6 Credi nell'oroscopo? Conosci le caratteristiche del tuo segno zodiacale? Vorresti conoscere il tuo futuro? Ti hanno mai letto la mano o le carte? A coppie provate a rispondere alle domande e parlate di questo tema.

7 Leggi l'oroscopo. In quali segni si parla dei seguenti temi?

Ariete (21 marzo - 20 aprile)
Dovrete essere meno diffidenti nei confronti di chi si dimostra sinceramente interessato ai vostri problemi. L'amore vi fa sentire sempre tra le nuvole. Attenti ai cambi di temperatura.

Toro (21 aprile - 21 maggio)
Risolverete un problema che vi riguarda da vicino.
Chiarirete con il partner le vostre intenzioni.

Gemelli (22 maggio - 21 giugno)
Giornata assai positiva, soprattutto per le relazioni sociali. Incontrerete vecchi amici e progetterete un breve viaggio in un paese esotico. Comincerete una storia che vi farà felici.

Cancro (22 giugno - 22 luglio)
Una persona amica vi darà notizie importanti e utili per la vostra professione.
Fatevi coraggio e dichiarate apertamente i vostri sentimenti.

Leone (23 luglio - 22 agosto)
Probabilmente nei prossimi giorni potrete raggiungere l'obiettivo che inseguite da tempo.
In amore non avrete molta fortuna.

Vergine (23 agosto - 22 settembre)
Non dovrete sottovalutare la gelosia e l'invidia di un collega di lavoro.
Un incontro in serata avrà sorprendenti sviluppi.

***Bilancia** (23 settembre - 22 ottobre)*
Da un incontro casuale potranno nascere nuove idee per nuove iniziative di lavoro.
Fuori il vostro fascino! Funzionerà con chi vi interessa.

***Scorpione** (23 ottobre - 21 novembre)*
Giornata molto intensa, nonostante il caldo. Le energie e la voglia di muovervi non mancheranno.
Possibili mal di testa. In amore c'è nell'aria qualcosa di strano.

***Sagittario** (22 novembre - 21 dicembre)*
A fine mese probabilmente concluderete un affare molto importante.
In questi giorni ci saranno varie occasioni di nuovi amori.

***Capricorno** (22 dicembre - 21 gennaio)*
Non perderete una buona occasione per fare nuove amicizie, ne avete bisogno anche per il lavoro.
Salute ottima.

***Acquario** (22 gennaio - 19 febbraio)*
Una profonda euforia è giustificata dalla buona compagnia che troverete in vacanza. Potrà nascere qualcosa di buono in campo sentimentale.

***Pesci** (20 febbraio - 20 marzo)*
Non dovrete essere impazienti: la situazione non è ancora matura per prendere decisioni di lavoro.
Problemi di cuore.

Amicizia ....
Amore ....
Lavoro ....
Salute ....
Vacanze ....

8 ▶▶ Alla scoperta della lingua **Nell'oroscopo ci sono molti verbi al futuro. Prova a completare la tabella con le forme al futuro che trovi.**

Verbi in **-are**	Verbi in **-ere**	Verbi in **-ire**	Verbi irregolari
	risolverete		

9 Lavora con un compagno. A vuole cambiare vita, B va a p. VIII e gli fa 2 proposte. A sceglie e fa domande per scoprire cosa lo aspetta nel futuro.

Futuro, come?, chi?, cosa?, dove?, quando?

lessico

1 ▶▶ **Alla scoperta della lingua** **Scrivi tre modi per dare dei consigli o fare proposte e fa' un esempio in ogni spazio della tabella.**

Tu	Voi	Noi	Voi
ti va di...? ti va di andare in piscina oggi pomeriggio?			

2 Guarda i disegni e da' dei consigli.

3 Costruisci una conversazione seguendo le indicazioni.

A

B

A: Risponde al telefono;

B: si presenta, chiede come sta **A** e cosa fa in questo periodo;

A: racconta cosa fa e fa domande sulla vita di **B**;

B: invita **A** a uscire;

A: chiede dove andranno;

B: fa una proposta;

A: non accetta;

B: fa un'altra proposta;

A: accetta e chiede quando;

B: fa una proposta;

A: rifiuta perché ha qualche problema, che spiega;

B: fa un'altra proposta;

A: accetta e promette di mantenere l'impegno preso;

B: dà indicazioni su dove e quando incontrarsi;

A: è d'accordo e saluta;

B: saluta.

4 Fa' una lista delle parole che hai incontrato in questa unità. Se possibile applica le tecniche che hai visto nell'unità precedente.

1 Sei una guida turistica. Leggi le informazioni e scrivi il programma della gita di due giorni a Verona che farai la prossima settimana con un gruppo di trenta studenti stranieri.

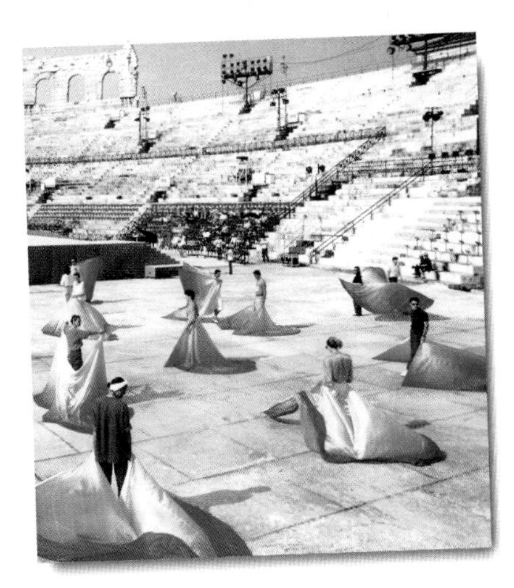

Verona

Regione: Veneto.
Abitanti: ca. 260 000.
E' la città più importante della regione dopo Venezia.
Sorge sulle rive del fiume Adige.
La sua economia si basa sull'industria, l'agricoltura, il turismo e il commercio.
Molto importante come nodo di comunicazioni, stradali e ferroviarie.

Verona era un centro di notevole importanza già all'epoca dei romani, di cui mantiene vari monumenti. Anche l'arte e l'architettura romanica, gotica e rinascimentale sono a Verona ben rappresentate.

Le strutture turistiche (hotel e ristoranti) sono di ottimo livello.

La visita della città richiede almeno una giornata. E' possibile vedere la maggior parte dei luoghi d'interesse turistico a piedi.

Punti caratteristici: Liston (Piazza Bra); Piazza delle Erbe; Piazza dei Signori; Piazzetta delle Arche.

Principali monumenti e luoghi di interesse: Arena, Castelvecchio, San Zeno Maggiore, Piazza delle Erbe, Piazza dei Signori, Arche Scaligere.

Shopping: per gli acquisti Verona offre molte possibilità, soprattutto per chi è interessato all'antiquariato.
Nelle strade principali del centro si trovano negozi di ogni tipo.

Fiere: Verona è un centro di grandissima importanza commerciale e industriale e sono numerose le fiere che si svolgono al quartiere fieristico.

Manifestazioni culturali: Verona ospita una delle principali stagioni liriche e sinfoniche. Le opere liriche vengono rappresentate in estate all'Arena. Anche le esposizioni di pittura, scultura, ecc. sono molto frequenti e di sicuro interesse.

Imparare parole nuove

Per ricordare parole nuove si possono applicare diverse tecniche; ad esempio si possono raggruppare le parole per famiglie di vario tipo. Osserva attentamente le attività seguenti: si basano su tecniche per l'apprendimento delle parole nuove.

2 Completa la tabella con i participi passati dei verbi del riquadro. Cerca di formare dei gruppi come nell'esempio.

chiudere → chiuso					
decidere → deciso					

chiudere, spendere, scrivere, prendere, leggere, chiedere, tradurre, morire, decidere, scoprire, ridere, fare, aprire, dire, rimanere, scendere

3 Con le parole del riquadro forma delle coppie di aggettivi con significato contrario.

grasso, brutto, bagnato, basso, asciutto, freddo, magro, alto, bello, caldo

4 Forma dei gruppi logici con le parole del riquadro.

hotel, bianco, camper, verde, giacca, blu, vino, uova, azzurro, gonna, maglione, tenda da campeggio, rosso, pensione, pantaloni, bungalow, camicia, appartamenti, nero, yogurt, formaggio, giallo.

Un altro modo per ricordare meglio le parole sono le associazioni di suoni simili. Ad esempio: *rosa, rosso, rotto*, dove *rotto* è la parola che si vuole memorizzare.
Ricorda che è bene mettere la parola da memorizzare all'inizio o alla fine della sequenza.

5 Forma altre associazioni simili per parole nuove che vuoi imparare o per altre che non riesci a ricordare bene.

6 Ascolta l'intervista a Paolo, un insegnante d'italiano, che da' dei consigli utili e rispondi alle domande.

1 Che lavoro fa Paolo, la persona intervistata?

2 Che cosa gli chiede l'intervistatore?

3 Di che cosa racconta?

7 Ascolta nuovamente l'intervista e metti in ordine le fasi della tecnica raccontata da Paolo.

1 Si immagina la sequenza delle azioni che si compiono regolarmente quando ci si sveglia.

2 Si vede, si visualizza ad esempio un prosciutto e la parola prosciutto scritta.

3 Si immagina internamente la sequenza di un film.

4 Ogni azione diventa un'immagine e a ogni immagine si associa una parola.

5 Si pensa alle azioni che si compiono regolarmente.

grammatica

Fare proposte. *Hai voglia...? Ti va...? Perché non...?*

1 A coppie, a turno fatevi proposte su che cosa guardare questa sera.

Nella III coniugazione (-ire) non c'è differenza tra i verbi tipo partire e quelli tipo finire

...own inglesi Brenner.
Foto: una scena.

16.00 POMERIGGIO SPORTIVO [97416]
16.05 Ciclismo: 55ª Vuelta España
17ª t.: Benavente - Salamanca [1492690]
17.30 GEO MAGAZINE doc. [6477] *«Estate nella tundra»* 777
18.00 BONANZA tel. [69023]
«La seconda vista». Jamie si è perso nel deserto e tutti i Cartwright si mettono in marcia per ritrovarlo. Orso, preoccupato...
19.00 TG3 Regionale [8145]
20.00 RAI SPORT TRE [54503]
20.10 BLOB spettacolo [3986955]
20.30 UN POSTO AL SOLE scen. [62874] 777 778
Nonostante la legge sia dalla loro parte, Giulia e Renato non sanno come affrontare l'arrivo del padre di Niko. Diego, Raffaele e Dario si trovano a portare il loro aiuto alla star Brigitte Nielsen...
20.50 CIRCO **XVI Festival Int. di Roma Golden Circus** spettacolo con Liana Orfei [944868]
22.35 TG3 Regionale [959684]
23.00 ASPETTANDO LE OLIMPIADI - Sfide Olimpiche
I servizi riguardano: la nazionale italiana femminile di fioretto e il cavallerizzo Jerry Anthony Smith. Per le grandi nazionali del passato, riviviamo le gesta del Dream Team americano di basket nel 1992 a Barcellona. [82752]
23.55 Tg3 Edicola; **0.05 Fuori orario** *Magnifica ossessione 2001*; **1.15 Rai News 24 Superzap Weekend - Magazine tematico - Rassegna stampa «Herald Tribune» - Magazine tematico - Superzap - Usa 24h**

14.05 UN CASO PER DUE tel. [7966936]
«Un buon piano omicida»
15.10 JAKE & JASON DETECTIVES tel. [3843508]
16.00 WWW.RAIDUEBOYSANDGIRL.COM
Tre gemelle e una strega dis. an.; **Le superchicche** dis. an.; **Digimon** dis. an.; **Angry Beavers** dis. an.; **Tucker e Becca nemici per la pelle** tel. [4530394]
18.10 SPORTSERA [1392955]
18.30 TG2 Flash L.I.S. [48023]
18.35 FRIENDS tel. [39961]
«Buoni propositi». Per il nuovo anno, Rachel promette di non essere più pettegola, cosa molto difficile quando scopre la relazione tra Monica e Chandler. Joey, invece, vuole imparare a suonare la chitarra e trova un'insegnante anticonformista...
19.05 METEO 2 [9526684]
19.10 E.R. - MEDICI IN PRIMA LINEA tel. 777
«Scegliere Joy». Il dottor Romano riesce a convincere Elizabeth Corday a non testimoniare nell'inchiesta che lo riguarda sulle presunte molestie sessuali subite da Maggie Doyle. Nel frattempo Greene deve visitare un giovane addetto alle pulizie... [3376313]
20.00 TOM & JERRY dis. an. [68706]
20.15 IL LOTTO ALLE OTTO [2794477]
20.30 TG2 Sera [11868]
20.50 SOSPETTI miniserie (5ª p.) con I. Ferrari, S. Somma [940042]
22.35 STRACULT [1473905]
23.30 ESTRAZIONI DEL LOTTO [13313]
23.35 TG2 Notte [4164226]
0.05 METEO 2 [8093153]
0.15 CORTE D'ASSISE tel. [6200337]
1.50 Italia interroga con Stefania Quattrone; **2.00 I signori delle paludi**; **2.50 Stazione di servizio** tel.; **3.20 Gli antennati**; **3.45 Diplomi universitari a distanza**

ULTIMA ORA 166 620 620

◆ film scadente ◆◆ discreto ◆◆◆ buono ◆◆◆◆ ottimo ★ vincitore di Oscar 1ªTV prima visione
tutti cautela adulti 180 cassetta cons. 1:30 durata orig. **Televideo:** 777 sottotit. 778 in inglese

Il futuro semplice: verbi regolari e irregolari.

I - ARE: amare	II - ERE: prendere	III - IRE: dormire
(io) am - **erò**	(io) prend - **erò**	(io) dorm - **irò**
(tu) am - **erai**	(tu) prend - **erai**	(tu) dorm - **irai**
(lui, lei) am - **erà**	(lui, lei) prend - **erà**	(lui, lei) dorm - **irà**
(noi) am - **eremo**	(noi) prend - **eremo**	(noi) dorm - **iremo**
(voi) am - **erete**	(voi) prend - **erete**	(voi) dorm - **irete**
(loro) am - **eranno**	(loro) prend - **eranno**	(loro) dorm - **iranno**

Verbi *essere* e *avere*

AVERE		ESSERE	
(io)	**avrò**	(io)	**sarò**
(tu)	**avrai**	(tu)	**sarai**
(lui, lei)	**avrà**	(lui, lei)	**sarà**
(noi)	**avremo**	(noi)	**saremo**
(voi)	**avrete**	(voi)	**sarete**
(loro)	**avranno**	(loro)	**saranno**

Al futuro semplice i verbi regolari della I coniugazione trasformano in E la A dell'infinito -ARE, ad esempio: canterò, troverò, ecc.

Verbi irregolari

Verbi che perdono la vocale dell'infinito.	Andare Dovere Potere Sapere Vedere Vivere	An**drò** do**vrò** po**trò** sa**prò** ve**drò** vi**vrò**
Verbi che perdono la vocale dell'infinito e trasformano la **l** o la **n** del tema in **rr**	Rima**ne**re Te**ne**re Ve**ni**re Vo**le**re	Rima**rr**ò te**rr**ò ve**rr**ò vo**rr**ò
	Bere	Be**rrò**
Verbi che mantengono la **a** dell'infinito	D**a**re F**a**re St**a**re	D**a**rò F**a**rò St**a**rò

L'uso del futuro

Osserva l'esempio:

- Questo pomeriggio andrò a far spesa e poi passerò dal barbiere a tagliarmi i capelli.

Nei verbi in **-care** e **-gare** si aggiunge una H prima della **e**, ad esempio: spiegare > spiegherò, cercare > cercherò.
I verbi in **-ciare** e **-giare** perdono la **i**, ad esempio: annunciare > annuncerò, mangiare > mangerò

Il futuro semplice si usa per indicare azioni future rispetto al presente.
Soprattutto per esprimere promesse, fare previsioni, parlare di progetti futuri.

Presente indicativo con valore di futuro

Spesso in italiano si può usare il presente indicativo al posto del futuro semplice;
la frase dell'esempio può diventare:

- Questo pomeriggio vado a far spesa e poi passo dal barbiere a tagliarmi i capelli.

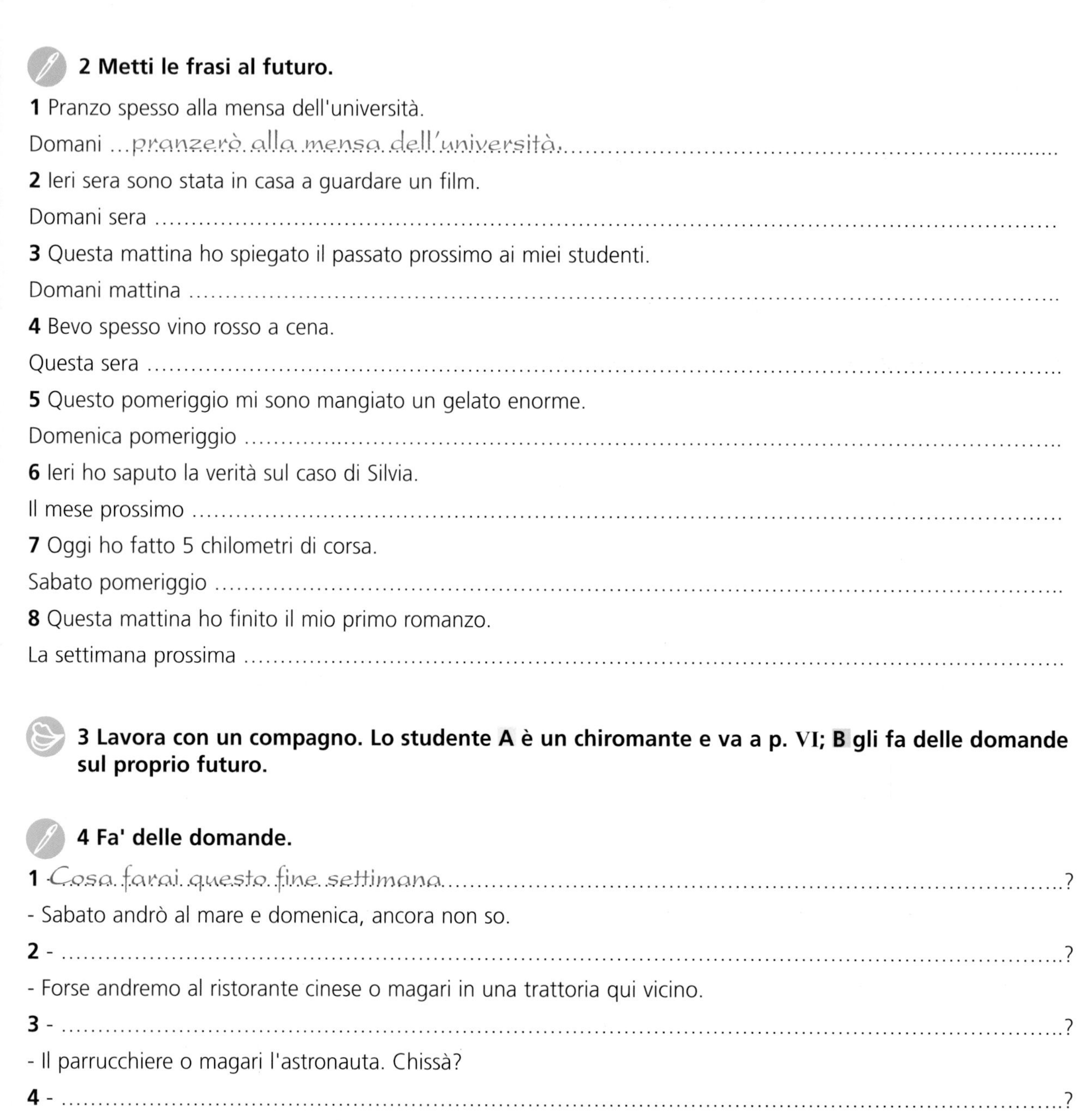

2 Metti le frasi al futuro.

1 Pranzo spesso alla mensa dell'università.
Domani ...pranzerò alla mensa dell'università.......................................

2 Ieri sera sono stata in casa a guardare un film.
Domani sera ....

3 Questa mattina ho spiegato il passato prossimo ai miei studenti.
Domani mattina ....

4 Bevo spesso vino rosso a cena.
Questa sera ....

5 Questo pomeriggio mi sono mangiato un gelato enorme.
Domenica pomeriggio ....

6 Ieri ho saputo la verità sul caso di Silvia.
Il mese prossimo ....

7 Oggi ho fatto 5 chilometri di corsa.
Sabato pomeriggio ....

8 Questa mattina ho finito il mio primo romanzo.
La settimana prossima ....

3 Lavora con un compagno. Lo studente A è un chiromante e va a p. VI; B gli fa delle domande sul proprio futuro.

4 Fa' delle domande.

1 -Cosa farai questo fine settimana...?
- Sabato andrò al mare e domenica, ancora non so.

2 - ....?
- Forse andremo al ristorante cinese o magari in una trattoria qui vicino.

3 - ....?
- Il parrucchiere o magari l'astronauta. Chissà?

4 - ....?
- Mi piacerebbe fare un viaggio in Patagonia.

5 - ....?

- Guarderò la finale di Coppa Italia.

6 - ....?

- Mia figlia Roberta farà la quarta elementare e mio figlio Giorgio comincerà l'asilo.

7 - ....?

- In treno o magari prenderò l'aereo, dipende.

8 - ....?

- Secondo me ci sarà bello, com'è il proverbio? Rosso di sera bel tempo si spera.

5 Da alcuni anni esci con una persona e vuoi sposarla. Scrivile alcune promesse per convincerla.

Ti porterò sulla luna ....

....

....

....

....

6 Ora a coppie confrontate le vostre promesse. Vi lascereste convincere?

Il periodo ipotetico della realtà

Per fare delle ipotesi si usa **Se + futuro + futuro**:

- Se la mia ex-ragazza mi chiamerà, le dirò che mi sposo.

La stessa frase, la stessa ipotesi si può esprimere con il presente.
- Se la mia ex-ragazza mi chiama, le dico che mi sposo.

7 Fa' delle ipotesi.

1 Se domani nevicherà, dovrò mettere le catene alla macchina ....

2 ....

3 ....

4 ....

5 ....

6 ....

fonologia

• I suoni /tts/ mo**zz**arella; /ddz/ a**zz**urri • /ttʃ/ pasti**cc**eria; /ddʒ/ le**gg**ere

1 Ascolta e scrivi le parole nella colonna corrispondente.

	/ts/ tts/	/dz/ ddz/
1	indirizzo	
2		
3		
4		
5		
6		
7		

Hai notato che quando i suoni /ts/ e /dz/ sono tra due vocali spesso sono pronunciati intensi? Ad esempio: *lezione* /let'tsione/; *lo zio* /lot'tsio/; azienda /ad'dzjɛnda/. Perciò spesso non c'è veramente differenza tra i suoni brevi /ts/ e /dz/ e i suoni intensi /tts/ /ddz/.

2 Insieme a un compagno leggi le parole che hai scritto nell'esercizio precedente.

3 Ascolta le coppie di parole. Fa' attenzione: le parole con * non esistono.

proteggere	*protegere	maggio	*magio	felice	*felicce
caccia	*cacia	doccia	*docia	soggetto	*sogetto
bacio	*baccio	formaggio	*formagio	spinaci	*spinacci

Come per i suoni dell'unità precedente anche i suoni /ttʃ/ /ddʒ/ devono essere pronunciati con maggiore intensità rispetto ai corrispondenti suoni semplici /tʃ/ /dʒ/

4 Ascolta le parole e scrivile nelle colonne corrispondenti.

	/tʃ/ /dʒ/	/ttʃ/ /ddʒ/
1		goccia
2		
3		
4		
5		
6		
7		
8		
9		

5 Insieme a un compagno leggi le parole che hai scritto.

civiltà L'Italia dei Festival.

1 Leggi le informazioni che seguono poi ascolta le interviste e indica a quale manifestazione hanno partecipato gli intervistati.

Ogni anno si tengono in Italia moltissime manifestazioni culturali, esposizioni d'arte e festival dedicati a tutti gli aspetti della cultura, dalla musica al teatro, dal cinema alla danza. Una tra le più famose a livello internazionale è senz'altro la Biennale di Venezia.

LA BIENNALE DI VENEZIA

La Biennale di Venezia nata nel 1895 deve il suo nome all'Esposizione Internazionale d'Arte che tuttora si svolge ogni due anni nella sede storica dei Giardini di Castello e all'Arsenale. Nel 1930 inizia il Festival della Musica, nel 1932 inizia la Mostra Internazionale d'Arte Cinematografica e nel 1934 inizia il Festival Internazionale del Teatro di Prosa. Dal 1975 si realizzano anche mostre di architettura. Le rassegne sono accompagnate da eventi speciali e da retrospettive di artisti italiani e stranieri. Fin dalla sua nascita la Biennale si configura come una delle principali istituzioni organizzatrici di manifestazioni nei diversi settori delle arti e della cultura contemporanea. La Biennale è quindi arti visive, musica, danza, architettura, cinema e teatro. Cura esposizioni e ricerche nelle diverse discipline realizzando anche iniziative congiunte. Ispirandosi a principi di libertà e apertura nella ricerca della creatività artistica, promuove la conoscenza dell'arte contemporanea presso il pubblico, anche con iniziative permanenti quali atelier, laboratori e accademie. Raccoglie la documentazione delle sue principali attività e gestisce un Archivio Storico delle Arti Contemporanee; è punto di riferimento per l'informazione e lo studio nel campo dell'arte contemporanea.

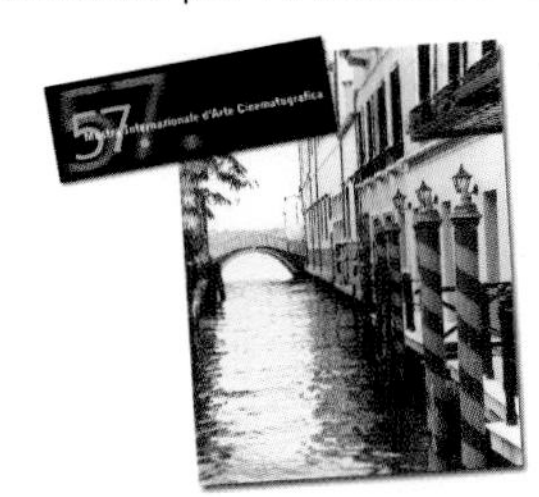

56ª MOSTRA INTERNAZIONALE D'ARTE CINEMATOGRAFICA, 1/9 - 11/9 1999

La Mostra Internazionale d'Arte Cinematografica si tiene ogni anno all'inizio di settembre al Lido e in altre sedi di Venezia. La Mostra intende rivolgere una più marcata attenzione nei confronti del nuovo cinema, dell'emergere di nuove personalità d'autore, delle nuove tendenze del cinema contemporaneo.

AREZZO WAVE LOVE FESTIVAL

Questo festival di rock italiano è nato nel 1987 con il principale obiettivo di testimoniare l'evoluzione delle nuove proposte del panorama musicale giovanile nazionale ed è rapidamente divenuto nel suo genere l'evento musicale più significativo in Italia. AREZZO WAVE, continuando a mantenere la propria identità di osservatorio del nuovo rock italiano, è ora cresciuto fino a diventare un vero festival rock internazionale a ingresso gratuito della durata di cinque giorni.

FESTIVAL DI SPOLETO - DAL 19 GIUGNO ALL'11 LUGLIO 1999 - XLII edizione

Il festival di Spoleto è uno dei più importanti festival dello spettacolo in Italia. Include lirica, balletto, concerti, prosa, arti visive, cinema e scienza.

ARENA DI VERONA

Il 77° Festival dell'Arena di Verona, porta aperta verso il nuovo millennio, sarà all'insegna dell'innovazione: con il nuovo allestimento di *Aida* di Giuseppe Verdi, si aprirà la pagina scenografica del 2000. Innovazione del cartellone lirico, che quest'anno inserisce un'operetta, per la prima volta in Arena, la celeberrima *Vedova Allegra* di Franz Lehár. Innovazione tecnologica sul palcoscenico dell'anfiteatro veronese, con *Madama Butterfly* di Giacomo Puccini. Il 77° Festival presenta anche due produzioni "classiche" degli ultimi festival: *Carmen* di Georges Bizet, e *Tosca* di Giacomo Puccini. Quest'anno in Arena potremo ascoltare tutti i grandi cantanti del firmamento lirico internazionale. Il cartellone del Festival si completa con due concerti di gala, momenti magici nelle carriere artistiche di Placido Domingo e Katia Ricciarelli, due interpreti che hanno segnato la storia del teatro lirico nel mondo, e in Italia, degli ultimi anni. Il balletto *La Tempesta*, com'è ormai tradizione, andrà in scena nella splendida cornice del Teatro Romano, con una suggestiva coreografia di Fabrizio Monteverde.

adattato da www.arena.it

UMBRIA JAZZ - PERUGIA

sommario

1 Abbina le frasi o espressioni alla descrizione sotto.

1 Per me va bene. Benissimo. Ti aspetto. Ciao.

2 Domani sarò impegnato fino a tardi.

3 Se domani farà bello andrò al mare.

4 Ti va di uscire / hai voglia di uscire / perché non usciamo una di queste sere?

5 Riceverai un'offerta di lavoro.

6 Mi dispiace, ma non posso.

7 Potremo mangiare lì e magari ci sarà qualcosa d'interessante.

8 Ti aspetterò per tutta la vita.

In questa unità abbiamo imparato a:

[2] **a** parlare del futuro ....

[ ] **b** fare previsioni ....

[ ] **c** fare proposte, invitare ....

[ ] **d** accettare un invito ....

[ ] **e** rifiutare un invito ....

[ ] **f** fare ipotesi ....

[ ] **g** esprimere una probabilità ....

[ ] **h** fare promesse ....

Città di Verona.

1 **Trova i dieci verbi al futuro nascosti nel diagramma e scrivili aggiungendo un soggetto come nell'esempio.**

a	d	à	ò	t	s	a	p	r	e	t	e	n	t	i	r	à
f	**a**	**r**	**ò**	a	a	r	c	i	a	e	b	s	e	r	ò	v
a	b	r	s	b	p	a	r	t	i	r	e	t	e	l	l	e
o	s	v	i	c	r	ò	t	o	d	e	è	o	s	i	a	v
r	u	e	z	a	ò	n	n	r	r	l	l	a	s	b	a	r
r	i	d	r	c	h	i	ù	n	s	t	t	r	o	f	r	n
a	v	r	à	r	l	o	e	e	m	c	o	n	p	u	t	r
m	e	a	u	n	e	r	é	r	m	t	s	t	a	r	a	i
s	t	i	m	a	d	i	l	a	f	g	a	u	s	t	i	r
t	l	e	n	u	d	r	r	i	m	a	r	r	e	m	o	v
n	a	p	e	m	a	d	a	r	e	n	e	i	o	b	a	r
s	n	o	c	h	i	r	t	u	l	l	m	a	s	s	t	u
t	p	r	e	n	d	e	r	a	n	n	o	n	a	t	o	n

1 ...Io... ...farò...
2 ....
3 ....
4 ....
5 ....
6 ....
7 ....
8 ....
9 ....
10 ....
11 ....

..... / 10

2 **Osserva i simboli del tempo sulla cartina dell'Italia e scrivi le previsioni usando il futuro.**

variabile

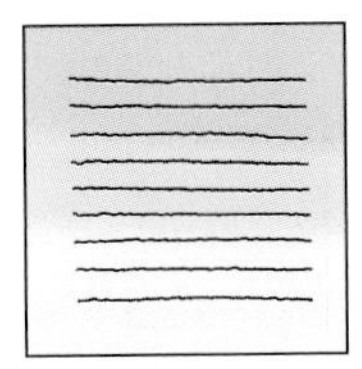
nebbia

pioggia

sereno

temporali

neve

Che tempo farà domani in Italia?

....
....
....
....
....
....
....

..... / 6

3 **Trova la funzione di queste frasi e associa il verbo corrispondente.**

1 Perché non andiamo al cinema?
2 Prendi un caffè?
3 Mi dispiace, non l'ho visto.
4 È molto gentile da parte sua, grazie.
5 Vedrai, sono sicuro che non avrai problemi.
6 Non è grave, la prossima volta andrà meglio.
7 Non lo farò nemmeno per sogno!

a Incoraggiare.
b Rifiutare.
c Proporre.
d Invitare.
e Consolare.
f Scusarsi.
g Ringraziare.

1	**2**	**3**	**4**	**5**	**6**	**7**

..... / 7

4 Trova i verbi al futuro per completare le frasi e scrivili nel cruciverba.

1 Se continuerai a mangiare così (1)...................................... una palla!
2 Se prenderete l'autostrada non (2)...................................... l'aereo.
3 Se (3)...................................... presto il supermercato (4)...................................... ancora aperto.
4 Se (5)...................................... canzoni italiane imparerai meglio la lingua.
5 Se Marta mi telefonerà le (6)...................................... che sei partito.
6 Quando arriverai Martina e Gianni (7)...................................... a prenderti alla stazione.
7 Quando gli direte che avete perso il suo libro Marco si (8)...................................... molto.
8 Quando avremo un nuovo appartamento (9)...................................... venirci a trovare quando vuoi.

1 2 3 4 5 6 7

..... / 9

5 Leggi il testo e completalo con i verbi nel riquadro, usandoli al futuro.

"Signore e Signori buongiorno. Alitalia vi dà il benvenuto a bordo di questo Boeing 747 a destinazione Roma. Fra poco .... sopra le coste del Canada, quindi .... l'oceano Atlantico e .... per la Gran Bretagna e la Francia. L'atterraggio è previsto per le diciotto ora locale. Per un volo più gradevole .... sintonizzarvi su uno dei sei canali musicali a vostra disposizione. Durante il volo .... due film in versione originale. Tra qualche minuto il personale di bordo vi .... un drink e fra un'ora vi .... la cena. Le condizioni meteorologiche sono abbastanza buone anche se .... fra poco alcune zone di turbolenza. Vi preghiamo quindi di tenere le cinture allacciate fino a quando non si .... l'apposito segnale. I fumatori .... a disposizione l'area riservata nella parte posteriore dell'aeromobile che sarà aperta dopo la cena. Il personale di bordo .... a vostra disposizione durante tutto il volo per qualsiasi esigenza."

passare, incontrare, spegnere, potere, trasmettere, attraversare, offrire, servire, essere, proseguire, avere

..... / 11

NOME:
DATA:
CLASSE:

totale ..... / 45

unità 2

11 Sai qualcosa sulla geografia dell'Italia? Lavora con un compagno. A turno fate domande e date risposte.

Trentino-Alto Adige
Bolzano
Lombardia
Friuli-Venezia Giulia
Aosta
Valle d'Aosta
Milano
Veneto
Piemonte
Bologna
Genova
Emilia Romagna
Liguria
Firenze
Marche
Toscana
Abruzzo
Umbria
Molise
Lazio
Puglia
Potenza
Sardegna
Campania
Basilicata
Cagliari
Palermo
Reggio Calabria
Sicilia
Calabria

Esempio: A Dov'è Bologna? E' in Sicilia?
B No, non è in Sicilia. E' in Emilia Romagna.
A Dov'è Perugia? E' in Umbria?
B Sì, giusto!
Oppure
Non lo so.

unità 3

9 Lavora con un compagno. A turno fate domande e date risposte per completare le informazioni personali delle persone nelle foto.

Esempio: B Come si chiamano?
A Inge e Hans.

Nome	**Inge**
Cognome	**Moeller**
Nazionalità	**Tedesca**
Età	**20**
Indirizzo	**Wichernstrasse 18. Erlangen**
Numero di telefono	**323569**
Lavoro	**Parrucchiera**
Stato civile	**non sposata**
Lingue straniere	**Francese**
Patente	**Sì**

Nome	**Hans**
Cognome	**Meyer**
Nazionalità	**Tedesca**
Età	**19**
Indirizzo	**Wichernstrasse 18. Erlangen**
Numero di telefono	**323569**
Lavoro	**Idraulico**
Stato civile	**non sposato**
Lingue straniere	**Nessuna**
Patente	**Sì**

7 Lavora con un compagno. Fate delle domande. Rispondete con gli articoli determinativi.

1 Chi ripara lavandini, docce, bidè, ecc.?
2 Chi compra prodotti in un negozio?
3 Chi aiuta il medico?
4 Chi costruisce case?
5 Chi vende carne?
6 Chi lavora in casa?
7 Chi serve i clienti in un ristorante, bar, pizzeria?

unità 4

6 Insieme a un compagno, a turno chiedete e dite di chi sono gli oggetti nelle figure.

A: Di chi è/ sono...?
B: E'/sono di ...

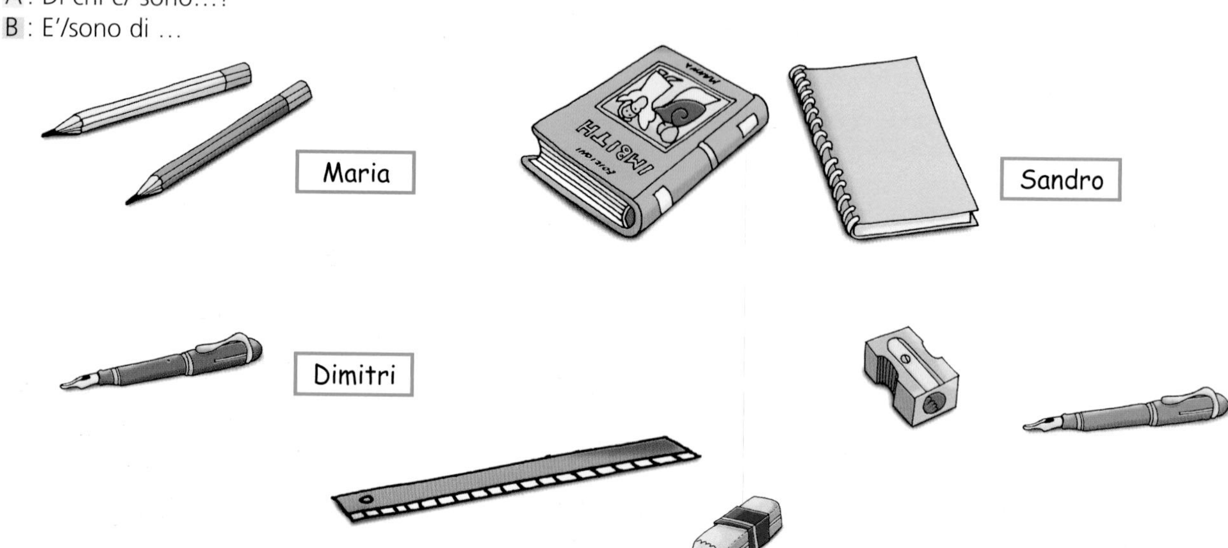

unità 5

11 Lavora con un compagno.
Descrivete le stanze e fate domande per trovare le differenze. Ci sono 10 differenze.

Nel tuo soggiorno c'è un lampadario?
Sì, è vicino a/a destra/dietro...
No.

unità 2

11 Sai qualcosa sulla geografia dell'Italia? Lavora con un compagno. A turno fate domande e date risposte.

Trentino-Alto Adige
Lombardia
Friuli-Venezia Giulia
Valle d'Aosta
Trieste
Venezia
Torino
Veneto
Piemonte
Bologna
Genova
Liguria
Emilia Romagna
Firenze
Marche
Toscana
Perugia
Abruzzo
Molise
Umbria
Lazio
Bari
Puglia
Napoli
Sardegna
Campania
Basilicata
Cagliari
Palermo
Sicilia
Calabria

Esempio: A Dov'è Bologna? E' in Sicilia?
B No, non è in Sicilia. E' in Emilia Romagna.
A Dov'è Perugia? E' in Umbria?
B Sì, giusto!
Oppure
Non lo so.

unità 3

9 Lavora con un compagno. A turno fate domande e date risposte per completare le informazioni personali delle persone nelle foto.

Esempio: B Come si chiamano?
A Ana e Pedro.

Nome	**Pedro**
Cognome	**Alvarez**
Nazionalità	**Spagnola**
Età	**20**
Indirizzo	**Calle del Puente 3, Granada**
Numero di telefono	**2456312**
Lavoro	**Impiegato**
Stato civile	**non sposato**
Lingue straniere	**Inglese e portoghese**
Patente	**No**

Nome	**Ana**
Cognome	**Perez**
Nazionalità	**Spagnola**
Età	**20**
Indirizzo	**Calle Colòn 21, Granada**
Numero di telefono	**67521134**
Lavoro	**Commessa**
Stato civile	**non sposata**
Lingue straniere	**Inglese**
Patente	**Sì**

7 Lavora con un compagno. Fate delle domande. Rispondete con gli articoli determinativi.

1 Chi lavora in un ufficio o in banca?
2 Chi ripara le macchine?
3 Chi cura i malati?
4 Chi vende giornali?
5 Chi arriva in macchina quando i clienti chiamano?
6 Chi lavora in un negozio, vende cose ai clienti?
7 Chi produce frutta e verdura?

unità 4

6 Insieme a un compagno, a turno chiedete e dite di chi sono gli oggetti nelle figure.

A: Di chi è/ sono...?
B: E'/sono di ...

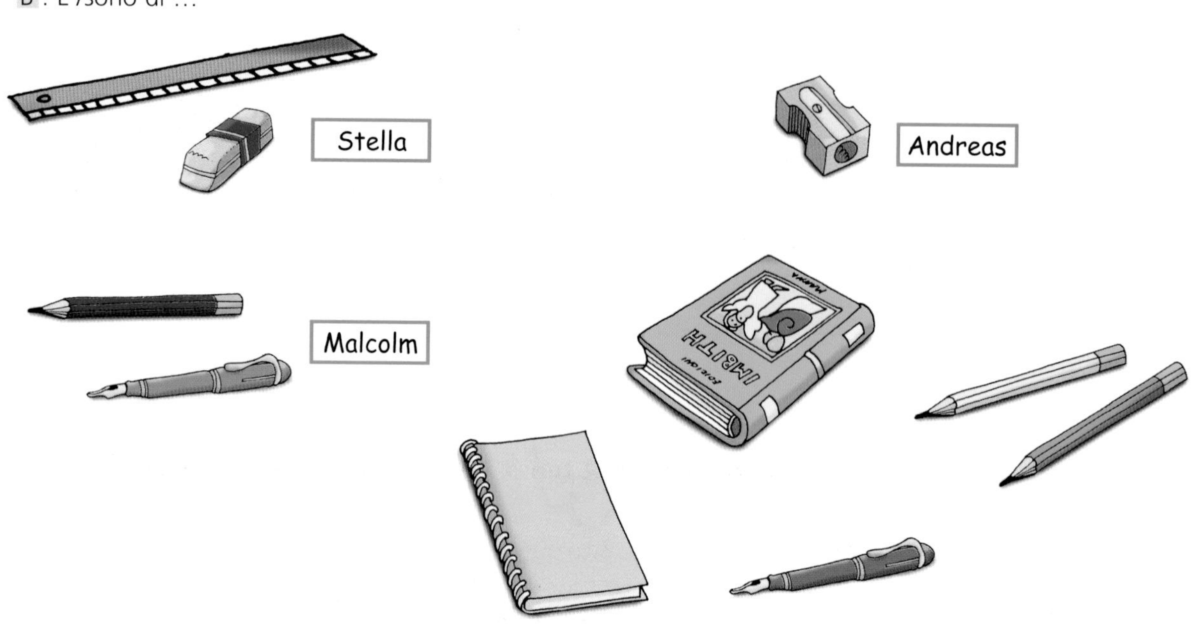

unità 5

11 Lavora con un compagno.
Descrivete le stanze e fate domande per trovare le differenze. Ci sono 10 differenze.

Nel tuo soggiorno c'è un lampadario?
Sì, è vicino a/a destra/dietro...

unità 8

6 Ora lavorate a coppie. Fate domande e date risposte sul prezzo degli oggetti.

€ 1.15

€ 3.30

5 Ora, continua a lavorare con il tuo compagno. A turno, fate le domande e cercate di indovinare.

1 Hai problemi psicologici, dove vai?	(dallo psicologo)
2 Dove vai a comprare la carne?	(dal macellaio/in macelleria)
3 Dove vai a comprare la frutta e la verdura?	(dal fruttivendolo)
4 Hai l'influenza. Dove vai?	(dal medico)

unità 13

5 Lavora con un compagno. Fatevi domande per completare le cartine dei paesi con i dati che vi mancano.

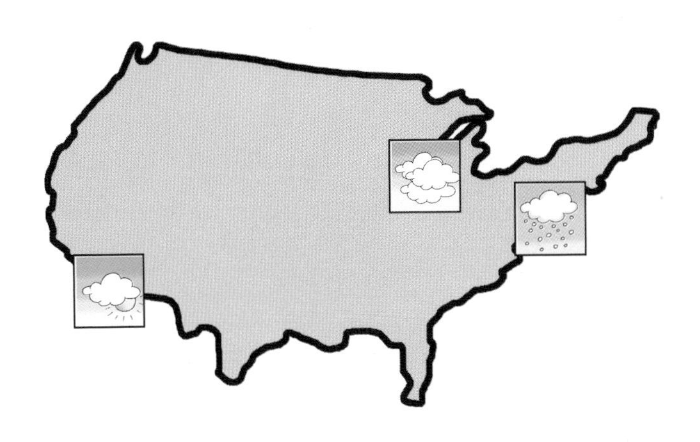

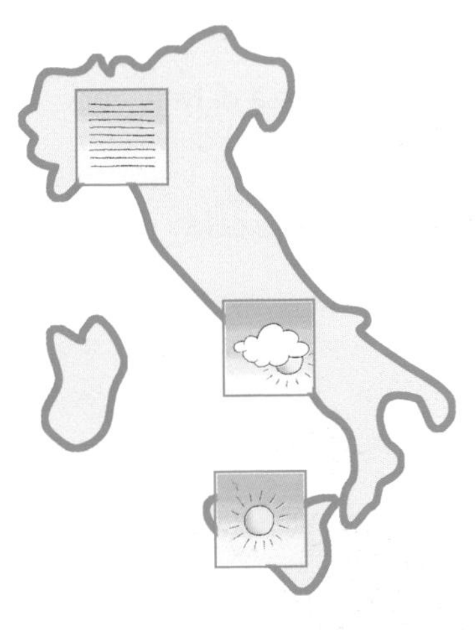

New York:	-2°
Chicago:	-10°
Los Angeles:	+7°

Milano:	+2°
Roma:	+7°
Palermo:	+10°

unità 15

3 Lavora con un compagno. Lo studente A è un chiromante. B gli fa delle domande sul proprio futuro.

Conoscerai una persona molto interessante. Sarà una persona straniera che ti affascinerà molto. Ti inviterà a uscire varie volte e alla fine ti proporrà di fare un viaggio. Andrete insieme a casa sua e conoscerai i suoi genitori. Ti chiederà di rimanere nel suo paese, ma tu tornerai a casa, perché nel frattempo ti offriranno un lavoro interessante. Lo accetterai e comincerai a viaggiare molto. Il tuo lavoro ti piacerà tanto e la tua vita cambierà radicalmente. Prima della fine dell'anno la persona che hai conosciuto ti chiederà di sposarla. Tu però non accetterai.

unità 10

2 Controllate alcune informazioni.

Fiere di Parma: è la zona dove si tengono periodicamente fiere commerciali.
Modernariato: collezionismo di oggetti recenti o comunque non di antiquariato.
Kitsch: azione o oggetto di cattivo gusto.
Liberty: stile derivato da un movimento artistico nato tra la fine dell''800 e gli inizi del '900.

Fidel: è Fidel Castro, Presidente della Repubblica di Cuba.
73 anni di solitudine: ricorda il titolo del famoso romanzo di G. García Marquez Cien años de soledad (*Cent'anni di solitudine*).

Iva: è l'imposta sul valore aggiunto.
Supermacchine: le automobili di lusso.

Il Quirinale: colle di Roma. Sede della Presidenza della Repubblica italiana.
L'Eliseo: sede della Presidenza della Repubblica francese.
Quindi, Quirinale = Presidenza della Repubblica italiana; Eliseo = Presidenza della Repubblica francese.

Wall Street: sede della borsa di New York.
Piazza Affari: sede della borsa di Milano.

Valentino e Armani: famosi stilisti italiani.
La Treccani: enciclopedia.

unità 8

6 Ora lavorate a coppie. Fate domande e date risposte sul prezzo degli oggetti.

5 Ora, continua a lavorare con il tuo compagno. A turno, fate le domande e cercate di indovinare.

1 Dove vai a comprare il pane? (dal panettiere/in panetteria)
2 Dove vai a comprare le sigarette? (dal tabaccaio/in tabaccheria)
3 Hai bisogno di un giornale? Dove vai? (dal giornalaio/in edicola)
4 Hai bisogno di una scatola di aspirine. Dove vai? (dal farmacista/in farmacia)

unità 13

5 Lavora con un compagno. Fatevi domande per completare le cartine dei paesi con i dati che vi mancano.

Londra: +7°
Manchester: +6°
Edimburgo: +6°

Amburgo: -2°
Bonn: 0°
Monaco: +1°

unità 15

A sceglie e fa domande per scoprire cosa lo aspetta nel futuro.

1 Manager di una multinazionale.

Risponderai a molti annunci che troverai in vari giornali e riviste. Finalmente riceverai un'offerta da una società multinazionale alla ricerca di persone dinamiche con buona conoscenza di varie lingue straniere. Dopo alcuni anni di duro lavoro dieci ore al giorno, ti daranno una promozione; diventerai direttore della sede della ditta in Guatemala. Andrai a vivere là e ti sposerai con una giovane del posto. Avrete tre bambini; la tua vita ti piacerà molto e deciderai di non tornare più nel tuo paese. Il lavoro, però, sarà molto duro: quattordici ore al giorno, sei giorni la settimana e niente ferie. Un giorno tua moglie ti dirà di essere stanca di non vederti mai a causa del tuo lavoro e se ne andrà di casa. Tornerà nel piccolo paese dov'è nata. Tu capirai che la tua vita non ha senso e andrai da lei, vivendo dei risparmi del tuo vecchio lavoro.

2 Ricercatore universitario.

Riceverai un'offerta di lavoro presso un istituto universitario per fare ricerche in un campo che ti interessa molto. Avrai un buon contratto, con un buon salario. Dovrai lavorare circa 10 ore la settimana all'università e il resto del tempo lo utilizzerai per leggere, studiare, ecc., a casa, in biblioteca o dove vorrai. Sarà un posto sicuro, potrai rimanerci tutta la vita. Conoscerai una ragazza simpatica e molto carina di cui ti innamorerai. Dopo pochi mesi ti sposerai e vivrai felice con lei per alcuni anni. Poi le cose cambieranno: avrai troppo tempo libero a disposizione, anche perché le tue ricerche non ti interesseranno più e un bel giorno, parlando con la barista del bar vicino al tuo istituto scoprirai che anche lei è stanca della sua vita. Deciderete di scappare insieme e andrete a vivere su un'isola deserta.

Simboli usati per la trascrizione dei suoni

I suoni delle vocali

/i/ v***i***no
/e/ v**e**rde
/ɛ/ f**e**sta
/a/ c***a***sa
/ɔ/ n**o**ve
/o/ s**o**le
/u/ ***u***va

I suoni delle semiconsonanti

/j/ ***i***eri
/w/ ling***u***a

I suoni delle consonanti

/p/ Na***p***oli
/b/ a***b***itare
/m/ ***m***edico
/n/ u***n***
/t/ ***t***empo
/d/ nor***d***
/ɲ/ compa***gn***o
/k/ ***c***asa, ***ch***e; ***q***uando
/g/ pre***g***o; un***gh***erese
/ts/ a***z***ione
/dz/ ***z***an***z***ara
/tʃ/ fran***c***ese; ***c***iao
/dʒ/ ***g***ente; ***g***iorno
/f/ ***f***iore
/v/ ***v***ino
/s/ ***s***ale
/z/ ***s***venire
/ʃ/ pe***sc***e; ***sci***arpa
/r/ ***r***osso
/l/ ***l***una
/ʎ/ fi***gl***io

L'accento è indicato con il segno / ˈ/ prima della sillaba accentata.
Il simbolo * davanti a una parola significa che la parola non esiste.
Il simbolo [:] indica un suono lungo.

ELENCO in ordine alfabetico delle parole contenute in questo volume.

- Il numero a fianco di ogni parola corrisponde all'unità in cui il termine viene usato per la prima volta.
- Gli aggettivi e i sostantivi sono quasi sempre indicati solo nella forma del maschile singolare.
  I verbi sono all'infinito.
- Non compaiono i nomi degli stati che non variano da lingua a lingua, come "Senegal", e le parole internazionali, come "sport", "privacy" che hanno lo stesso significato ovunque.

abbassare 7
abbastanza 5
abbigliamento 8
abbinare 1
abbinamento 10
abbondantemente 6
abbondante 13
abbracciare 6
abbraccio 5
abbreviato 5
abbreviazione 3
abilità 1
abitante 4
abitare 2
abito 2
abituato 13
abitudine 6
accademico 9
accademia 15
accaduto 11
accedere 9
accentato 7
accento 1
accettabile 8
accettare 4
accidentale 14
accidenti 9
accompagnare 6
acconsentire 4
accordo 4
aceto 7
acqua 2
acquario 15
acquisto 5
ad 4
adatto 10
addirittura 14
adeguarsi 11
adesso 3
adolescente 9
adottare 2
adulto 5
aereo 1
aeroplano 11
aeroporto 2
affacciare 13
affare 7
affascinante 10
affascinare 15
affermativo 1
affermazione 5
affetto 13
affittare 2
affitto 2
affollato 11
affresco 8
affrontare 8
Africa, africano 3
agenda 8
agente 2
agenzia 2
agganciare 14
aggettivo 1
aggiungere 4
aggredire 14
agli 4
aglio 7
agosto 3
agricoltore 3
agricoltura 3
ai 3
aiutare 3
aiuto 3
al 2
alba 4
albergo 3
albero 4
alcuni/e 1
alfabeto 1
algerino 3
alimentari 7
all', alla, alle 1
alleato 12
allegato 15
allegro 7
allegria 13
allergia 9
allestimento 15
allevamento 12
allo 14
allora 1
allungare 11
almeno 5
Alpi 13
alto 3
altro 1
alzarsi 6
amare 3
ambiente 4
ambiguo 9
ambulanza 10
America, americano 1
amicizia 15
amico 1
amministrazione 3
ammirazione 12
amore 13
ampio 11
analisi 7
anarchico 14
anche 2
ancora 2
andare 2
andata 11
anfiteatro 15
animale 12
animatamente 11
animo 9
anno 2
annoiare 11
annoiato 12
annunciare 15
annuncio 2
anticamente 14
antipasto 7
antiquariato 10
anzi 10
anziano 11
apertamente 15
aperto 5
apertura 6
apostrofare 9
apparire 13
apparecchio 10
apparente 12
appartamento 3
appena 12
appendice 1
applicare 15
apprendimento 3
apprezzare 7
appuntamento 5
aprile 11
aprire 5
arabo 9
arancione 5
architetto 5
architettura 15
archivio 15
arco 5
area 9
arena 9
Argentina, argentino 1
argomento 11
aria 13
ariete 15
armadio 4
aromatico 7
arrabbiarsi 12
arrabbiato 7
arredamento 8
arrivare 3
arrivederci 1
arrivo 5
arrosto 7
arsenale 15
arte 12
arto 15
articolato 5
articolo 2
articolo 9
artigianato 14
artista 5
artistico 10
ascendente 2
asciugare 7
asciutto 13
ascoltare 3
ascolto 1
asilo 11
aspettare 7
aspetto 8
aspirina 8
assai 15
assegno 8
assieme 10
assistenza 9
assistere 14
associare 10
associazione 15
assomigliare 9
asterisco 5
astronauta 15
atono 9
attaccare 14
attentamente 15
attento 13
attenzione 4
attesa 2
attivo 14
attività 1
attore 14
attorno 13
attraverso 1
attrezzature 11
attrice 14
attuale 12
augurare 10
auguri 10
aumentare 12
aumento 10
ausiliare 14
Australia 5
austriaco 2
autentico 10
autista 8
auto 5
autobus 2
automatico 10
automobile 8
autore 14
autunno 5
avanguardia 11
avanti 14
avanzato 9
avere 1
avvenimento 13
avvenire 11
avverbio 8
azione 2
azzurro 5
baciare/si 12
bacio 5
badare 9
bagnato 15
bagno 4
balcone 5
balera 11
ballare 11
balletto 14
ballo 11
balneabile 12
baltico 9
bambino 3
banca 2
banco 4
bancone 3
banconote 8

glossario

bar	2
barba	11
barbaro	14
barbiere	4
barca	12
barista	15
basare	9
base	7
basilica	12
basilico	13
basso	4
bastare	9
battersi	14
battuta	2
beato	13
Befana	10
bellissimo	6
bello	2
bene	1
benefico	13
benessere	14
benissimo	15
benvenuto	2
bere	7
bevanda	7
bianco	5
bibita	7
bibliografia	9
biblioteca	5
biblioteconomia	9
bicchiere	7
bici	12
bicicletta	9
bidè	3
biennale	14
biennio	9
biglietto	2
bilancia	15
biliardo	5
bimbo	6
biondo	10
birra	7
birreria	11
biscotto	7
bisogno	3
bistecca	8
blu	2
bolletta	11
bollettino	8
bollire	7
bolognese	7
borgo	14
borsa	10
borsa	5
bottiglia	7
boxer	10
braciola	7
brano	8
Brasile	2
brasiliano	1
bravo	7
breve	2
brodo	7
brutto	2
buffo	14
buonasera	7
buongiorno	1
buono	1
burro	7
busta	8
cacao	8
caccia	11
cadere	13
caduta	13
caffè	2
caffelatte	7
calcio	3
caldo	7
calendario	8
calo	10
calzatura	8
calza	9
cambiamento	11
cambiare	4
camera	4
cameriere	3
camicia	7
camion	4
camminare	6
campagna	5
campeggio	12
camper	12
campionato	11
campo	9
canale	14
cancro	15
cane	3
cantante	14
cantare	3
canzone	11
capacità	9
capelli	11
capire	6
capo	10
cappello	10
cappotto	10
cappuccino	7
capricorno	15
carattere	12
caratteristica	3
caratteristico	15
carciofo	7
cardinale	13
carino	3
carne	3
carnevale	14
caro	1
carota	7
carriera	3
carta	2
cartello	11
cartellone	15
cartina	11
cartolaio	8
cartoleria	8
cartolina	2
casa	2
casalinga	3
cascinale	5
caso	1
casseruola	7
cassetta	7
cassiera	8
cast	6
castello	11
casuale	15
catalogazione	9
catena	15
cattivo	10
causa	9
cavalcare	11
cavarsela	10
ce	2
celeberrimo	15
cellulare	10
cena	6
cenare	6
centesimo	8
centrale	13
centro	2
ceramica	10
cercare	3
cerchiare	5
cereale	7
certamente	4
certezza	12
certificato	9
certo	12
che	1
chi	3
chiacchierare	9
chiamare	1
chiamarsi	1
chiamata	10
chiaro	7
chiarire	15
chiave	3
chiedere	1
chiesa	8
chilo	7
chilometro	12
chimico	12
chiodo	7
chiromante	15
chissà	15
chiudere	6
ci	1
ciao	1
ciascuno	7
cibo	7
ciclismo	11
cielo	12
cifre	6
Cile	5
Cina	2
cinema	4
cinematografico	14
cinese	1
ciò	7
cioccolato	7
cioè	9
cipolla	7
circa	6
circolare	5
circondare	3
città	1
cittadino	6
civile	3
civiltà	1
classe	1
classico	13
classifica	8
classificazione	9
cliente	3
clima	13
coca	11
coda	14
codice	8
coesione	13
coetaneo	11
cognome	1
cola	10
colapasta	7
colazione	7
colesterolo	10
collant	10
colle	10
collegare	3
collega	10
collezionismo	10
collina	2
collo	11
colloquiale	4
colonna	1
colonnato	5
colorato	2
colore	2
coltello	9
combinato	12
come	1
comico	14
cominciare	3
commento	4
commerciale	10
commercio	3
commesso/a	3
commiserazione	13
comodo	4
compagnia	15
compagno	1
comparso	12
compiere	6
compilare	9
compito	7
compleanno	5
complemento	9
complessivamente	13
completare	2
completo	3
complicato	12
complimento	11
comporre	10
comportare	7
composizione	13
composto	7
comprare	3
comprendere	6
comprensione	4
compreso	11
compromesso	9
computer	3
comunale	6
comune	2
comunicare	9
comunicativo	9
comunicazione	3
comunque	5
con	2
concentrarsi	13
concerto	4
concetto	12
concludere	13
conclusione	14
condire	7
condizionale	7
condizione	13
condominio	5
confermare	7
confezionato	7
configurare	15
confrontare	5
confronto	9
congiungere	5
congiunzione	9
coniugare	14
coniugazione	3
coniuge	4
conoscere	2

conoscenza 4
conoscitore 14
conseguenza 13
conservare 12
considerare 8
consiglio 7
consistere 6
consonante 2
consumare 7
consumo 8
contadino 3
contare 2
contemporaneo 9
contenente 7
contento 5
contenuto 4
contesto 9
contenere 7
continentale 13
continente 13
continuare 5
conto 7
contorno 7
contrario 4
contrasto 5
contratto 15
contribuire 13
contribuito 13
controllare 3
controllo 2
controllore 8
conveniente 5
conversazione 4
convincere 15
convivenza 4
coperto 7
coppa 15
coppia 2
coprire 7
coraggio 15
corda 2
cordiale 13
coreografia 15
cornice 15
correggere 4
correre 8
corretto 1
corridoio 5
corrispondente 3
corrispondenza 13
corrispondere 9
corsa 15
corsivo 10
corso 2
cortesia 4
cortile 9
corto 3
cosa 2
così 3
cosiddetto 9
costare 6
costante 14
costa 12
costiere 13
costituito 7
costo 2
costruire 2
costruzione 10
costume 13
cotto 11
cottura 7
cravatta 10
creare 10
creatività 3
creatività 4
creativo 3
credere 9
credi 15
credito 2
crema 14
crêpe 1
crescere 9
crescente 12
crescita 13
criminalità 11
crisi 7
cristiano 12
critico 6
crollare 10
crudo 8
cubano 3
cucchiaio 7
cucina 5
cucinare 4
cugino 4
cui 7
cultura 8
culturale 2
cultura 10
cuocere 7
cuoco 7
cuore 15
cura 15
curare 3
curiosa 11
curva 14
CV 3
da 2
dagli, dai, dal, dall',
dalla, dalle, dallo 5
danza 15
dappertutto 13
dare 2
data 6
dato 2
davanti 2
davvero 2
decadenza 14
decennio 14
decidere 6
decisamente 14
decisione 15
dedica 11
dedicare 6
dedurre 10
definire 2
definizioni 2
dei, del, della, delle,
dello 1
delitto 6
democrazia 12
denaro 8
densità 7
dente 8
dentista 8
dentro 5
dépliant 11
deposito 9
deriva 9
descritto 3
descrivere 5
descrizione 1
deserto 12
desiderare 8
desiderio 5
destinatario 8
destinazione 2
destra 4
determinare 4
determinante 13
determinativo 3
determinato 14
detersivo 8
dettagliato 7
dettare 1
dettato 8
detto 4
dovere 8
devoto 3
di 1
dire 1
dialettologia 9
dialogo 1
diapositiva 10
diario 1
diavolo 14
dicembre 5
dichiarare 15
didascalia 7
didattico 9
dieci 6
dieta 7
dietro 3
difendersi 14
difesa 13
differenza 5
difficile 2
difficoltà 9
diffidente 15
diffusa 7
dimenticare 7
diminuire 13
dimostrare 15
dimostrativo 4
dinamica 15
dipendere 11
dipingere 11
diploma 9
diretto 9
direttore 13
diritto 14
disaccordo 13
disappunto 9
discendente 2
disciplina 9
disco 9
discorrere 11
discoteca 6
discussione 11
discutere 3
disdetta 13
disdire 13
disegnare 5
disegno 2
disoccupato 5
disoccupazione 9
dispiacere 14
dispiaciuto 14
disponibilità 3
disporre 7
disposizione 8
distanza 14
distinto 2
distrazione 14
distribuire 12
distributore 10
distribuzione 8
ditta 3
divano 5
diventare 4
divenire 15
diversità 12
diverso 5
divertente 11
divertirsi 12
dividere 1
diviso 6
dizionario 3
doccia 3
documentazione 15
documento 10
dolce 7
domanda 1
domani 4
domenica 6
domestica 11
donna 1
dopo 2
dopodomani 15
dopoguerra 7
doppio 7
dorare 10
dormire 4
dottore, dott. 1
dove 1
dovere 8
dritto 14
duna 12
dunque 10
durante 6
durare 3
durata 9
duro 5
e 2
ecc. 2
eccellenza 11
eccesso 13
eccezione 9
ecco 1
economia 14
economico 9
ed 4
edicola 8
edilizio 14
editore 12
editoria 9
edizione 15
effetto 13
egemonia 14
egregio (Egr.) 13
elegante 10
elementare 9
elemento 6
elenco 11
elettricità 8
elettrodomestico 5
elettronica 13
elevato 13
elezioni 7
eliminare 5
emancipazione 11
emergenza 14
emergere 15
emozionante 11
enciclopedia 10
energia 8
enfatizzare 6
enorme 5

entrare	4
entrambi	9
entrare	4
entrata	14
epoca	13
erba	11
erotismo	6
errore	4
esagerare	13
esame	8
esattamente	7
esclamare	2
esclamazione	13
esempio	1
esercitare	11
esercizio	2
esistere	4
esodo	12
esotico	15
esperienza	3
esperto	13
esposizione	15
espressione	1
espresso	11
esprimere	1
essa, essi	13
esse	8
essenziale	6
essenzialmente	9
essere	1
esso	4
est	13
estate	5
estendere	13
estensione	13
esterno	13
estero	9
estetica	14
estivo	11
età	2
etimologia	3
etto	7
euforia	15
euro	2
Europa	4
europeo	3
evaporare	7
evento	11
eventuale	12
evidenziato	9
evoluzione	15
ex	15
fa	2
fabbrica	3
facile	3
facilitare	10
facilmente	10
facoltà	9
fagiolo	7
falso	2
fame	7
famiglia	3
familiare, famigliare	4
famoso	4
fantasia	5
fantastico	12
fare	1
farina	7
farmacia	7
fascino	7
fase	15
fastidioso	13
fattoria	12
favore	1
favore	2
favorire	4
favorito	12
fax	9
febbraio	5
felice	3
femmina	9
femminile	1
ferie	10
fermata	9
ferragosto	5
ferro	4
ferroviario	2
festa	5
festival	14
fetta	3
fettina	8
fiamma	7
fianco	1
fidanzata	9
fiera	10
fieristico	15
figlia	4
figlio	3
figura	1
filologia	9
filologico	9
filosofia	9
finale	10
finalmente	2
fine	2
finestra	5
finire	3
finlandese	5
fino	7
finora	10
fiorente	14
fiore	6
firma	13
firmamento	15
fisica	2
fiume	12
foglia	13
foglietto	14
foglio	9
folcloristico	14
fondamentale	9
fondo	14
fonetica	9
fonologia	1
forma	1
formaggio	7
formale	1
formare	15
formativo	9
formazione	9
formula	13
fornire	11
forno	11
forse	6
forte	4
fortemente	9
fortuna	5
fortunato	5
forza	13
foto	1
fotografare	9
fotografia	4
fotografico	9
foulard	10
fra	2
Francia, francese	1
francobollo	2
frase	2
fratello	4
fratello	3
frattempo	15
freccia	7
freddo	7
frequentare	9
frequentemente	14
frequente	15
frequenza	6
fresco	7
fretta	7
frigo	7
frigorifero	5
fritto	7
fronte	5
frutta	3
fruttivendolo	8
frutto	7
fumare	8
fumo	9
fungo	7
funzionare	10
funzione	9
fuori	7
futuro	9
gala	15
galleria	14
gallina	7
gamba	10
gara	7
garantire	9
garofano	7
gasato	7
gatto	2
gelato	2
gelosia	15
gemello	15
genealogico	4
generale	6
generalmente	5
genere	8
genitore	4
gennaio	5
genovese	14
Gent.	8
gente	5
gentile	2
gentilmente	4
geografia	2
geografico	8
Germania	2
gerundio	8
gestire	15
ghiaccio	13
già	5
giacca	7
giallo	5
Giappone	2
giapponese	1
giardinaggio	11
giardino	3
ginnastica	11
giocare	5
gioco	7
gioia	13
giornalaio	3
giornale	3
giornata	6
giorno	3
giovane	3
giovanile	15
giovedì	6
girare	14
giro	9
gita	10
giudizio	6
giugno	5
giustificato	15
giusto	2
gli	1
globale	6
gloria	12
glottodidattico	9
glottologia	9
goccia	13
gola	2
gomma	4
gondola	3
gondoliere	3
gonna	10
gotico	15
gradevole	13
grado	12
grafico	2
grammatica	1
grammo	7
Gran Bretagna	6
gran	6
grande	2
grappa	7
grassetto	6
grasso	4
gratis	10
grattacielo	7
grattugiato	7
gratuito	10
grave	14
grazie	1
grigio	5
griglia	7
grosso	8
gruppetto	11
gruppo	6
guaio	13
guardare	2
guida	3
guidare	4
gusto	10
idea	5
identità	15
idraulico	3
ieri	7
il	1
imbarazzo	13
immaginare	4
immaginario	13
immagine	4
immancabile	11
imparare	3
impaziente	15
impegnato	15
impegno	6
imperatore	14
impermeabile	10
impersonale	14
impianto	11
impiegato	3
impiego	9
importante	7
importanza	7

imposta	10
impostazione	4
impressionare	12
in	1
incinta	10
incisione	7
includere	15
incompleto	8
incomprensibile	9
incontrare	11
incontro	9
incorniciare	11
incrocio	14
indeterminato	2
indicare	2
indicativo	1
indicazione	5
indiretto	10
indirizzo	1
indispensabile	14
individuale	9
individuare	12
indossare	10
indovinare	3
industria	3
industriale	15
infatti	5
inferenza	12
inferiore	9
inferire	10
infermiera	3
infine	5
infinito	6
influenza	8
influenzare	13
informale	1
informatica	9
informatico	3
informazione	1
ingegnere	3
ingegneria	9
Inghilterra	2
inglese	1
ingombro	9
ingredienti	7
ingresso	5
inibizione	13
iniziare	9
iniziale	7
inizio	5
innaffiare	11
innamorare	15
innevato	12
innovazione	15
inoltre	9
inquinamento	14
insalata	7
insegnamento	9
insegnante	1
insegnare	3
inseguire	15
inserimento	9
inserire	3
insieme	1
insopportabile	9
intatto	12
intelligente	11
intendere	15
intenso	7
intensità	14
intenzione	6
intero	3
interessare	9
interessante	3
interesse	9
intermedio	9
internamente	15
internazionale	14
interno	3
intero	12
interpellare	14
interpretazione	14
interrogativo	1
interrompere	12
intervenire	3
intervista	9
intervistatore	15
intonazione	2
intransitivo	11
introdurre	13
introduzione	9
introvabile	13
invasione	14
invecchiamento	14
invece	6
inventare	7
inverno	5
investimento	9
inviare	3
invidia	13
invitare	4
invito	4
io	1
ipotesi	7
ipotetico	15
irregolare	3
irrinunciabile	11
iscriversi	9
iscrizione	9
isola	8
ispirarsi	14
istituto	15
istituzione	10
istruzione	8
Italia, italiano	1
iva	10
là	3
la, le, lo, l'	1
laboratorio	11
lago	12
laguna	12
lagunare	14
lampadario	5
lasagne	7
lasciare	4
laterale	14
latino	8
latitudine	13
latte	7
laurea	3
laureato	9
lava	6
lavagna	9
lavandino	3
lavare	3
lavarsi	6
lavorare	2
lavorativo	3
lavoro	2
legame	4
legare	9
leggermente	6
leggere	2
legno	14
lentamente	7
lentezza	9
lento	14
leone	15
lessico	1
lettera	2
letterario	3
letteratura	9
lettere	1
letto	5
lettura	9
lezione	6
lì	5
li	9
libero	8
libertà	13
liberty	10
libraia	6
libreria	5
libro	1
lido	15
lievito	11
ligure	13
limitare	13
limone	7
linea	2
lingua	1
linguaggio	9
linguistico	9
link	2
lirico	14
liscio	11
lista	1
litigare	13
litro	7
livello	7
locale	11
località	2
localizzare	4
logico	15
lontananza	6
lontano	6
loro	2
lotteria	10
lotto	13
luce	13
luglio	3
lui, lei	1
lunedì	6
lungo	9
luogo	2
lusso	10
ma	1
macchina	2
macchinario	3
macellaio	3
macelleria	6
macinato	8
madre	4
maestra	11
magari	11
maggio	5
maggioranza	12
maggiore	9
magico	15
maglia	11
maglietta	10
maglione	9
magro	4
mai	4
maiale	7
maiuscola	12
malato	3
male	13
mamma	4
mancanza	7
mancare	6
mandare	10
mangiare	4
mano	2
mansarda	5
mantenere	9
manzo	7
mare	10
margherita	7
marinare	14
marito	4
marmellata	7
Marocco, marocchino	1
marrone	5
martedì	6
marzo	5
maschile	1
maschio	9
matematica	1
materiale	15
materno	9
matita	4
matrimonio	4
mattina	4
mattino	6
maturo	15
maturità	9
mazzetto	7
me, mi	1
meccanico	3
media	3
mediamente	9
medicina	3
medicinale	8
medico	3
medievale	9
medio	8
mediocre	6
medioevo	14
mediterraneo	13
meglio	5
mela	7
melanzana	7
melone	7
membro	11
memorizzare	15
meno	5
mensa	7
mensile	8
mentre	2
menù	7
meraviglia	2
meraviglioso	12
mercato	3
mercoledì	9
merenda	7
merendina	7
meridionale	13
merluzzo	7
mescolare	10
mese	2
messaggio	4
Messico	6
mestiere	3
metà	7
meteorologico	13
metro	13
metrico	9

metropolitana	2
metterci	5
mettere	3
mezzo	3
mezzogiorno	2
mia, mie, miei	4
migliaia	2
migliorare	14
migliore	6
milione	5
mille	13
millennio	15
minerale	2
minigolf	11
minimo	2
minuto	6
mio	1
misto	7
misterioso	11
mistero	14
misura	11
mittente, mitt.	8
mo'	5
mobile	5
moda	9
modello	8
moderato	13
modernariato	10
modernizzarsi	11
moderno	3
modo	3
moglie	3
molto	1
momento	3
mondo	9
moneta	8
monolocale	5
monotono	13
montagna	2
monumento	2
mora	10
morire	15
morte	14
mostra	14
mostrare	8
mostro	14
motivazione	3
moto	5
motorino	14
motorizzato	11
mountain bike	11
movimento	10
mozzarella	1
multa	14
multimediale	2
multinazionale	15
multisala	11
muovere	15
muratore	3
museo	3
musica	3
musicale	15
muto	5
napoletano	5
narrare	12
nascere	11
nascita	9
Natale	4
natura	11
naturale	13
naturalmente	10
nave	1
navigare	11
nazionale	2
nazionalità	1
ne	5
neanche,	9
nebbia	13
necessario	3
necessità	7
negativo	1
negli, nei	5
negozio	3
nel, nell', nelle	3
nella	1
nero	5
nervoso	12
nessuno	3
neutro	9
neve	12
nevicare	13
niente	7
nipote	4
no	1
nodo	15
noi	2
noioso	11
nome	1
non	1
nonno	4
nonostante	9
nord	2
norma	11
normale	9
normalmente	1
nostra, nostre	6
nostri	2
nostro	3
nota	12
notevole	13
notizie	15
novembre	5
numerale	7
numero	1
numeroso	9
numerosissime	12
nuotare	4
nuovamente	1
nuovo	2
nuvola	15
nuvoloso	13
oasi	12
obbligatorio	7
obbligo	9
obiettivo	15
occasione	10
occhio	13
occhiali	9
occidentale	13
occorre	14
occorrere	14
occupare	8
occupazione	9
odiare	9
offerta	3
offrire	3
oggetto	4
oggi	5
ogni	2
ognuno	9
olio	3
oliva	13
oltre	12
ombrellone	12
opera	1
operaio	3
operetta	15
opinione	9
oppure	1
ora	2
orale	9
oralmente	10
orario	6
ordinale	7
ordinamento	9
ordinare	7
ordine	1
orecchio	7
organizzare	14
organizzazione	9
orientale	13
oriente	14
origano	7
originario	9
origine	7
ormai	6
orologio	6
oroscopo	15
ortaggio	8
ospedale	3
ospitare	14
ospite	7
osservare	1
osservatorio	15
ottenere	3
ottimo	6
ottobre	3
ovest	13
ovvio	12
pacchetto	7
padano	13
padella	10
padre	4
paese	2
pagamento	9
pagina	1
paio	6
palafitta	14
palazzo	5
palcoscenico	15
palestra	5
pallacanestro	8
pallavolo	11
palma	12
palo	14
pane	7
panetteria	8
panettiere	8
panino	6
panorama	15
pantaloni	10
papà	15
paragrafo	5
parcheggio	14
parco	6
parente	6
parlare	3
parmigiano	7
parola	1
parrucchiera	3
parrucchiere	8
parte	5
partecipe	13
partenza	5
particella	14
participio	11
particolare	9
partire	11
partita	9
partito	12
partner	15
parzialmente	13
Pasqua	11
passante	14
passaporto	1
passare	4
passaverdura	7
passeggero	1
passione	3
passo	15
pasta	2
pasticceria	7
pasto	7
patata	7
patatina	5
patente	3
patriarca	4
patriarcale	4
pausa	2
pavimento	7
pedagogico	12
pedonale	14
pena	12
pendere	6
penisola	13
penna	3
pensare	7
pensionato	11
pensione	14
pensione	9
pentola	10
pepe	7
peperoncino	7
peperone	7
per	1
pera	7
percentuale	3
perché	1
perciò	15
percorso	11
perdere	7
perenne	13
perfetto	1
pericoloso	11
periferia	5
periodicamente	10
periodo	6
perla	2
permanente	15
permesso	4
permettere	5
pernottamento	9
però	6
persona	1
personaggio	3
personale	1
personalità	15
pesca	11
pesce	7
pescheria	8
pezzetto	7
pezzo	2
piacere	5
piacere	1
piangere	6
piano	2
piano	9
pianta	5

piantina 5
pianura 2
piatto 6
piazza 3
piccante 10
piccolo 2
piede 6
pieno 11
pigrizia 13
pigro 13
pila 10
ping pong 5
pioggia 13
piovere 13
piovoso 13
piscina 5
pisello 7
pista 11
pittura 15
più 2
piuttosto 9
pizza 2
pizzaiolo 3
pizzeria 3
pizzeria 8
plurale 2
po' 2
poco 6
poeta 5
poi 2
polare 13
politica 11
politico 14
polizia 2
poliziotto 3
pollo 7
polo 12
poltrona 5
pomeriggio 6
pomodoro 7
ponte 3
pop 14
popolare 14
popolazione 2
popolo 3
porgere 13
porre 11
porta 4
portare 10
portata 12
Portogallo 3
portoghese 1
positivo 15
positivamente 4
posizione 6
possessivo 4
possesso 4
possessore 4
possibile 5
possibilità 3
possibilmente 11
posta 6
postale 2
posto 7
potente 14
potere 4
povero 12
pranzare 6
pranzo 5
pratica 7
precedere 8
precedente 3
preciso 9
preferenza 8
preferire 5
prefisso 2
pregare 14
prego 1
premio 11
prendere 6
prenotazione 13
preoccupare 6
preoccupare 9
preoccupazione 13
preparare 5
preparazione 7
preposizione 2
presentare 1
presentarsi 4
presentazione 6
presente 1
presenza 13
presidente 10
presidenza 10
presso 10
prestare 9
prestito 4
presupporre 12
prevedere 4
previsione 13
prezzemolo 7
prezzo 8
prima 2
primavera 5
primo 2
principale 1
principio 15
pro 11
probabilità 15
probabilmente 3
problema 2
procede 4
processo 9
prodotto 2
produrre 3
produzione 11
professore 3
professoressa 4
profondo 15
progettare 15
progetto 15
programmi 10
progressione 5
promemoria 8
promessa 15
promettere 10
promozione 15
promuovere 14
pronome 1
pronto 4
pronuncia 3
pronunciare 7
proporre 9
proposta 9
proprio 5
prosa 14
prosciutto 7
proseguire 12
prossimo 5
proteggere 9
provare 1
proveniente 14
provenienza 5
proverbio 3
provincia 11
psicologo 2
pubblico 3
pulire 6
pulito 13
pullover 10
punteggio 14
punto 9
purtroppo 5
qua 8
quaderno 4
quadriennale 9
quadro 5
qualche 5
qualcosa 2
quale 1
qualsiasi 5
quando 2
quanto 1
quartiere 15
quasi 6
quello 2
questione 13
questo 1
qui 2
quindi 7
quintale 8
quiz 1
quotidiano 6
rabbia 9
racchiudere 13
raccogliere 7
raccontare 7
racconto 12
radicalmente 15
radio 3
raffinato 10
ragazzo 1
raggiungere 11
raggruppare 14
ragione 9
ragù 7
rapidamente 6
rapido 2
rapporto 13
rappresentare 12
rappresentante 7
raramente 6
raro 11
rassegna 15
reagire 13
reale 9
realistico 6
realizzare 14
realtà 9
recente 10
recipiente 7
reciproco 12
recitare 9
recuperare 11
reddito 8
regalare 11
regalo 2
regia 6
regione 11
regista 14
registrare 14
registratore 14
registrazione 2
regola 2
regolare 3
regolarmente 15
relativo 4
relazione 11
religioso 4
remoto 11
rendere 2
repubblica 10
residente 2
residenza 1
responsabile 3
restare 6
restante 12
rete 6
retrospettiva 15
rettangolo 12
riascoltare 14
riassumere 7
riassunto 6
ricambiare 10
ricco 12
ricerca 7
ricercatore 6
ricetta 7
ricevere 7
ricevuta 9
richiamare 9
richiedere 3
richiesta 3
riconoscere 3
ricordare 7
ridere 15
riempire 7
riferimento 1
riferire 9
rifiutare 13
riflessivo 6
riflettere 8
riforma 9
riga 4
rigido 13
riguardare 5
rilassante 11
rilevante 9
rilievo 8
rimandare 12
rimanere 8
rimedio 11
rinascimentale 15
riordinare 1
riparare 3
ripartire 11
ripasso 5
ripetere 1
riportare 6
riposare 11
riposo 9
riproduzione 3
riquadro 1
risaltare 4
risalto 6
riscaldamento 8
rischio 9
riscrivere 11
riso 15
risolvere 15
risotto 7
risparmi 15
risparmiare 14
rispetto 11
rispondere 1
risposta 1
ristorante 2
risultato 9

ritardo 9
ritirare 8
ritmo 6
rito 4
ritratto 13
ritrovare 7
ritrovo 11
riunione 15
riunire 12
riuscire 9
riva 15
rivista 5
rivedere 12
rivolgere 15
roccia 12
romano 14
romanico 15
romanzo 10
rompere 7
rosa 5
rosa 11
rosolare 7
rosso 3
rotondo 14
rotto 10
roulotte 12
rumore 13
russo 1
sabato 3
sabbia 12
sacco 9
sacro 14
sagittario 15
salame 8
salario 3
saldi 10
sale 7
sala 2
salire 11
salone 10
salsa 1
salsiccia 7
salumeria 8
salume 7
salumiere 8
salutare 12
salute 4
saluto 2
salvo 13
sangue 13
sanitaria 14
santo 5
sapere 3
sapone 8
sapore 7
satirico 14
sauna 5
sbagliare 7
scala 6
scambiare 11
scandinavo 12
scappare 15
scarpa 8
scarso 14
scatenarsi 11
scatola 7
scegliere 2
scelta 5
scena 6
scendere 13
scenografico 15
schede 6
schema 4
schiera 5
schifo 13
sci 7
sciare 11
scientifico 9
scienza 15
sciocco 7
sciopero 14
scivolare 13
scolare 7
scolastico 7
scommessa 5
scommettere 5
sconfitta 12
sconfiggere 12
sconosciuto 9
sconto 10
scoperta 1
scoprire 4
scorpione 15
scorso 5
scostante 14
scrittore 14
scrittura 9
scrivere 1
scultura 14
scuola 2
scuro 10
scusare 1
se 2
sé 4
secolo 11
secondo 3
sedano 7
sede 10
sedentario 11
sedersi 12
sedia 5
segno 2
segretaria 1
seguente 3
seguire 3
semaforo 14
sembrare 2
semiologo 14
semplice 10
semplicemente 11
sempre 2
sensibile 13
senso 11
sensualità 13
sentimentale 15
sentimento 15
sentire 2
senza 2
sequenza 6
sera 4
serata 11
sereno 13
serietà 3
servire 3
servizi 2
sete 7
settembre 2
settentrionale 13
settimana 5
settore 3
severo 12
sfogliare 13
sì 1
si 2
sia 4
sicuramente 14
sicuro 15
sigaretta 4
significare 5
significato 3
significativamente 9
significativo 15
signor, signora 1
silenzio 4
sillaba 2
simile 2
simpatico 7
sinceramente 15
sinfonico 15
singolo 9
singolare 1
sinistra 4
sinonimo 13
sintesi 7
sistema 3
sistemazione 9
situazione 1
slip 8
smettere 8
snello 8
sociale 15
socialista 12
società 15
soddisfare 12
soffocante 13
soggetto 1
soggiorno 5
sogno 5
solamente 10
soldi 5
sole 4
solitamente 4
solito 6
solitudine 10
solo 3
soluzione 8
sommario 1
sonno 14
sonoro 2
sopportare 9
sopra 7
soprattutto 4
sordo 2
sorella 4
sorgere 14
sorprendente 15
sorpresa 9
sospensivo 13
sospendere 9
sospettare 6
sostantivo 3
sostituire 6
sottile 10
sotto 1
sottolineare 1
sottovalutare 8
sovrintendente 15
spaghetti 7
Spagna 2
spagnolo 1
sparire 11
sparso 6
spazio 4
spazzolino 8
specchio 5
speciale 5
specialità 9
specializzarsi 9
specializzazione 9
specificare 2
specifico 9
spendere 5
speranza 10
sperare 5
spesa 7
spendere 8
spesso 7
spesso 1
spettabile (Spett.) 13
spettacolo 8
spettatore 11
spiacente 13
spiaggia 12
spiegare 6
spiegazione 2
spinaci 7
splendido 12
splendore 14
sportello 3
sportivo 10
sposare 6
sposato 3
sprofondamento 14
spuntino 7
squadra 8
stadio 13
stagione 11
stamattina 11
stampa 9
stampatello 9
stanco 2
stanza 2
stare 4
stasera 4
statistica 1
stazione 2
stecchino 14
stella 11
stereotipo 13
stesso 2
stile 10
stilista 10
stilistico 9
stipendio 10
stirare 6
stivale 9
storia 7
storico 5
strada 13
stradale 14
straniero 3
strano 9
strategia 3
stressante 11
strumento 11
struttura 9
studente 1
studiare 1
studio 2
studioso 14
stupendo 12
stupore 13
su 2
sua 3
subito 5
succedere 8
successivo 9
successo 9

succo	7
sud	2
sudafricano	1
suddiviso	9
sufficiente	6
suggerire	4
suggestivo	15
sugli	5
sui, sul, sull', sulle,	1
sulla	2
suo	1
suoi	4
suonare	11
suono	2
super	11
superare	13
superficie	7
superiore	9
supermercato	3
sveglia	8
svegliarsi	6
svenire	8
Svezia	5
sviluppare	13
sviluppato	9
sviluppo	8
svolgere	2
svolta	11
tabaccaio	8
tabaccheria	8
tabacco	8
tabella	1
tabellone	6
tacchino	7
tacco	9
taglia	10
tagliare	7
tailandese	11
tanto	5
tappeto	5
tardi	5
tassa	14
tasso	9
tavola	5
tavolino	12
tavolo	4
taxista	3
tè	7
te	2
teatro	6
tecnica	6
tecnico	3
tecnologico	9
tedesco	1
tegame	7
telefonata	4
telefonare	4
telefonico	4
telefono	1
teleselettivo	10
televisione	4
televisivo	10
tema	15
temperamatite	4
temperature	11
tempesta	15
tempo	5
tempo libero	11
temporale	11
tenda	12
tendenza	15
tenere	10
tenore	14
tensione	6
teoria	9
teorico	12
terminare	7
terminazione	1
termine	5
terra	2
terrazza	2
terrestre	12
terrina	7
territorio	13
terzo	5
tesi	9
testa	8
testata	5
testimoniare	15
testo	1
tetto	5
ti	1
tinta	10
tipicamente	13
tipo	3
tipologia	4
titolare	10
titolo	3
toccare	1
togliere	7
toilette	2
tonico	2
tonnellata	8
tonno	7
tornare	3
toro	15
torre	7
torta	3
toscano	14
totale	2
totocalcio	5
tovagliolo	7
tra	2
traccia	13
tradire	6
tradizionale	7
tradizione	15
tradurre	9
traduzione	14
traffico	5
trafiletto	11
traghetto	11
tranne	9
tranquillo	3
transitivo	11
trascorrere	11
trasformare	5
trasformazione	9
trasparente	10
trasporto	3
trattare	6
trattore	3
trattoria	15
treno	1
tribunale	14
triennale	9
triste	13
tritato	7
tropicale	13
troppo	4
trovare	1
tu	1
tua, tuoi	1
tue	4
Tunisia	4
tuo	2
Turchia	2
turco	1
turismo	1
turista	3
turistico	3
turno	1
tuta	3
tuttavia	12
tutto	1
tuttora	15
tv	6
ubicazione	12
ufficio	3
uguale	4
ugualmente	13
ulteriore	8
ultimo	4
umanistico	9
umore	13
un, una, uno	1
unghia	14
unico	8
uniforme	13
unione	3
unire	3
unità	1
unito	5
università	1
universitario	9
uomo	1
uovo	7
urgentemente	10
urlare	11
usare	1
uscire	6
uscita	2
uso	3
utile	15
utilizzare	10
vacanza	3
vacanziere	12
valere	11
valido	9
valigia	5
valore	8
vario	5
variabile	13
vaso	13
vassoio	7
Vaticano	11
vecchio	2
vedere	4
vegetariano	9
vegetazione	7
velato	10
veloce	10
velocemente	6
velocità	11
vendere	3
venerdì	9
venire	3
vento	13
veramente	7
verbo	2
verde	5
verdura	3
vero	2
veronese	15
versare	7
verso	7
veste	14
vestirsi	10
vestito	6
vetrina	9
vi	4
via	2
viaggiare	3
viaggio	1
vibrazione	2
vicino	1
vicino	13
video	3
videogiochi	11
vietato	11
vignetta	6
villa	5
villaggio	3
vincere	5
vincitore	11
vino	7
viola	5
virtù	7
visione	8
visita	15
visitare	11
visivo	15
vissuto	11
vista	9
visualizzare	15
visualizzazione	15
vita	3
vittoria	12
vivere	2
vivo	11
vocale	2
voce	13
voglia	9
voi	1
volentieri	13
volerci	14
volere	3
volo	2
volta	2
voltare	14
volume	7
volutamente	9
vorrei	1
vostro, vostra, vostre	4
vostri	3
water	5
wc	2
yogurt	7
zanzara	9
zero	13
zio, zia	4
zodiacale	15
zona	3
zoo	5
zucchero	7
zucchino	7
zuppa	7

COLLABORATORI

Acerboni Giovanni
Agnoletto Giuseppina
Amerio Klostrmann Maria Grazia
Amodeo Stefania
Antonazzi Beatrice
Baldocchi Marta
Barzaghi Luca
Bedogni Ursula
Begotti Paola
Benvenuto Maria Raffaella
Bergamo Anna
Bianchi Alessandra
Bignami Rosana
Bonini Mariacristina
Bortolon Mariela
Boscolo Clelia
Boussetta Abdelkrim
Brogelli Donatella
Brunetta Francesca
Buccolo Adriana
Bude Andrea Silvina
Caballero Maria Andrea
Campana Laura Cristina
Capalbi Antonio
Carletti Anna
Carpentieri Saverio
Castorina Silvia
Cavagnoli Stefania
Cesaroni Paola
Cimini Luigia
Ciulli Cinzia
Cognigni Edit
Coluccello Salvatore
Cracolici Stefano
Crolla Adriana Cristina
Daniele Claudio
De Dea Erika
De Guchtenaere Dominique
Del Carmen Pilán De Pellegrini María
Depietri Marco
Desiderio Rosalia Beatriz
Diani Marco
Diaz Beatrice
Dilillo Giuseppina
Doglioli Belkis
Domburg Sancristoforo Anna Maria
Domenici Claudia
Dondolini Scholl Gabriella
Dubouloy Zulma Noemi
Edit Franzoi Marisel
Federici Giulia
Ferone Perle Bianca
Fiore Teresa
Flemrova Alice
Fontana-Hentschel Elisabetta
Fossati Stefano
Frabetti Anna
Fratter Ivana
Galetta Maria
Gandi Leonardo
Gangi Mariagabriella
Geremia Cristiana
Giannetto Nella
Giordano Benedetta
Giudice Beatrice
Gola Sabina
Gramone Antonella
Griggio Kuhnglockendostr. Consuelo
Ignazzitto Tindara
Ivanova Elena
Latini Nunzia
Lavaggi Stefano
Lombardi Maria
Lucchini Adriana
Luijs-Pizzolante Liliana
Lukaèiæ Gordana
Maggiora Pasquale
Manai Franco
Mannucci Alicia
Margiaria Livio
Martini Davide
Mauceri Maria Cristina
Mcgowan Nicoletta
Miani Laura
Milano Maria Ines
Minardo Emanuele
Modesti Sante
Modolucci Estela
Moratti Cristina
Mori Claudia
Musti Fulvia
Myung-Bae Kim
Noe' Daniela
Occhipinti Emanuele
O'Healy Aine
Pagliaro Antonio
Pasanisi Roberto
Pavon Luisa
Penso José Eduardo
Percuzzi Chiara
Permé Patricia
Picciano Giovanna
Pilz Kerstin
Pinto Luciano
Polezzi Loredana
Posdinu Ignazia
Press Lynne
Proietti Anna Lia
Proudfoot Anna
Querol Esperanza
Raggi Moore Judy
Raniolo Lelia
Recalde Belkis
Riccobono Rossella
Rigoli Benedetta
Robustelli Cecilia
Romani Gabriella
Roy Tanya
Ruggeri Fabrizio
Salvaderi Mario
Salvi Camilla
Sambuco Patrizia
Santoliquido Serafina
Sartori Maria Elisa
Scazzoli Paola
Schibotto Giampietro
Simone Federica
Sodi Risa
Sperandio Renata
Stanchi Rossana
Stefani Caroline
Strambi Antonella
Tassinari Marina
Trapani Gaspare
Ubbidiente Roberto
Vanvolsem Serge
Vassale Valeria
Vighi Fabio
Volpato Ana María
Zagarella Angela